각막질환연구회

외안부 소수술
External Eye Minor Surgery

현
문
현
답

외안부 소수술

첫째판 1쇄 인쇄 | 2020년 11월 18일
첫째판 1쇄 발행 | 2020년 11월 27일

지 은 이 각막질환연구회
발 행 인 장주연
출 판 편 집 한성의
편집디자인 양은정
표지디자인 김재욱
일 러 스 트 이호현
발 행 처 군자출판사(주)
　　　　　등록 제4-139호(1991. 6. 24)
　　　　　본사 (10881) 파주출판단지 경기도 파주시 회동길 338(서패동 474-1)
　　　　　전화 (031) 943-1888　　　팩스 (031) 955-9545
　　　　　홈페이지 | www.koonja.co.kr

ISBN 979-11-5955-621-0

정가 100,000원

집필진

권지원 | 한양의대 명지병원

김명준 | 리뉴서울안과

김수영 | 비전케어 통가지부

김은철 | 가톨릭의대 부천성모병원

김재찬 | 연수김안과의원

김진형 | 인제의대 일산백병원

김현승 | 가톨릭의대 서울성모병원

노창래 | 가톨릭의대 대전성모병원

박우찬 | 동아의대 동아대학교병원

변용수 | 가톨릭의대 서울성모병원

서경률 | 연세의대 신촌세브란스병원

송종석 | 고려의대 구로병원

오주연 | 서울의대 서울대학교병원

이도형 | 인제의대 일산백병원

이형근 | 연세의대 강남세브란스병원

정소향 | 가톨릭의대 서울성모병원

정진권 | 순천향의대 순천향서울병원

정태영 | 성균관의대 삼성서울병원

조경진 | 단국의대 단국대학교병원

조양경 | 가톨릭의대 성빈센트병원

최철영 | 성균관의대 강북삼성병원

한영근 | SNU 청안과

현준영 | 서울의대 분당서울대학교병원

황형빈 | 가톨릭의대 인천성모병원

인 사 말

외안부 분야 진료에서는 매우 다양한 수술 및 시술이 시행되고 있는데, 많은 경우 진료실에서 시행되기도 하고 그 술기가 한가지로 정립되어 있지 않은 경우가 흔합니다. 술자마다 임상에서 유용하게 적용할 수 있는 여러 가지 팁을 가지고 있는 경우도 있습니다. 이처럼 교과서에서 다루기 어려운 내용들을 모아 각막질환연구회 수술 소모임을 통해 '외안부 소수술: 현문현답'을 발간하게 되었습니다. 이 책자에는 정립된 기본적인 방법을 기술하기도 하였지만, 그보다는 더 다양한 접근법과 시각을 포함하였고 풍부한 임상경험에서 비롯된 저자들의 know-how가 담겨있습니다.

제 경험에 비추어보더라도 스승과 선배로부터 술기를 배우고 자신의 수술방법을 정립하기까지 여러 가지 논문이나 학회발표를 찾아보고 환자의 임상경과를 관찰하며 고민하면서 늘 참고자료가 부족함을 아쉬워했던 기억이 있습니다. '외안부 소수술: 현문현답'은 아마도 같은 고민을 하시는 여러 선생님들께 등대와도 같은 가이드의 역할을 하고자 하는 취지에서 발간을 준비하였고 이제 3년간의 집필 및 편집 과정을 거쳐 마침내 발간을 하게 되었습니다.

'외안부 소수술: 현문현답'이 발간되기까지 많은 시간과 노력을 기울여주신 각막질환연구회 수술 소모임과 집필진에게 감사드립니다. 특히 각막질환연구회 내에 소모임이 정착되고 활성화될 수 있도록 기여하신 김현승 전임회장님, 그리고 이 책의 발간을 주도적으로 이끌면서 열정적이고 헌신적인 노고를 아끼지 않으신 이도형 전임회장님께도 깊은 감사를 드립니다. 이 책자가 외안부수술을 처음 익히고자 하는 안과의사로부터 외안부를 전공하는 전문가에게까지 진료현장에서 지침서로서 도움이 되었으면 하는 바람입니다.

각막질환연구회 회장

현 준 영

각막질환연구회

1994년 각막을 전공으로 하는 대학교수들로 각막질환연구회(KCDSG, Korea Cornea Disease Study Group)가 창립되었습니다. 당시만 해도 전국의 각막을 전공하는 안과 교수가 10명 남짓한 시대였습니다. 연구 여건도 좋지 않아 외안부 영역의 SCI 논문을 작성하기 위해서는 해외 유학을 가거나 외국 석학들과 공저를 해야만 가능했던 시기였습니다. 현재같이 인터넷이 활발하지 않았기 때문에 최신 정보를 얻는 데 매우 어려움이 있었던 시대였습니다. 대표적인 창립 멤버인 김재찬 명예회장님께서 말씀하시길 각막질환연구회를 만든 목적은 보다 훌륭한 연구 및 치료를 하기 위해 공통의 관심사를 가진 사람들이 모여 정보를 공유하고, 서로 북돋아주기 위함이었다고 하셨습니다. 그래야만 국내에서 국내 연구자만으로도 훌륭한 연구를 할 수 있고 이러한 노력은 분명히 많은 후배들에게 보다 나은 연구 환경을 제공할 것이라는 확신이 있었기 때문이라고 하셨습니다. 각막질환연구회는 외국 석학과의 교류도 활발히 하고 특히 한일각막컨퍼런스를 주도적으로 이끌었는데 당시 초청된 일본의 기노시타 교수는, 작은 강의실에서 저녁도 먹지 않고 밤 11시까지 열띤 토론을 하는 모습을 보고 충격을 받아 그 다음해 Kyoto Cornea Club을 만들었다는 이야기를 모르시는 분들도 계실 것 같습니다.

이제 각막질환연구회가 창립한지 26년이라는 세월이 흘렀습니다. 각막질환연구회 회원은 현재 80명으로 늘었으며 순수 국내 연구자들로 impact factor가 높은 훌륭한 논문을 싣는다는 것이 너무나 당연하게 되었습니다. 지금의 당연함은 과거 선배님들의 뼈를 깎는 노력이 아니었더라면 절대로 이루어지지 않았을 것 입니다. 이제 각막질환연구회 회원이 많아지다 보니 각자 관심사가 다양해진 것 같습니다. 모임의 취지가 '연구'와 '친목' 두 마리 토끼를 잡자는 것이었는데 어느덧 '친목' 성격이 강해져 보다 발전적인 모임을 위한 변화가 필요했습니다. 수많은 토론을 거쳐 각막질환연구회 아래 '건성안', '면역', '수술', '감염', 'MGD' 등 소모임 제도를 만들어 보다 깊은 연구를 할 수 있도록 발판을 만들고자 하였습니다. 아직 시작 단계에 불과합니다만 그 중 MGD 소모임은 활발히 활동하여 외국학회에서 발표도 하고 instruction course를 개설하기도 하였습니다. 이번에 수술 소모임에서는 임상에서 도움이 되는 흥미로운 책자를 발간하게 되었습니다. 그동안 책자 발간에 애써주신 이도형 교수와 황형빈 교수에게 감사를 드립니다.

앞으로도 각막질환연구회는 활발한 연구 및 교류를 통해 외안부 영역을 보다 발전시키도록 노력하겠습니다. 이러한 노력은 향후 후배 안과 의사분들에게 보다 나은 연구 및 진료 환경을 제공하리라 생각합니다.

각막질환연구회 수술 소모임

김 현 승

발 간 사

'외안부 소수술: 현문현답'을 세상에 내놓다…

한국각막질환연구회의 '수술 소모임'은 현재 16명의 회원으로 구성되어 있으며, 연구회 산하 여러 소모임들 중에서도 활발한 모임을 갖고 있습니다. 초창기에는 서로의 수술 영상을 공유하면서 토의하는 모임을 갖는 것으로 시작하였고, 이후 학회에서 습득한 다양한 술기에 대한 정보를 공유하기도 하였습니다. 특히 술기 습득을 위하여 개최한 San Diego Eye Bank와의 DSEK, DMEK wet lab은 회원들의 많은 호응을 얻었습니다. 이렇게 여러 차례 모임을 가지고 이야기를 나누면서, 우리는 같은 수술을 하면서도 기본적인 원칙은 동일하지만 저마다 다른 방법으로 접근하고 있다는 사실을 발견하였습니다. 학회에서 권고하는 표준 수술법과는 다르게 나름의 이유로 다른 방식의 술기를 시행하시는 회원도 있었습니다. 막상 수술 술기에 대하여 공부하고자 관련 서적을 펼쳐보면 술기에 대한 설명보다는 이론 서술이 많고 그림이나 사진은 복잡하여 이해하기 어려운 경우를 겪게 되었습니다. 수술이라는 것이 술자에 따라 워낙 다양할 수 있지만 대부분의 교과서에서는 오랫동안 정립된 원칙적인 수술법만을 서술해야 하기에 현실과는 동떨어진 경우도 있습니다. 이에 우리는 '이미 알고 있는 이론에 대한 서술은 간략히 하되 사진과 그림 위주의 책이 있었으면 좋겠다'라는 생각을 하게 되었습니다. 보다 단시간에 수술 술기를 습득하기 위해 약간은(때로는 많이) 가볍고 부담 없이 볼 수 있는 책을 원하였습니다. 더불어 저마다 다른 수술법과 이에 대한 이견들을 자유로운 토의 후, 나온 아이디어를 책 속에 녹일 수 있으면 좋겠다고 생각하였습니다.

이런 고민 끝에 우리는 '이제까지 없었던 새로운 형식의 책을 만들어 보자!', '형식에 구애받지 않고 편하게 이야기하듯 서술하는 책을 만들어 보자!', '영어면 어떻고 한글이면 어때!, 알기 쉬운 용어를 선택하자!"라고 의기투합했습니다. 시작은 가볍고 쉬웠지만, 결과물을 얻기 위한 과정은 생각보다 많이 힘들었습니다. 기존과는 다른 참신한 책을 만든다는 부담감 때문이었는지 1년 안에 만들기로 한 책은 3년이 지나서야 완성되었습니다.

'참신하지만 결코 가볍지만은 않은' 이 책은 기존의 교과서와는 차이가 있습니다. 외래에서 흔히 볼 수 있는 외안부 질환의 시술 및 수술에 대한 과정을 사진과 그림을 통해서 알기 쉽게 기술하였습니다. 본문 중간에 "One Point"라는 항목을 두어 저자가 강조하고자 하는 중요한 팁들을 요약하였습니다. 챕터 마지막에는 '현문현답'이라는 항목을 두었습니다. 이 항목을 위하여 모든 집필진이 최소한 두 차례 이상 주말에 모여 자유토론을 하였습니다. 각 챕터의 내용에 대해서 건설적임을 가장한 날카로운 비판, 논란거리에 대한 개인적인 견해, 그리고 특별한 증례 등에 대하여 자유토론을 거치고 이를 가감없이 정리하였습니다. 이 토론은 어디까지나 개인 의견도 많아 근거 문헌이 없을 수 있는 내용입니다. 목소리 큰 사람이 이기는 경우가 많지만 때로는 침묵하는 소수의 의견도 중요함을 강조하였습니다. 이에 각 챕터를 집필한 저자는 있었지만 많은 회원들이 의견을 주어 업그레이드된 원고는 원본과는 상당한 차이가 있었습니다. 사공은 많았지만 배가 산으로 가지 않은 점은 다행이라 생각합니다.

3년 만에 드디어 출간된 '외안부 소수술: 현문현답'이 많은 선생님들께서 늘 곁에 두시고 일상의 환자 진료에 유용하고 친근한 책이 되길 바랍니다. '수술'이라는 것은 정답이 없는 것 같습니다. 이 책을 시작으로 수술에 대한 선생님들의 많은 아이디어가 더해져 우리 안과 분야의 발전에 기여가 되길 바랍니다.

각막질환연구회 창립 회원분들께 깊은 감사와 함께 이 책을 헌정합니다. 80명 이상의 회원들의 입맛에 맞추느라 정말 어렵게 소모임을 기획해 주신 김현승 전임회장님께 감사드립니다. 수술 소모임 회원은 아니지만 본 책에 함께 적극적으로 참여하여 주신 각막질환연구회 운영위원들께 감사의 말씀을 드립니다. 더불어 보다 풍성한 내용을 위해 도움을 주신 서지원, 김경우, 최정열, 김은영, 이보영, 정영권, 정인권 선생님께 감사드립니다. 보다 멋진 책을 위해 표지에 장식할 그림을 재능기부해주신 김미금 회원님께 감사드립니다. 그리고 '이게 마지막 수정이야' 라고 말한 이후에도 원고를 새로 쓰다시피 하여 열 번에 걸친 수정 작업을 싫은 티 안내고 밤낮으로 작업하여 주신 군자출판사 박미애, 장서준, 한성의님께 깊은 감사를 드립니다. 마지막으로 책 쓴다고 회의한다고 공부한다고 늦게 귀가하는 우리를 반갑게 맞이해 준 가족에게 깊은 감사와 존경, 그리고 사랑을 보냅니다.

2020년 11월 코로나의 한 가운데서
각막질환연구회 수술 소모임
권지원, 김명준, 김수영, 김재찬, 김진형, 김현승, 노창래, 박우찬
변용수, 오주연, 이도형, 정진권, 조경진, 조양경, 한영근, 황형빈

목 차

Corneal Surgery
2019.10.03
碧然(벽연) 金渼昑(김미금) 作

Trauma로 Corneal laceration이 발생하여 병원에 오게 되면 환자의 눈은 정상 구조가 망가지면서 혼돈으로 가득합니다. 혼돈으로 가득한 푸른 심연에서 한 땀 한 땀 실로 건져 올려서 각막의 질서를 다시 찾고 있는 Surgeon의 마음을 표현하고자 했습니다. 노안으로 잘 안 보이는 10-0을 마음속으로 크게 확대하여 정성껏 각막을 바느질하고, 성공적으로(S는 Success를 상징하기도 합니다) 각막을 질서정연하게 다듬고자 하는 마음은 늘 기도하는 마음과 함께합니다.

각막찰과, 도말과 배양
: Corneal scrape, smear and culture

01

Key Point

- 각막궤양의 원인균 확인을 위한 도말 및 배양 검사의 적응증을 알아본다.
- 각막궤양의 원인균 도말 및 배양을 위한 각막찰과방법을 알아본다.
- 원인균의 배양을 위한 여러 배지에 대해 알아본다.

1. 각막찰과를 통한 균주의 도말과 배양 검사의 적응증

눈의 통증을 호소하는 환자에서 각막상피의 손상이나 각막기질의 염증성 침윤이 관찰되면 감염성 각막염을 의심하게 된다. 이 경우 1) 감염성 각막염의 확진을 위해, 2) 원인균의 분리와 동정을 위해, 3) 원인균에 대한 항생제 혹은 항진균제 감수성 검사를 위해 필요한 것이 각막찰과를 통한 가검물내 균주의 도말과 배양 검사이다.[1]

감염성 각막염이 의심된다면 모든 환자에서 각막찰과를 통한 도말과 배양 검사를 시행하는 것이 이상적이다. 하지만, 검사에 따른 합병증 가능성, 검사비용, 미생물 배양시설 접근성 등 제약이 있기 때문에 다음의 경우에 검사를 시행하는 것이 일반적이다.

One Point

각막찰과를 통한 도말 및 배양 검사의 적응증
- 시력에 위협을 가하는 심각한 감염성 각막염이 의심되는 경우
- 심부 기질까지 침범하는 2 mm 이상의 커다란 중심성 각막궤양 및 침윤
- 만성적인 각막염
- 광범위 항생제에 반응하지 않는 각막염
- 임상적으로 진균, 아메바, 마이코박테리움의 감염이 의심되는 경우

2. 각막찰과를 통한 도말 및 배양 검사의 준비물

이미 항생제나 항진균제를 사용하고 있는 환자에서 각막찰과를 통한 도말 및 배양 검사를 시행하는 경우, 검사 전 12~24시간 동안 사용하고 있는 항생제나 항진균제를 중지한 후 검사를 시행하는 것이 병소 내 균의 농도를 높여 검사의 민감도 및 특이도를 높일 수 있다. 하지만 치료를 중지하였을 때 감염성 각막염이 더 활성화될 수 있는 위험 때문에 재검이 아닌 경우에는 통상적으로 환자가 사용하고 있는 항생제나 항진균제를 중지하지 않고 검사를 시행한다.

1) 마취
각막찰과에는 보존제가 없는 proparacaine 0.5% 점안마취제를 사용하는 것이 바람직하다. 이는 보존제에 세균이나 진균의 발육을 억제하는 작용이 있기 때문이고, proparacaine이 tetracaine이나 cocaine에 비해 세균 억제력이 낮기 때문이다.

2) 각막찰과를 위한 기구
각막찰과를 위한 기구로 spatula, large gauge disposable needle, surgical blade, calcium alginate swab, Dacron swab, cotton swab 등을 사용할 수 있다(그림 1-1). 각 기구들 사이에 균동정률에 있어서 유의한 차이는 없는 것으로 알려져 있고, swab tip의 재질(wet or dry; cotton, rayon, polyester, calcium alginate or Dacron 등)에 따른 차이도 크게 없는 것으로 보고되어 있다. 다만, 균도말 후 chemical staining을 위해서는 swab보다는 spatula나 blade가 낫고, 바이러스 배양의 경우 바이러스 억제작용이 있는 cot-ton swab이나 calcium alginate swab보다 Dacron swab을 사용하는 것이 낫다.

통상적으로 배양을 위한 균접종을 위해서는 찰과의 용이성과 안전성을 위해 Kimura spatula나 15번 Bard-Parker blade, 21G needle 등이 사용된다(그림 1-1). 어떤 기구를 사용하든지 무균성 기구를 사용해야 한다. 여러 배지 접종을 위해 여러 번 찰과를 할 때도 매 찰과 시마다 새 무균성 기구로 바꾸도록 한다. 불가피하게 한 기구로 여러 번 찰과 및 접종을 해야 할 경우에는 매번 불꽃에 열소독한 후 사용해야 한다.

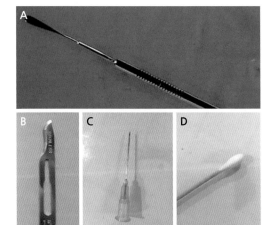

그림 1-1.
A. Kimura spatula, B. 15번 Bard-Parker blade,
C. 21 G needle, D. cotton swab

3) 균도말을 위한 슬라이드와 배양을 위한 배지
균염색을 위해 각막찰과하여 얻은 가검물을 슬라이드에 도말한다. 유리 슬라이드는 한편에 환자 이름, 병록번호를 기재하고 표본 위치는 동그라미로 표시하여 준비한다(그림 1-2). 찰과표본과 혼합할 무균성 액(보통 생리식염수), 표본 위에 덮어 검체를 보호할 커버 글라스도 준비한다.

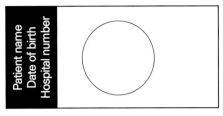

그림 1-2. 균도말 슬라이드

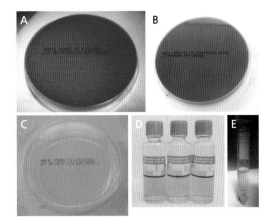

그림 1-3. A. 혈액 배지, B. 초콜렛 배지,
C. 사브로드 배지(Sabouraud dextrose agar),
D, E. BHI (blood heart infusion) 액체배지

> **One Point**
>
> **Staining의 임상적인 의미**
> - Gram staining: 세균, 진균의 형태를 관찰하는 데 적절하나 염증세포에 대한 상세한 정보는 Giemsa보다 적다.
> - Giemsa staining: 염증세포의 종류, 성상을 파악하는 데 매우 우수하다. 염증세포의 종류, 상피세포의 변화로 병원체를 추측할 수 있다. 다만 세균의 유무는 알 수 있어도 균종을 알기에는 부적절하다. 진균, 아칸토아메바의 검출은 가능
> - KOH: 진균, 아칸토아메바의 검출 가능

균배양을 위해 필요한 배지(culture media)는 물리적 성상에 따라 한천(agar)의 함량이 1.2~1.5%인 고형배지(solid media)와 한천이 들어 있지 않은 액체배지(liquid media, broth)가 있다. 가장 기본적인 증균배지로 평판(plate)의 고형배지인 혈액 배지(blood agar)와 초콜렛 배지(chocolate agar)가 있고, 액체배지인 티오글리콜산 배지(thioglycollate broth)와 BHI (blood heart infusion) 배지가 있다(그림 1-3).[1,2]

혈액 배지는 멸균한 50℃ 정도의 한천에 5~10%의 양, 말, 소, 토끼, 사람 등의 O형 혈액을 첨가한 후 거품이 안 나게 굳힌 배지로, 혈액이 배지 내 존재하는 균의 발육저해물질을 흡착하고, 혈액 내 영양소들이 균의 생존과 성장을 돕기 때문에 다른 배지에서 잘 자라지 않는 균도 혈액 배지에서는 잘 자라게 된다. 즉, 혈액 배지에서는

P. aeruginosa, S. aureus, S. epidermidis, S. pneumoniae 등 호기성(aerobic), 통성혐기성(facultative), 혐기성(anaerobic) 세균 모두 다양하게 분리 배양된다. 하지만 혈액자체에는 일부 세균을 억제하는 천연독소가 포함되어 있기 때문에 혈액을 고온(85~90℃)으로 처리하여 독소를 파괴한 갈색의 초콜렛 배지가 H. influenza, N. gonorrhoeae, Moraxella 등 영양조건이 까다로워 혈액 배지에서는 자라지 못하는 균의 분리 배양을 위해 사용된다. 그 외 진균과 Nocardia를 선택적으로 분리 배양하기 위한 고형배지로 사브로드 배지(Sabouraud dextrose agar)가 있다.

티오글리콜산 배지에는 0.05~0.075%의 미량의 한천과 reducing substance가 들어 있어 호기성, 통성혐기성, 혐기성 세균 모두 다양하게 분리 배양할 수 있다. BHI 배지는 호기성, 혐기성 세균, 진균의 일반 증균배양과 혈액배양에 널리 사용된다. 티오글리콜산 배지(상온보관)를 제외한 거의 모든 배지는 냉장보관하고 접종 수 시간 전에 상온에 내어 놓는다.

그 외 가시아메바 감염이 의심되는 경우 대장균이 도포된 비영양형 배지(nonnutrient agar plate with E. coli, 1.5%)를 사용한다. 바이러스는 일반 배지에서는 배양되지 않으므로 바이러스 배양을 위해서는 차가운 특수 바이러스 운반액에 가검물을 접종한 후 미생물 검사실로 보낸다.

One Point

각 배지별 배양 세균
- 혈액 배지: P. aeruginosa, S. aureus, S. epidermidis, S. pneumoniae 등 호기성, 통성혐기성, 혐기성 세균
- 초콜렛 배지: H. influenza, N. gonorrhoeae, Moraxella 등
- 사브로드 배지: 진균, Nocardia
- 티오글리콜산 액체 배지: 호기성, 통성혐기성, 혐기성 세균
- BHI 액체 배지: 호기성, 혐기성 세균, 진균. 특히 혈액배양에 널리 사용됨
- 대장균이 도포된 비영양형 배지: 가시아메바

3. 각막찰과, 균도말 및 접종 방법

각막찰과를 통해 가검물을 채취하여 균염색을 위해 슬라이드 도말을 하고 균배양을 위해 배지접종을 하기 위해서는 다음 단계를 거친다.

1) 항생제를 사용하고 있는 환자는 통상적으로 항생제를 끊지 않은 상태에서 검사를 시행한다. 단, 기존의 균배양 검사에서 균이 검출되지 않았음에도 불구하고 임상적으로 감염성 각막염이 의심되어 다시 검사를 시행하는 경우에는 사용하고 있는 항생제를 12~24시간 중단한 후 검사를 시행하면 병소 내 균의 농도를 높여 동정률을 올릴 수 있다.

2) 위에서 언급한 필요물품을 준비한다. 특히 냉장보관되어 있는 배지는 미리 상온에 내어 놓아 상온화(warm up)시킨다.

3) 무보존제 proparacaine 0.5% 안약을 환자에 점안한다.

4) 개검기를 이용하여 환자의 눈을 벌린 후 세극등 현미경이나 수술 현미경하에서 각막찰과를 시행한다. 각막찰과 시 가장 중요한 것은 눈꺼풀이나 결막으로부터 오염을 막기 위해 기구가 눈꺼풀이나 결막에 닿지 않게 주의하는 것이다.

각막침윤 및 상피결손 선진부의 상피를 포함한 각막 조직을 찰과하여 가검물을 얻는다. 2 mm 이상의 큰 궤양의 경우는 여러 군데에서 찰과하여 가검물을 얻는다. 진균이나 가시아메바 감염이 의심되는 경우에는 궤양의 심부 기질에서 가검물을 채취한다.

일반적으로 궤양에 있는 농(pus)은 무균성인 경우가 많으므로 채취하지 않는다. 또한, 감염성 각막염에 동반된 전방 축농도 무균성이므로 세균성 안내염이 의심되지 않는 한 전방천자를 통한 방수 채취는 시행하지 않는다.[1,3]

5) 각막찰과본을 슬라이드에 먼저 도말한 후 배지에 접종을 한다. 슬라이드 도말을 할 때에는 각막찰과본이 액체성이면 직접 유리 슬라이드에 도말하고, 액체성이 아니면 미리 무균성 생리식염수 한 방울을 슬라이드 위에 떨어뜨린 뒤 그 안에 각막찰과본을 섞어 도말한다. 이후 커버 글라스를 덮고 공기 건조(air dry)한 상태에서 슬라이드를 미생물 검사실로 보내어 염색을 시행한다.[3]

One Point

Staining 했으면 이것만은 확인하자!

① 균과 염증세포의 크기 확인
  ·세균: 구균인 경우 직경 1 µm 전후, 간균
   0.5~1.0×1.5~5.0 µm
  ·진균: 칸디다는 3~5 µm 난형, 사상균은 2~20
   µm 균사
  ·아칸트아메바: 영양체는 30~40 µm, cyst는
   10~20 µm
  ·호중구: 직경 12~15 µm
② 그람 양성이냐 음성이냐?
③ 구균인가 간균인가?
④ 호중구의 양, phagocytosis 유무(균이 호중구
   에 phagocytosis되어 있으면 원인균일 가능
   성이 높다)
⑤ 상피세포 유무

배양 배지에 찰과로 얻은 가검물을 접종할 때에는 한천을 천공하지 않도록 주의하여 한천 표면에 부드럽게 여러 개의 C자 형태로 도말한다 (그림 1-4). 이는 접종 시 오염균의 증식과 각막염의 원인이 되는 감염균의 증식을 감별하는 데 도움이 된다.

그림 1-4. 배지접종의 방법

6) 배지 접종에는 두 가지 방법이 있다.[4]

첫 번째로, 각막찰과를 하여 얻은 가검물을 운반배지(transport media)에 보관하여 미생물 검사실로 보낸 후 검사실에서 여러 배양 배지에 접종하게 하는 간접적인 방법(quick culture, swab culture)이 있는데, 이는 보통 시판하는 swab과 반고형의 반배지가 포함된 배양 키트를 사용하여 시행한다. 이 경우 한 번만 각막찰과를 해도 되므로 각막의 손상이 적고 빠르게 각막찰과를 시행할 수 있다는 장점이 있지만, 균이 배양배지에 접종되는 데 시간이 걸린다는 단점이 있다.

두 번째로, 각막찰과본을 채취한 후 바로 배양배지에 접종하는 직접적인 방법이 있다. 이는 바로 균을 접종하여 배양을 시작하므로 균의 동정률을 높이는 데 효과적인 장점이 있다. 하지만, 여러 배지에 접종할 때마다 새 기구를 이용해 매번 각막찰과본을 얻어야 하므로 여러 번 각막찰과를 해야 하는 단점이 있다.

7) 접종이 끝나면 배지의 뚜껑을 덮고 밀봉한 상태로 바로 미생물 검사실로 보내어 적정한 온도 (보통 세균의 경우 35℃)에서 배양을 시작한다. 접종한 배지를 바로 미생물 검사실로 보내기 어려운 상황이라면 배지는 냉장보관하지 말고 상온에 보관한다.

4. 균의 배양기간

보통 호기성 균은 7일, 혐기성 균은 7~14일간 배양하고 이 기간 동안 배양이 되지 않으면 '배양 안 됨(no growth)'으로 판정한다. 마이코박테리아나 진균의 경우 4~6주까지 배양을 시행한 후 배양이 되지 않으면 '배양 안 됨(no growth)'으로 판정한다. 균이 배양되는 데 시간이 걸리므로 균의 배양결과를 기다리기보다는 바로 항생제 치료를 시작 혹은 유지하다가 배양 결과가 나오면 그 결과에 따라 사용하는 약제를 조정한다.

현문현답

Q. 원인균의 동정을 위해 각막 찰과의 정확한 방법을 숙지하고 적절한 배지에 정확히 접종하는 것은 안과의로서 기본적으로 갖추어야 할 지식 중 하나입니다. 그러나 이후 staining이나 culture 결과에 대한 진단검사학과의 리포트를 기다리는 경우가 많기 때문에 그 결과를 기다리는 입장에서는 우리가 "을"이겠죠?

A. 글쎄요. 요즈음은 대부분의 안과의들이 진단검사의학과의 리포트가 나올 때까지 기다리지만, 예전에는 staining은 안과 의사가 직접 시행하였고, 조직검사 후 결과도 paraffin block이 나온 시점부터 이를 판독할 때 진단검사의학과 선생님들과 함께 판독하는 것을 당연시하였는데 말이죠. 쉽지 않겠지만 때로는 검체에 대한 판독 과정에 참여하는 것도 중요할 것 같습니다.

A. 배양의 목적은 원인균을 동정하고 약제의 감수성 검사를 통해 가장 효과가 있는 약물을 선택할 수 있다는 장점이 있지만 문제는 시간이 걸린다는 것이죠. 반면 staining은 10분이면 병원균을 대충 예상할 수 있다는 장점이 있기에 시간을 다투는 심한 각막궤양 환자에서 매우 유리합니다. 훌륭한 안과 의사는 관상이 아닌 안상! 즉 궤양의 양상을 통해 원인균을 예측할 수 있는 능력이 필요할 것 같아요. 균을 예측하고 기본적인 staining을 통해 심증을 굳히고 culture 결과가 나오기 전까지는 의심되는 균에 주로 효과가 있는 약과 또 다른 가능성을 가진 균에 듣는 약물을 광범위하게 사용해야 환자를 고칠 수 있다는 거죠. 이것이 중요한 게 본인이 의심이 되는 균을 보다 더 정확히 진단하기 위해 special staining이나 culture에 대한 지식도 갖추어야 한다는 점입니다. 이건 안과 의사가 할 일이라고 생각합니다.

A. 애써 균검사를 했는데 No growth라 하면 당황스러운데요. "배양 안 됨"은 배양이 안 된 것이지 그 병소에 균이 없다는 의미는 아닙니다. "배양 안 됨"인 경우, 현재의 치료로 호전이 보이지 않는 경우라면, 반복적인 배양도 중요합니다.

Q. 원래 교과서적으로는 검체를 채취 시 약물을 중단한다고 하지 않습니까? 선생님들은 어떻게 하세요?

A. 엄청 고민스럽죠. 저는 약물을 중단한다기 보다는 한 번 더 검사를 해봐서 그래도 no growth이고 분명히 감염이 의심이 된다면 각막 생검을 통한 조직검사를 선호합니다.

A. 치료를 안 할 수는 없잖아요? 보통 세균성 각막염이 의심되는 경우는 4세대 퀴놀론 제재의 단일요법 치료를 기본으로 한 강력한 항생제 치료를 한 번쯤 시작하는데요, 간혹 세균성과 진균성 각막염의 구분이 힘들 때도 있기 때문에 한 번 진균성 각막염을 의심해야 하는 경우도 있지 않을까 싶어요.

Q. 균이 나오긴 했는데 엉뚱한 균이 나오는 경우 그 결과를 믿어야 할까요?

A. 애써 나온 균이라 무시할 수는 없는데… normal flora나 contamination 문제일 수도 있기 때문에 저 같은 경우는 검체를 채취할 때 speculum으로 벌린 다음 normal saline으로 washing을 합니다. 도움이 되는 것 같아요.

■■■■ 참고문헌

1. 한국외안부학회. 각막. 일조각. 3판. 2013; 138-140.

2. American Academy of Ophthalmology. *External Disease and Cornea*. 2013-2014; 90-91.

3. Krachmer J, Mannis MJ, Holland EJ. *Cornea*. 2nd ed. Elsevier Mosby. 2005; 1017-1019.

4. Leck A. Taking a corneal scrape and making a diagnosis. *Community Eye Health Journal*. 2009 Dec;22(71):42-43.

중합효소연쇄반응 검사
: Not PCR (posterior capsular rupture)
But PCR (polymerase chain reaction)

> **Key Point**
>
> • 결막, 각막찰과, 전방, 유리체 등의 샘플을 PCR을 이용하여 분석할 수 있다.
> • PCR은 민감도와 특이도가 매우 정교하다. 아주 적은 양으로도 검사가 가능하고 거의 모든 조직이나 체액을 이용할 수 있다.

1. PCR의 생화학적인 기초

안과의사에게 익숙한 약어 PCR은 후낭파열 (posterior capsular rupture)이다. 지금 소개하는 PCR은 생화학시간에 배웠던 중합효소연쇄반응이다. 어렵기는 후낭파열이나 생화학이나 마찬가지일 수도 있다(그렇다면 Not only PCR (posterior capsular rupture) But also PCR (polymerase chain reaction)일 수도 있겠지만).

PCR은 특정한 병원균을 특정질병과 연관시키는 데 유용한 도구이다.[1] 이 강력한 분자생물학적인 기법을 이용하면 수 시간 만에 단 하나의 DNA분자를 천만 개 이상의 DNA로 복제할 수 있다. 특정병원균에 속하는 DNA를 이런 식으로 증폭하는 기술로 감염의 증거를 찾고 진단에 이용할 수 있다. 눈은 특히 이러한 진단에 적합한 기관이다. 방수와 유리체에는 상대적으로 세포가 별로 존재하지 않기 때문에 환자의 DNA가 적어서 이에 의한 간섭을 최소화할 수 있다. 결국 높은 신호-잡음비(signal-noise ratio)의 결과를 얻을 수 있게 된다. 또한 안구내 염증반응에서 감별해야 할 병원균이 상대적으로 제한되어 있는 것도 장점이라고 할 수 있다.[2]

2. PCR 검체 획득(그림 2-1)

PCR에 이용되는 안과적인 검체는 크게 다음의 세 가지 경로로 얻어진다.

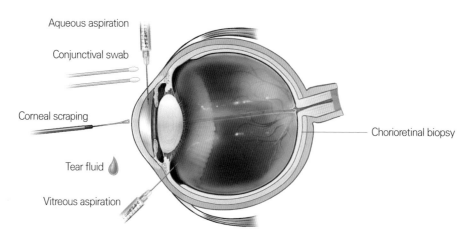

Aqueous aspiration

Conjunctival swab

Corneal scraping

Tear fluid

Vitreous aspiration

Chorioretinal biopsy

그림 2-1. 눈에서 PCR 검체 채취

– 각막, 결막 및 부속기에서 면봉채취

– 전방천자

– 유리체 생검

어떤 생검을 할지는 의심되는 질병, 매체 투명도, 눈의 구조, 동반된 질병, 안과 의사의 경험 등에 따라 결정된다. 일반적으로 샘플은 병리학적인 위치에서 가장 가까운 곳에서 얻도록 한다. 가령 눈 톡소포자충증에서는 전방보다 유리체에서 샘플을 얻어야 더 잘 검출할 수 있다.

모든 샘플은 무균상태로 획득하고 멸균된 용기에 보관한다. 일반적인 PCR 반응에서는 5~10 μL의 샘플이면 충분하다. 하지만 재검을 하거나 여러 가지 병원균에 대한 검사를 하려면 더 많은 용량의 샘플이 필요하다. 전방천자에서는 대략 50 μL의 전방수를 얻고 즉시 멸균 1 mL 주사기에 밀폐시킨다.

유리체 샘플의 경우 주입관 infusion을 끈 상태에서 건조 흡입 dry aspiration을 통해 50~ 100 μL의 검체를 얻어서 무균 튜브에 옮기고 뚜껑을 닫는다. 이론적으로는 유리체절제술 카세트에서 검체를 얻어서 PCR을 시행할 수 있다. 하지만 이 경우 희석이 많이 되어 거짓음성의 결과를 초래할 수도 있다.

외안부 질환의 경우 면봉 채취 병소는 질병 발현양상에 따라 달라진다. 결막염인 경우에는 환자의 바깥 피부에 닿지 않도록 하면서 결막에 면봉을 위치시켜서 검체를 얻는다. 각막궤양일 경우에는 병이 활동성으로 보이는 궤양의 가장자리에서 면봉채취를 해야 할 것이다. 검체를 얻으면 면봉은 소량의 BSS 용액이 담긴 튜브에 넣는다. 검사실에서 이 면봉을 짜낸 뒤 PCR 검사를 시행하게 된다.

검체를 일단 얻게 되면 얼음을 이용하여 보관하고 가능하면 드라이 아이스를 이용하여 급속 냉동하거나 액체질소로 옮긴다. 얼었다가 녹는 과정이 반복되면 핵산이 분해될 수 있어서 검체에는 치명적이므로 가능한 얼린 상태로 있어야 한다. 면봉채취 검체는 검사실 과정이 진행되기 전까지 −80℃에 보관하도록 한다.

각각의 PCR 검체에 대해서 음성대조군(물이나 검체를 얻은 부위의 balanced saline)과 양성대조군(알려진 병원균 DNA 정량) 모두를 함께 분석해야 한다. 검사실 오염이 PCR 거짓양성 결과의 대표적인 원인이다. PCR 산물 또한 증폭될 수 있어서 이전 검사물 등으로 오염되지 않도록 주의를 기울여야 한다. 소모성 저장품 및 시약의 사용, 세심한 기술, 시약과 대조군의 물리적인 분리, 음성대조군 검사 등이 모두 필수적이다.

3. PCR의 장단점

1) 장점
PCR은 민감도와 특이도가 매우 정교하다. 민감도가 높아서 10~100개의 바이러스 게놈을 검출할 수 있다. 아주 적은 양으로도 검사가 가능하고 거의 모든 조직이나 체액을 이용할 수 있다.

2) 단점
PCR의 장점은 곧 단점이기도 하다. PCR은 단 하나의 병원균 유전자도 증폭될 수 있을 정도로 높은 민감도를 갖기 때문에 거짓 양성이 가능하다. 검사실에서 오염이 되거나 검체 내의 공생균이 증폭될 수도 있다. 가령 눈물에 분비된 단순포진 바이러스가 생검에 들어가서 거짓 양성결과를 보일 수 있다. 이점을 피하려면 정량 PCR (qPCR)을 사용한다. 정량 PCR을 사용하면 비교적 숫자가 적은 공생균을 숫자가 많은 활동성 감염균으로부터 구분할 수 있다.[3]

두 번째 단점은 특이성이 높기 때문에 발생한다. 병원균과 PCR 올리고핵산길잡이(oligonucleotide primer) 사이에 단 하나의 염기쌍만 불일치하더라도 증폭이 되지 않는다. 따라서 심하게 변이되었거나 균주의 종류가 다양한 경우에는 거짓 음성결과를 보일 가능성이 있다. PCR의 음

성결과를 병원균이 없다고 결론 짓기 전에 여러 가지 올리고핵산길잡이를 이용하여 검사해 보는 것이 바람직하다.

PCR 검사는 primer가 준비된 의심균만 검출이 가능하다는 점도 유념해야 한다. 임상적으로 특정진단이 잘 되지 않는 유리체염에서 PCR을 시행한 결과에 따르면 감별진단이 명확하지 않은 조건에서는 PCR의 유용성이 매우 낮았다.[4]

4. PCR을 이용한 진단

1) 전안부질환의 진단
전안부에서는 주로 헤르페스계열 바이러스의 검출에 쓰인다. 또한 아데노바이러스 감염의 진단 및 혈청분류에도 이용되었다. 일본에서 발생한 새로운 혈청형 아데노바이러스 각결막염에 대한 PCR 보고가 있었다.[5] 클라미디아 감염 진단에는 real time PCR이 가장 민감한 것으로 알려졌다. 대부분의 클라미디아 종에 대한 진단이 가능하다.[6]

사람 헤르페스 바이러스는 눈 및 안구 부속기에 나타날 수 있고 PCR을 이용하면 검출이 가능하다. PCR이 HSV DNA 검출에 유용했음에도 불구하고, 다른 비병원성 바이러스를 검출할 정도로 민감하고 primer에 의존한 민감성 등으로 인해 기존의 PCR은 보조적인 역할로 사용되었었다. 하지만 real time PCR 기법으로 인해 기존의 단점이 제거되어 헤르페스 질환관리에 유용하게 되었다. Hasegawa는 real time PCR을 이용하여 90명 환자 144개의 샘플에서 HSV DNA를 분석하였다.[7] 저자들은 10^4개 이상의 바이러스 카피가 있는 경우에는 헤르페스 각막염 진단에 이용할 수 있고 이보다 적을 때는 real time PCR에 근거한 진단은 추천하지 않았다.

이외에 가시아메바 감염에도 PCR을 이용한 보고가 있다. Lehmann 등은 상피찰과 및 눈물에서 가시아메바를 진단했을 때 민감도 84%, 특이도 66%의 PCR 결과를 보고하였다. 반면 기존의 진단적 방법으로는 민감도가 53%이었다.[8]

2) 후안부질환의 진단

VZV, HSV, CMV의 검출에 90% 이상의 민감도를 보인다. Knox 등은 진단이 어려운 후포도막염 37명 38예에서 PCR을 시행한 결과 24예에서 CMV, HSV, 또는 VZV를 확진하였다고 보고하였다.[9]

HIV 환자에서 동반된 활동성 망막염 환자의 전방에서 CMV를 검출한 보고도 있다.[10]

이외에 눈 톡소포자충증 검출에도 이용된다. PCR 단독으로는 민감도가 40~60% 정도였지만 안구 내 항체 역가를 측정을 통하여 진단 민감도가 72%까지 개선되었다는 보고가 있다.[11]

진단을 위해서는 배양검사가 최적표준이지만 안구내염의 배양검사 결과에서는 30%가 배양음성이었다. 배양음성인 경우를 진단하기 위해 모든 세균에서 공통적으로 나타나는 16S 리보솜에 대한 primer를 이용하면 PCR을 시행해 볼 수 있다. 연구에 따르면 배양양성인 안구내염에서는 100% 양성 PCR 결과가 나왔고 배양음성인 안구내염에서는 44%에서 PCR 양성이었다. 지연 발현 안구내염에서는 병원균의 수가 적어서 배양이 어려운 경우가 종종 있다. Lohmann 등은 25례의 지연 발현 안구내염 환자에 대한 결과를 보고하였다. 전방수의 84% 및 유리체의 92%에서 propionibacterium acnes, staphylococcus epidermidis, actinomyces israelii 등의 DNA가 검출되었다.[12]

진균 안구내염의 진단에도 빠르고 민감한 진단 도구로 사용할 수 있다. Anand는 진균 안구내염이 의심되는 30명의 환자 43례에서 안구내 검체를 얻어 분석하였다. 전체 중에 32례에서 PCR 양성반응이었다. 기존의 미생물학적인 방법으로 진단을 얻은 경우는 24례였고 이 중 23례가 PCR 양성이었다.[13]

3) 새로운 감염연관 질환의 진단

푹스홍채이색섬모체염 및 포스너-쉴로스만증후군의 36%에서 CMV PCR 결과가 양성이었다.

5. 임상 증례

1) PCR 양성인 HSV 상피 각막염(각막찰과)

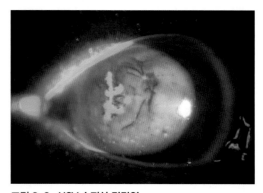

그림 2-2. HSV 수지상 각막염

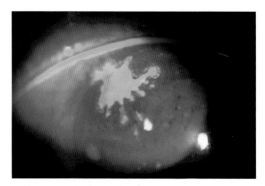

그림 2-3. HSV 지도상 각막궤양

2) PCR 양성인 HSV 괴사 각막염(각막찰과)

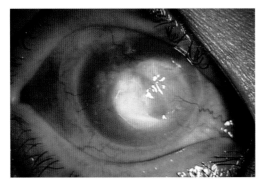

> **One Point**
>
> HSV 상피각막염 환자의 경우 치료를 위해 상피를 제거하는데 이때 PCR 검사를 시행할 수 있다. 15번 Bard-Parker blade로 제거한 상피를 세균배양검사에 쓰이는 면봉에 묻힌 후 BSS 혹은 생리식염수가 담긴 검사용기에 담으면 된다. 검사용기 및 protocol은 피부병변 HSV 바이러스 PCR을 검사하는 피부과나 각 병원검사실에 문의해보면 도움이 될 것이다.

그림 2-4. HSV 괴사 각막염
세균 및 진균 배양검사 음성이며 HSV PCR(+)로 항바이러스제에 반응하여 호전되었다.

3) PCR 양성인 HSV 선상내피각막염(전방천자)

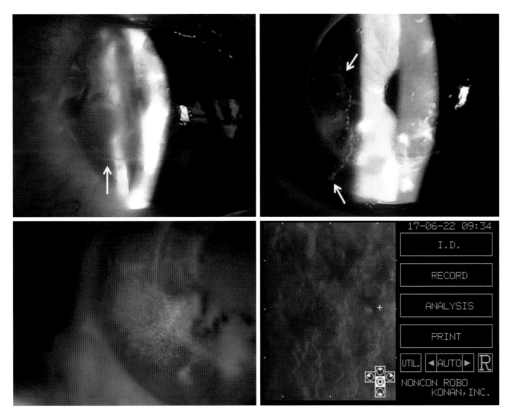

그림 2-5. 각막이식환자에서 발생한 선상내피각막염
수여각막과 기증각막에 걸쳐서 선상의 각막침착물이 보이고 침착물과 윤부 사이에서 각막부종 소견을 보인다.

4) PCR 양성인 CMV 각막내피염(전방천자)

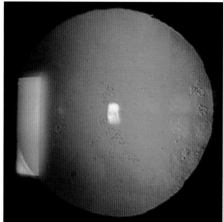

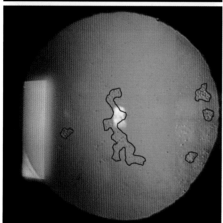

그림 2-6. PCR 양성인 CMV 각막내피염
다수의 동전상 각막침착물을 확인할 수 있다.

5) PCR 양성인 VZV 급성망막괴사

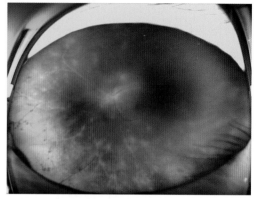

그림 2-7. 급성망막괴사 의증의 안저사진
유리체를 이용한 PCR 검사에서 VZV 양성

One Point

30G 주사기를 이용하여 윤부를 통해 전방천자를 하고 밀대(plunger)를 천천히 빼서 전방수를 채취하면 된다. 하지만 원하는 부피를 얻고자 좀 더 빼는 사이 전방 허탈이 발생하려는 상황이 생길 수도 있다.

주사기를 전방에 삽입하기 전에 미리 밀대를 뺀 상태로 전방천자를 하는 방법도 있다. 이때에는 전방수가 나오는 데 시간이 훨씬 더 걸리는 단점이 있지만 그만큼 내부에서 평형을 이루면서 전방수가 나오기 때문에 좀 더 안전하게 검체를 채취할 수 있다.

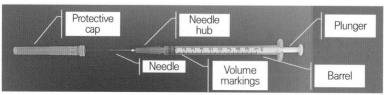

그림 2-8. 주사기의 구조

현문현답

Q. 그래서 실제로 PCR 검사를 하시나요?

A. 전 하고 있어요. 물론 민감도가 커서 양성이라고 전적으로 믿으면 안된다는 우려의 의견도 많이 있어요. 하지만 대표적인 질환의 경우 도움이 된다고 생각해요.

Q. 어떤 질환인지 말씀해주셔야….

A. 세균감염에서 시행하는 경우는 드물고 HSV, CMV 등이 의심될 때 시행합니다. 전형적인 수지상은 아니지만 HSV 상피 각막염을 의심해 볼 때, 혹은 일반적인 항생제 치료에 듣지 않는 각막궤양일 때 혹시 HSV 괴사성 각막염은 아닌지 감별하기 위해 실시합니다. 안표면은 검체 얻기가 쉽거든요.

Q. 전방천자를 하는 경우도 있잖아요?

A. 전방천자는 HSV 선상내피염이나 CMV 각막내피염이 의심될 때 주로 시행합니다.

Q. 전방천자 할 경우에 검체를 얼마나 얻나요?

A. 제 생각에는 우선 감별을 위해 몇 가지 바이러스를 검사할지 결정하고 각 바이러스 검사에 얼마나 많은 검체의 양이 필요한지 진단검사의학과에 우선 문의해야 할 것 같아요. 검사방법에 따라 병원마다 최소 요구 부피가 다를 수 있거든요. 참고로 전방을 차지하고 있는 전방수의 부피는 나이, 근시/원시 등의 굴절이상 및 인종에 따라 달라집니다. 전방의 부피를 측정한 보고가 있는데요. 코카시아인계 미국인의 경우 평균 172.8 ± 41.3 mm³인 반면 중국계 미국인은 136.5 ± 35.1 mm³이었습니다. 그리고 두 그룹에서 모두 나이가 들수록 부피가 감소하였습니다.[14]

Q. 환자마다 전방수 채취 과정이나 경과가 비슷한가요?

A. 아니요. 근시가 있어서 전방이 깊거나 CMV 각막내피염에서 안압이 많이 올라가 있다면 상대적으로 더 많은 전방수 채취가 가능하다고 봅니다.

■■■ **참고문헌**

1. Saiki RK, Gelfand DH, Stoffel S, Scharf SJ, Higuchi R, Horn GT, Mullis KB, Erlich HA. Primer-directed enzymatic amplification of DNA with a thermostable DNA polymerase. *Science* 1988 Jan 29;239(4839):487-491.

2. Van Gelder RN. Applications of the polymerase chain reaction to diagnosis of ophthalmic disease. *Surv Ophthalmol* 2001 Nov-Dec;46(3):248-258.

3. Dworkin LL, Gibler TM, Van Gelder RN. Real-time quantitative polymerase chain reaction diagnosis of infectious posterior uveitis. *Arch Ophthalmol* 2002 Nov;120(11):1534-1539.

4. Acharya N, Lietman T, Cevallos V, Whitcher JP, Saidel M, Stone D, Duncan J, Margolis TP. Correlation between clinical suspicion and polymerase chain reaction verification of infectious vitritis. *Am J Ophthalmol* 2006 Mar;141(3):584-585.

5. Takeuchi S, Itoh N, Uchio E, Tanaka K, Kitamura N, Kanai H, Isobe K, Aoki K, Ohno S. Adenovirus strains of subgenus D associated with nosocomial infection as new etiological agents of epidemic keratoconjunctivitis in Japan. *J Clin Microbiol* 1999 Oct;37(10):3392-3394.

6. Goldschmidt P, Rostane H, Sow M, Goepogui A, Batellier L, Chaumeil C. Detection by broad-range real-time PCR assay of Chlamydia species infecting human and animals. *Br J Ophthalmol* 2006 Nov;90(11):1425-1429.

7. Kakimaru-Hasegawa A, Kuo CH, Komatsu N, Komatsu K, Miyazaki D, Inoue Y. Clinical application of real-time polymerase chain reaction for diagnosis of herpetic diseases of the anterior segment of the eye. *Jpn J Ophthalmol* 2008 Jan-Feb; 52(1):24-31.

8. Lehmann OJ, Green SM, Morlet N, Kilvington S, Keys MF, Matheson MM, Dart JK, McGill JI, Watt PJ. Poly-

merase chain reaction analysis of corneal epithelial and tear samples in the diagnosis of Acanthamoeba keratitis. *Invest Ophthalmol Vis Sci* 1998 Jun;39(7):1261-1265.

9. Knox CM, Chandler D, Short GA, Margolis TP. Polymerase chain reaction-based assays of vitreous samples for the diagnosis of viral retinitis. Use in diagnostic dilemmas. Ophthalmology 1998 Jan;105(1):37-44; discussion 44-45.

10. Siqueira RC, Cunha A, Orefice F, Campos WR, Figueiredo LT. PCR with the aqueous humor, blood leukocytes and vitreous of patients affected by cytomegalovirus retinitis and immune recovery uveitis. *Ophthalmologica* 2004 Jan-Feb; 218(1):43-48.

11. Aouizerate F, Cazenave J, Poirier L, Verin P, Cheyrou A, Begueret J, Lagoutte F. Detection of Toxoplasma gondii in aqueous humour by the polymerase chain reaction. *Br J Ophthalmol* 1993 Feb;77(2):107-109.

12. Lohmann CP, Linde HJ, Reischl U. Improved detection of microorganisms by polymerase chain reaction in delayed endophthalmitis after cataract surgery. *Ophthalmology* 2000 Jun;107(6):1047-51; discussion 1051-1052.

13. Anand A, Madhavan H, Neelam V, Lily T. Use of polymerase chain reaction in the diagnosis of fungal endophthalmitis. *Ophthalmology* 2001 Feb;108(2):326-330.

14. Wang D, Qi M, He M, Wu L, Lin S. Ethnic difference of the anterior chamber area and volume and its association with angle width. *Invest Ophthalmol Vis Sci* 2012 May 31;53(6): 3139-3144.

직접 만들어서 쓰는 안약

Key Point

- 안과 의사가 직접 만들어야 하는 안약은 어떠한 것들이 있나?
- 의사는 안약을 제대로 만들고 있고, 환자는 올바로 사용하고 있나?
- 이렇게 만들어 써도 불법은 아닌지?

안과 의사가 직접 만들어야 하는 안약은 어떠한 것들이 있나?

각막궤양, 안구건조증 등 여러 가지 안과 질환에서 필요한 안약을 직접 만들어서 써야 하는 경우가 있다. 많이 쓰이고 있는 것들은 강화안약(fortified eye drop-항생제 안약, 항진균제 안약), 자가혈청 안약, 점액용해제 안약 등이 있겠다. 이러한 약들도 상품화되어 나와 있다면 얼마나 편하게 쓸 수 있겠냐마는 용액 상태에서의 불안정성, 적은 사용빈도, 일반 약제에 비해 고농도 등의 이유 때문에 시판되지 않고 있다. 그럼에도 안과 환자를 보다 보면 필요한 경우가 반드시 생기기 때문에 이때마다 직접 만들어서 써야 한다.

이러한 안약의 종류는 다음과 같다(표 3-1, 3-2).

표 3-1	강화안약의 종류
항생제	
Cefazolin 5%, Ceftazidime 5%, Tobramycin 1.4%, Gentamicin 1.4%, Vancomycin 5%, Amikacin 2.5~4%	
항진균제	
Amphotericin B 0.15~0.3%, Econazoles 2%, Miconazole 1%, Fluconazole 0.2%, Itraconazole 1%, Voriconazole 1%, Capofungin 0.5%, Micafungin 0.1%	
기타	
Autoserum 20~50%, Acetylcystein 5~20%	

표 3-2 강화안약별(항생제) 항균 범위

Bacteria type	First line option	Alternative
Gram positive cocci (Staphylococci, Streptococci,)	Cefazolin 50 mg/ml or 100 mg/ml	Vancomycin 25 mg/ml Bacitracin 10,000 u/ml Ciprofloxacin 3 mg/ml Ofloxacin 3 mg/ml Levofloxacin 5 mg/ml
Gram positive bacilli	Tobramycin 14 mg/ml	Vancomycin 25~50 mg/ml Bacitracin 10,000 u/ml Gentamicin 14 mg/ml
Gram negative cocci (N. meningitidis, N. gonorrhoeae, Moraxella catarrhalis)	Ceftriaxone 50 mg/ml or 100 mg/ml	Ofloxacin 3 mg/ml Levofloxacin 5 mg/ml Ciprofloxacin 3 mg/ml
Gram negative bacilli (Pseudomonas, E. coli, Klebsiella, Acinetobacter, Enterobacter, Citrobacter)	Tobramycin 14 mg/ml, Amikacin 10 mg/ml	Gentamicin 14 mg/ml Polymyxin B 50,000 u/ml Ciprofloxacin 3 mg/ml Ofloxacin 3 mg/ml Levofloxacin 5 mg/ml

One Point

강화안약(Fortified eye drop)이 일반안약과 다른 점

1. 농도가 높다.
2. 용액상태에서 불안정하여 유효기간이 짧다.
3. pH가 맞지 않아서 점안 시 자극감이 심할 수 있다. 따라서 사용 전 환자에게 부작용, 사용법 등을 충분히 설명하고 처방하여야 하겠다.

1. 강화안약(Fortified eye drop)

안약을 직접 제조하여 사용할 때 중요한 것은 희석매질의 선택, 제조방법, 보관방법, 그리고 유효기간 등이다. Amphotericin B 안약처럼 차광이 필요한 경우도 있다. 점안약물의 각막독성 및 환자의 불편감 유발 때문에 제제의 pH와 희석 매질의 조성이 중요하다. 일반적으로 주사용수를 희석 매질로 사용하는 경우가 많은데, Amphotericin B 는 D5W, heparin sodium 등이 권유되고,

생리식염수, Ringer's lactate solution, 기타 calcium chloride/gluconate나 potassium/sodium 또는 potassium chloride를 포함한 용액 등은 사용하지 않는 것이 권유된다. 따라서 등장성인 BSS는 sodium chloride, potassium 등이 포함되어 있어, 희석 매질로 사용할 경우 Amphotericin B의 안정성을 보장할 수 없다. 한편 Voriconazole은 희석 매질로 생리식염수, D5W, Ringer's lactate solution, LR/D5W 혼합액, 0.45% 생리식염수, D5W/NS 혼합액 등이 모두 사용 가능하여, 희석 매질로 BSS를 사용해도 비교적 안정할 것으로 추정된다고 한다. β-락탐 계열의 항생제는 용액 상태에서는 불안정하여 수일 혹은 수 주 내에 분해되기 때문에 점안약으로 사용할 때는 4~5일마다 새로 만들어 사용해야 한다. Amphotericin B는 희석하면 차광이 필요하고, 상온에서는 24시간, 냉장보관 시는 1주일까지만 안정한 것으로 알려져 있다. 반면 Voriconazole은 상온에서 차광 없이 보존해도 30일간 유

지되는 것으로 알려져 있는데, 2~8℃ 보관 시 16주까지 유지된다는 보고도 있다.[3]

　안약을 직접 만들기 위해 지켜야 할 일반적인 사항은 다음과 같다.

1) 의사 또는 약사가 직접 만들어야 하며, 클린벤치(laminar flow hood) 안에서 작업해야 한다. 만약 클린벤치가 없다면, 수술실에서 해야 한다.
2) 일회용 주사기를 사용해야 한다.
3) 만들어진 안약에 제작, 유효 날짜, 보관방법, 사용방법 등을 표기하여야 한다.

　그림 3-1은 안약 제조에 일반적으로 쓰이는 기구들이다. 그리고 차광을 해야 하는 안약은 차광기능이 있는 안약용기를 사용하거나 은박지로 안약용기를 감싸야 한다.

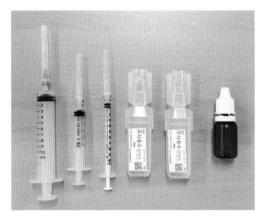

그림 3-1. 강화안약 제조에 쓰이는 기구들
일회용 주사기, 희석액, 차광기능이 있는 안약용기

표 3-3은 자주 쓰이는 강화 안약의 조제 순서이다.[3-8]

표 3-3	자주 쓰이는 강화 안약의 조제순서

**Cefazolin 50 mg/ml 혹은
Ceftazidime 50 mg/ml(5%)**

1) 9.2 ml의 인공눈물을 1 g Cefazolin 분말 바이알에 추가
2) 녹인 후 5 ml를 취하여 5 ml의 인공눈물에 추가
3) 점안하기 전 냉장보관하고 잘 흔들어 사용
저장 방법 및 수명: 4℃ 냉장고에서 1주일, 상온에서 4일

**Tobramycin 14 mg/ml 혹은
Gentamicin 14 mg/ml(1.4%)**

1) 경정맥용 Tobramycin이나 Gentamicin (40 mg/ml)에서 2 ml를 뽑아
2) 2 ml의 경정맥용 항생제를 5 ml의 Tobramycin이나 Gentamicin 점안약(3 mg/ml)에 추가하여 14 mg/ml 용액을 만든다.
저장 방법 및 수명: 4℃ 냉장고에서 1주일, 상온에서 4일

Vancomycin 15(1.5%), 25(2.5%), 50 mg/ml(5%)

1) 500 mg 반코마이신 바이알에 30 ml, 20 ml 혹은 10 ml의 0.9% 염화나트륨 주사제를 넣음
또는, 500 mg 반코마이신 바이알에 2 ml 주사용증류수 또는 BSS를 넣고 인공눈물 8 ml를 넣음(5%)
*저장 방법 및 수명: 4℃ 냉장고 보관. 28일

Amphotericin B 0.15%

1) 50 mg 암포테리신 B 바이알에 주사용 증류수 10 ml를 넣음
2) 녹인 후 3 ml를 취하여 7 ml의 인공눈물에 추가

***전방 및 각막실질 내 주사용 Amphotericin B
(intracameral or intrastromal injection)
5~10 μg/0.1ml(0.005~0.01%)**

1) 5 mg/ml 암포테리신 용액(위의 1)번)에서 0.2 ml를 취하고 0.8 ml BSS 또는 주사용 증류수를 넣음
2) 0.1 ml를 취한 후 0.9 ml BSS 또는 주사용증류수를 넣음(10 μgm/0.1 ml)
저장 방법 및 수명: 4℃ 냉장고에서 1주일, 상온에서 1일

Voriconazole 1 %

1) 200 mg 보리코나졸 바이알에 하트만 수액(Ringer's lactate) 20 ml를 넣음

***전방 및 각막실질 내 주사용 Voriconazole
(intracameral or intrastromal injection)
50 μg/0.1 ml(0.05%)**

1) 1% 보리코나졸 용액 1 ml를 취하여 19 ml 하트만 수액을 넣음(50 μgm/0.1 ml)
저장 방법 및 수명: 4℃ 냉장고 및 상온에서 30일

2. 자가혈청 안약

정상 눈물에는 활성단백과 다양한 성장인자가 존재하는데, 혈청 내에도 눈물과 유사한 성분들이 다량 함유되어 있어 심한 건성안 치료 등에 이용된다(표 3-4). 혈청은 방부제 없이 냉동 보존하여 3~6개월까지 사용할 수 있다. 기존 연구에서 자가혈청은 심한 건성안 증상과 징후를 호전시키며, 굴절교정수술 후 발생한 건성안에서 인공눈물에 비해 각막손상 정도와 눈물막파괴시간 감소를 줄여주는 것으로 밝혀졌다. 또한 지속각막상피결손의 치료에 이용되며, 알부민 성분이 각막

과 결막 상피의 세포 자멸사를 억제한다.[9]

자가혈청 안약을 만드는 법은 다음과 같다.

1) 환자 확인 후 채혈하여 항응고제가 없는 8~8.5 cc 혈액용 튜브 6~10개에 혈액을 모은다.
2) 상온에서 약 두 시간 동안 두어서 혈액을 침전 및 응고시킨다.
3) 3,500 rpm의 속도로 15분간 또는 5,600 rpm의 속도로 10분간 원심분리한다.
* 원심분리 시 튜브를 양쪽에 동일한 수와 동일한 위치에 두어서 균형(balance)을 맞추는 것이 중요하다.

Parameter	Whole Tears	Serum
pH	7.4	7.4
Osmolarity	298	296
EGF (ng/ml)	0.2~3.0	0.5
TGF−β (ng/ml)	2~10	6~33
NGF (pg/ml)	468.3	54.0
IGF (ng/ml)	0.31	105
PDGF (ng/ml)	1.33	15.4
Albumin (mg/ml)	0.023	53
Substance P (pg/ml)	157	70.9
Vitamin A (mg/ml)	0.02	46
Lysozyme (mg/ml)	1.4	6
Surface IgA (μg/ml)	1,190	2
Fibronectin (μg/ml)	21	205
Lactoferrin (ng/ml)	1,650	266

표 3-4 눈물과 혈청의 물리화학적 조성[10-11]

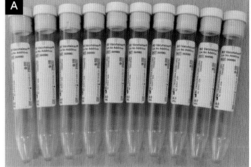
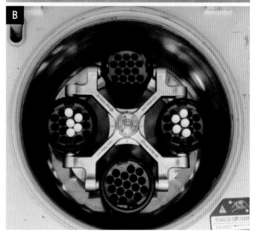

그림 3-2. 항응고제가 없는 8 cc 튜브(A)와 원심분리 시 균형(balance)을 맞춘 모습(B)

4) polyether sulfone disc filter (0.2 ㎛)를 이용하여 여과시킨다.

5) 0.9% NaCl 또는 인공눈물 등에 원하는 농도로 희석한다(일반적으로 20%가 가장 많이 사용된다).

＊ 안약병에 나누어 담고 항생제안약(Levofloxacin)을 8방울씩 첨가하여 균 오염을 방지하기도 한다.

6) 조제된 안약이 든 안약병을 지퍼백에 넣고 환자 라벨을 붙인다.

7) −20℃ 냉장고에 얼려 두고 매일 하나씩 꺼내어 사용하고 그날 버리도록 환자에게 교육한다.

쇼그렌증후군(Sjögren syndrome), 이식편대숙주병(Graft-versus-host, GVHD) 등의 자가면역질환을 가진 환자에서도 자가혈청 안약을 사용해야 할 경우가 많은데(표 3-5), 이전의 연구들에서 이러한 환자들의 혈액에는 전염증성 사이토카인(proinflammatory cytokines), 대사산물(metabolites)의 변화가 일어나 있기 때문에 자가혈청 안약이 효과가 없거나 상처치유(wound healing)를 지연시키는 등 오히려 안구표면에 독성 작용을 나타낸다는 이론적 주장이 있기도 하다.[12-15] 하지만 다른 많은 연구들에서는 이러한 환자들에서도 자가혈청 안약이 안구표면질환 치

표 3-5　　**자가혈청 안약이 치료에 도움이 되는 질환들**

Main category	Examples
Immune related ocular surface disease	
Primary and secondary Sjögren's Syndrome	
Other immune related ocular surface disease	Ocular Mucous Membrane Pemphigoid Stevens-Johnson Syndrome Toxic Epidermal Necrolysis Graft-versus-Host Disease Other immune-related ocular surface disease
Non-immune ocular surface disease	
Neurotrophic disease	Diabetic cornea Herpetic etiology Other neuropathic disease including secondary to non-ocular, 　extra-ocular and neurosurgery etc
Injury	Ocular surface toxicity Chemical Thermal Mechanical Radiation Surgical Other Injury
Supportive	Ocular surface reconstruction Corneal transplantation Other supportive e.g. critical care unit/high dependency/burns unit
Inherited ocular surface disease	Aniridia Ectodermal dysplasia Epidermolysis Bullosa Other inherited ocular disease

료에 도움이 된다고 보고하고 있다.[16-23] 따라서 자가면역질환을 가진 환자들에게서 자가혈청안약을 사용해야 할 경우 적혈구침강속도(erythrocyte sedimentation rate, ESR), C-반응 단백질 검사(C-reactive protein, CRP) 등의 결과들을 참고해서 전신적인 염증반응을 줄인 상태에서 혈액을 채취하여 자가혈청안약을 만들어 사용하는 것이 좋겠다.

3. 점액용해제

눈물의 양이 감소하면 눈물층에 점액 침착물이 생기며 실모양체를 형성할 수 있다. 이 때 점액용해제(mucolytics)로 국소 acetylcysteine이 이용되기도 하는데, 5~20%의 희석액을 만들어 점안한다. 또한 acetylcysteine은 MMPs (matrix metalloproteinase)의 생성을 억제하고, 각막상피 손상 치유를 촉진시킨다고 알려져 있으며, 최근에는 마이봄샘 기능장애 치료에도 효과가 있다는 보고가 있다.[24] 안약으로 상품화되어 있는 약(Brunac; Bruschettini, Genoa, Italy)이 있기는 하지만 우리나라에서는 아직 구입할 수가 없다. 단, 환자치료에 필요한 경우 진해제로 상품화되어 나온 10% Acetylcysteine을 원액 그대로 또는 5%로 희석해서 사용하기도 한다. 사용 전 환자에게는 작열감이 있고, 약에서 좋지 않은 냄새가 날 수 있다는 점을 반드시 설명하고 30일 이상 보관하지 말라고 교육해야 한다.

현문현답

Q. 그런데 안약을 이렇게 직접 만들어 쓰는 것이 교과서에는 나와 있다고 해도 불법일 것 같은데, 문제가 될 수 있지 않나요?

A. 원칙적으로는 모든 약물은 허가 받은 범위 내에서만 사용하도록 되어 있습니다. 하지만 강화안약을 만들기 위해 사용되는 약은 대부분 주사제이고 안약으로 사용허가를 받은 주사제는 없습니다.

자가혈청 안약도 마찬가지 입니다. 일부 병원에서는 IRB(연구윤리심의위원회)의 허가를 받고 세포치료센터 같은 곳에서 조제를 하기도 하지만 아직 대부분의 병원에서는 특별한 허가 없이 사용하는 경우가 많을 겁니다.

Q. 조제된 약물의 질을 높이고 환자뿐만 아니라 의사도 법적 논쟁으로부터 보호받기 위해서 어떠한 제도적 장치가 필요할 텐데요….

A. 사실 제일 좋은 것은 제약회사들이 강화안약을 상품화해서 허가 받고 판매해주면 좋겠지만, 용액 상태에서의 불안정성, 사용 빈도가 낮은 이유 등으로 쉽게 상품화하지는 못하는 것 같습니다.

갑자기 병원인증평가 기간 중에 병동 간호사랑 약제팀에서 연락이 와서는 '입원환자가 쓰고 있는 강화안약 또는 자가혈청 안약 어떻게 할까요?' 문의가 왔던 기억이 나네요. 제가 뭐라고 했을지는 선생님들 모두 예상을 하실 겁니다.

향후에는 항생제 또는 주사제를 만드는 제약회사에서 해당 약물의 사용 적응증에 '각막궤양 등 특정 질환에 사용이 필요할 시 주사제를 이용하여 안약으로 조제하여 사용할 수 있음'을 식품의약품안전처로부터 허가를 받고 명시해줄 수 있도록 제약회사와 안과 의사 모두 노력할 필요가 있겠습니다.

Q. 혈청안약은 어떠세요?

A. 정식으로 허가 받지 못했을 뿐만 아니라 강화안약보다도 오염으로 인한 감염 등의 위험성이 더 커서 법적분쟁에 휘말릴 가능성이 더 많습니다.

일단 각자의 병원 QI(의료의 질 관리 향상)팀이나 IRB에 문의 후 법적으로 보호받을 수 있는지 알아보고 제조를 약제팀이나 진단검사 의학과에서 해 주면 좀 더 감염관리가 잘 이루어질 것 같습니다.

만약 약제팀이나 진단검사 의학과로부터 협조 받기가 어렵다면 결국 안과에서 자체적으로 만들어야 하는데, 가급적 클린벤치나 수술실에서 제조작업을 하는 것이 좋겠습니다. 그리고 감염예방을 위해 항생제안약을 섞어서 환자에게 주는 것도 좋은 방법인 것 같고요.

참고문헌

1. 한국외안부학회, 각막. 2013. v. 1, chap. 6, 7, 20.

2. Mark J. E. J., Cornea. 2017, 4th Ed., Part 5, 7.

3. Dupuis A, Tournier N, Le Moal G, Venisse N. Preparation and stability of voriconazole eye drop solution. *Antimicrob Agents Chemother*. 2009 Feb;53(2):798-799. doi: 10.1128/AAC.01126-08. Epub 2008 Nov 10.

4. Jain R, Murthy SI, Motukupally SR. Clinical outcomes of corneal graft infections caused by multi-drug resistant Pseudomonas aeruginosa. *Cornea*. 2014 Jan;33(1):22-26. doi: 10.1097/ICO.0000000000000011.

5. Prabhasawat P, Chotikavanich S, Leelaporn A. Sterility of non-preservative eye drops. *J Med Assoc Thai*. 2005 Nov; 88 Suppl 9:S6-10.

6. Karampatakis V, Papanikolaou T, Giannousis M, Goulas A, Mandraveli K, Kilmpasani M, Alexiou-Daniel S, Mirtsou-Fidani V. Stability and antibacterial potency of ceftazidime and vancomycin eyedrops reconstituted in BSS against Pseudomonas aeruginosa and Staphylococcus aureus. *Acta Ophthalmol*. 2009 Aug;87(5):555-558. doi: 10.1111/j.1755-3768.2008.01306.x. Epub 2008 Aug 12.

7. Shao Y, Yu Y, Pei CG, Tan YH, Zhou Q, Yi JL, Gao GP. Therapeutic efficacy of intracameral amphotericin B injection for 60 patients with keratomycosis. *Int J Ophthalmol*. 2010; 3(3):257-260. doi: 10.3980/j.issn.2222-3959.2010.03.18. Epub 2010 Sep 18.

8. Prakash G, Sharma N, Goel M, Titiyal JS, Vajpayee RB. Evaluation of intrastromal injection of voriconazole as a therapeutic adjunctive for the management of deep recalcitrant fungal keratitis. *Am J Ophthalmol*. 2008 Jul;146(1):56-59. doi: 10.1016/j.ajo.2008.02.023. Epub 2008 Apr 24.

9. Pan, Q. Angelina, A. Marrone, M. Stark, W. J. Akpek, E. K. Autologous serum eye drops for dry eye. The Cochrane database of systematic reviews 2017, 2, Cd009327.

10. Geerling G1, Honnicke K, Schröder C, Framme C, Sieg P, Lauer I, Pagel H, Kirschstein M, Seyfarth M, Marx AM, Laqua H. Quality of salivary tears following autologous submandibular gland transplantation for severe dry eye. *Graefes Arch Clin Exp Ophthalmol*. 1999 Jul;237(7):546-553.

11. Willcox MDP, Argüeso P, Georgiev GA, Holopainen JM, Laurie GW, Millar TJ, Papas EB, Rolland JP, Schmidt TA, Stahl U, Suarez T, Subbaraman LN, Uçakhan OÖ, Jones L. TFOS DEWS II Tear Film Report. *Ocul Surf*. 2017 Jul;15(3):366-403. doi: 10.1016/j.jtos.2017.03.006. Epub 2017 Jul 20.

12. Hwang J, Chung SH, Jeon S, Kwok SK, Park SH, Kim MS. Comparison of clinical efficacies of autologous serum eye drops in patients with primary and secondary Sjogren syndrome. *Cornea*. 2014 Jul;33(7):663-667. doi: 10.1097/ICO.0000000000000147.

13. Harloff S, Hartwig D, Kasper K, Wedel T, Müller M, Geerling G. [Epitheliotrophic capacity of serum eye drops from healthy donors versus serum from immunosuppressed patients with rheumatoid arthritis]. *Klin Monbl Augenheilkd*. 2008 Mar;225(3):200-206. doi:10.1055/s-2008-1027199.

14. Hussain M, Shtein RM, Sugar A, Soong HK, Woodward MA, DeLoss K, Mian SI. Long-term use of autologous serum 50% eye drops for the treatment of dry eye disease. *Cornea*. 2014 Dec;33(12):1245-1251. doi: 10.1097/ICO.0000000000000271.

15. Poon AC, Geerling G, Dart JK, Fraenkel GE, Daniels JT. Autologous serum eyedrops for dry eyes and epithelial defects: clinical and in vitro toxicity studies. *The British jour-*

nal of ophthalmology 2001, 85 (10), 1188-1197.

16. Ali TK, Gibbons A, Cartes C, Zarei-Ghanavati S, Gomaa M, Gonzalez I, Gonzalez AE, Ozturk HE, Betancurt C, Perez VL. Use of Autologous Serum Tears for the Treatment of Ocular Surface Disease From Patients With Systemic Autoimmune Diseases. *Am J Ophthalmol*. 2018 May;189:65-70. doi: 10.1016/j.ajo.2018.02.009. Epub 2018 Feb 19.

17. Ogawa Y, Okamoto S, Mori T, Yamada M, Mashima Y, Watanabe R, Kuwana M, Tsubota K, Ikeda Y, Oguchi Y. Autologous serum eye drops for the treatment of severe dry eye in patients with chronic graft-versus-host disease. *Bone Marrow Transplant*. 2003 Apr;31(7):579-583.

18. Chiang CC, Lin JM, Chen WL, Tsai YY. Allogeneic serum eye drops for the treatment of severe dry eye in patients with chronic graft-versus-host disease. *Cornea*. 2007 Aug;26(7): 861-863.

19. Na KS, Kim MS. Allogeneic serum eye drops for the treatment of dry eye patients with chronic graft-versus-host disease. *J Ocul Pharmacol Ther*. 2012 Oct;28(5):479-483. Epub 2012 Jun 25.

20. Noble BA, Loh RS, MacLennan S, Pesudovs K, Reynolds A, Bridges LR, Burr J, Stewart O, Quereshi S. Comparison of autologous serum eye drops with conventional therapy in a randomised controlled crossover trial for ocular surface disease. *Br J Ophthalmol*. 2004 May;88(5):647-652.

21. Urzua CA, Vasquez DH, Huidobro A, Hernandez H, Alfaro J. Randomized double-blind clinical trial of autologous serum versus artificial tears in dry eye syndrome. *Curr Eye Res*. 2012 Aug;37(8):684-688. doi: 10.3109/ 02713683. 2012.674609. Epub 2012 Jun 6.

22. Celebi AR, Ulusoy C, Mirza GE. The efficacy of autologous serum eye drops for severe dry eye syndrome: a randomized double-blind crossover study. *Graefes Arch Clin Exp Ophthalmol*. 2014 Apr;252(4):619-626. doi: 10.1007/ s00417-014-2599-1. Epub 2014 Feb 25.

23. Pan, Q. Angelina, A. Zambrano, A. Marrone, M. Stark, W. J. Heflin, T. Tang, L. Akpek, E. K., Autologous serum eye drops for dry eye. *The Cochrane database of systematic reviews* 2013, (8), Cd009327.

24. Akyol-Salman I, Azizi S, Mumcu U, Baykal O. Efficacy of topical N-acetylcysteine in the treatment of meibomian gland dysfunction. *J Ocul Pharmacol Ther*. 2010 Aug; 26(4):329-333. doi: 10.1089/jop.2010.0001.

다양한 눈 주사
: 결막하, 테논낭하, 유리체강내 주사, 언제, 어떻게?

04

Key Point

- 결막하, 테논낭하, 유리체강내 주사술의 적응증을 파악한다.
- 안구 내 주사에 흔히 사용되는 약제의 종류와 농도를 익혀둔다.
- 안구 내 주사술을 시행하는 방법을 파악하고 실제 임상에서 적용한다.

1. 서론

안과에서 주 치료제로 사용되는 안약은 농도와 침투력에 한계가 있기 때문에 환자의 증례에 따라 국소주사를 이용하여 약물의 전달을 높일 수 있다.

결막하 주사법은 외래에서 간단하게 할 수 있는 술기로 주로 수술 시 마취나 항균제 및 스테로이드 주입의 보조요법으로 사용된다. 흔히 사용되는 적응증 및 농도는 다음과 같다.

1) 군날개 제거술, 결막이식 등 수술 시의 마취: 리도카인(Lidocaine) 2% 0.2~0.4 ml
2) 안구 내 수술 후 감염 예방 및 치료를 위한 항생제, 항진균제: 세파졸린(Cefazolin) 100 mg/0.5 ml, 겐타마이신(Gentamicin) 20 mg/0.5 ml, 아미카신(Amikacin) 25 mg/0.5 ml, 세프타지딤(Ceftazidime) 200 mg/0.5 ml, 반코마이신(Vancomycin) 25 mg/0.5 ml, 미코나졸(Miconazole) 5~10 mg/0.5 ml
3) 안구내 염증 조절: Dexamethasone disodium phosphate 4~5 mg/ml 0.2~0.4 ml

결막하 주사전에 우선 환자가 최대한 주사맞을 눈의 하비측을 바라보도록 지시한다. 눈 위치를 확인한 뒤 26 또는 30G 주사침을 이용하여 상이측 각막윤부에서 5~10 mm 떨어진 후방원개부 위에서 결막하로 약물을 천천히 주사한다(그림

4-1A). 주사침을 제거한 후 면봉으로 수 초간 주사부위를 누른다.

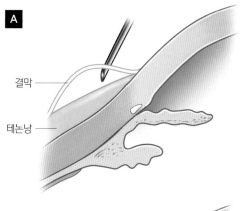

결막
테논낭

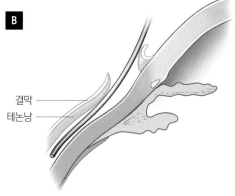

결막
테논낭

그림 4-1. A. 결막하 주사, B. 테논낭하 주사

결막판 이식술을 위해 주사할 때는 결막판을 채취할 결막을 들어올린 후 27G 주사침으로 테논낭과의 사이에 lidocaine 2%를 주입하여 결막이 부풀어 오르는 것을 확인하면 된다.

One Point

수사침이 들어갈 때 각막에서 먼 쪽으로, bevel-up으로, 최대한 눕혀 안구를 관통하지 않도록 한다.

2. 시술의 실제

결막하 주사 후 결막하출혈 및 결막부종의 합병증이 가장 흔하지만 저절로 호전된다. 고농도의 약물이나 사용하지 말아야 할 약제가 들어가서 주위 조직의 괴사를 유발할 수 있으므로 주입 전 농도의 확인이 제일 중요하다(그림 4-1A).

테논낭하 주사법은 포도막염, 공막염 등의 염증성 눈질환자에 시행하는 후테논낭하 스테로이드 주입술이나 백내장수술환자의 테논낭하 lidocaine 마취술에 이용한다. 스테로이드 제제 중에서 작용시간이 길며 동물실험에서 망막 및 수정체에 독성을 보이지 않은 트리암시놀론(triamcinolone acetonide)이 40 mg 용량으로 주로 사용된다(그림 4-1B).

테논낭하 주사 방법으로는 구부러진 뭉툭한 주사침을 이용하는 방법이 흔히 사용된다. 환자로 하여금 하비측을 최대한으로 바라보게 한 뒤 각막윤부에서 5~10 mm 떨어진 곳의 상이측 결막과 테논낭을 forceps로 잡아 들어올린 후 결막과 테논낭을 절개하여 만든 구멍으로 상공막을 노출시킨다. 상공막 공간으로 위쪽의 orbital roof를 따라 주사침(cannula 확인)을 끝까지 진행시킨 후 약물을 주사하고 제거하면서 면봉으로 수 초간 주사부위를 눌러 약물의 역류를 막는다. 주사침을 이동시킬 때 저항이 느껴진다면 테논낭하가 아닌 결막하로 들어간 것이므로 주사침을 빼고 상공막 공간을 다시 확보한 후 시도한다. 합병증으로는 결막하출혈, 결막부종, 감염 등의 합병증 외에 스테로이드 주사로 인한 안압 상승이 발생할 수 있다.

유리체강내 주사를 이용하여 치료하는 질환으로는 포도막염, 안내염, 연령관련황반변성, 당뇨

망막병증, 망막혈관폐쇄, 맥락막신생혈관 등 다양한 질환이 있다. 이 장에서는 각막염과 동반된 안내염이 발생했을 때 약물의 치료적 농도를 높이기 위해 주사할 수 있는 약제와 백내장 수술 후 낭포성 황반부종이 발생할 때 사용하는 스테로이드에 대해서 설명하고자 한다.

항생제로는 반코마이신(Vancomycin) 1 mg/0.1 ml, 세프타지딤(Ceftazidime) 2 mg/0.1 ml, 아미카신(Amikacin) 0.4 mg/0.1 ml, 겐타마이신(Gentamicin) 0.2 mg/0.1 ml을 사용할 수 있으며 항진균제로는 암포테리신 B (Amphotericin B) 5 µg/0.1 ml 및 보리코나졸(Voriconazole) 50~100 µg/0.1 ml을 사용할 수 있다. 스테로이드는 덱사메타손(Dexamethasone) 0.4 mg/0.1 ml과 트리암시놀론(Triamcinolone acetonide) 4 mg/ml를 사용할 수 있다.

유리체강내 주사 시는 특별한 금기사항이 있지 않는 이상 산동을 하고 인공수정체안의 경우 윤부에서 3.5 mm, 유수정체안의 경우 4.0 mm 떨어진 곳에 섬모체 평면부를 통하여 주사한다. 약물의 역류를 줄이기 위해 최근에는 대부분 30G 주사침을 사용한다. 주입 시 약 30~40도의 각도로 1.5 mm 진입 후 주사기를 세워서 약 6 mm 수직으로 진행시켜 천천히 주사한다(그림 4-2). 30G 주사침의 길이는 약 13 mm이다. 주입한 반대 순서로 조심스럽게 바늘을 제거하고 주사액이나 유리체가 역류되지 않도록 소독된 면봉으로 약 10초간 눌러준다.

주사 후에는 항생제 안약을 반드시 한 방울 점안하고 안압을 꼭 확인한다. 드물게 중심망막동맥의 압력보다 더 높게 안압이 오를 수 있다. 시술 환자에서 주사 후 1~2분 이상 광각이 없을 때 꼭 의심해야 한다. 환자에게 주사 후 약간 흐리게 보일 수 있다는 것과 떠다니는 것이 며칠에서 몇 주까지 지속될 수 있음을 알려주어야 하고 주사 후 일주일 이내에 병원을 방문하도록 권고해야 한다. 유리체강 주입술 후에는 안내염, 망막박리, 홍채염, 안압 상승 및 녹내장, 눈속출혈, 백내장, 저안압증, 망막독성, 망막중심동맥폐쇄 등의 심각한 합병증이 발생할 수 있으므로 결막하 주사나 테논낭하 주사 후 보다 적극적인 관찰이 권장된다.

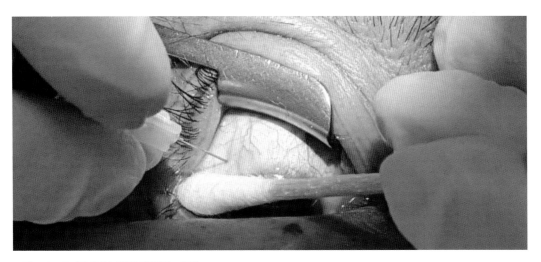

그림 4-2. 유리체강내 주사를 시행하는 사진

현문현답

Q. 트리암시놀론의 테논낭하 주사 시술은 비교적 외래에서 흔하게 하는 안전한 시술로 알려져 있는데요. 혹시 주의해야 할 치명적인 합병증도 있을 수 있겠죠?

A. 부주의한 시술 시 안내염이나 망막박리와 같은 치명적인 합병증을 일으킬 수도 있지만 이러한 경우는 매우 드물죠. 스테로이드로 인한 안압 상승은 비교적 흔하게 있습니다.

A. 네. 주사 후 경과 관찰하면서 염증이나 안압을 잘 살펴봐야겠네요. 저는 헤르페스 각막염의 기왕력이 있던 당뇨병성 황반 부종 환자에서 트리암시놀론 테논낭하 주사 후 헤르페스 각막염이 발생한 사례를 경험했어요. 또한 당뇨 환자에서는 트리암시놀론 주사 후 wound healing 장애로 whorling pattern 의 epitheliopathy가 발생할 수 있으니, 각막을 형광염색해서 잘 살펴봐야 하겠습니다.

A. 드물겠지만, 심각한 합병증의 사례를 문헌에서 찾아보면, 공막포도막염sclerouveitis으로 황반부종이 생긴 환자에서 트리암시놀론 테논낭하 주사 후 망막맥락막혈관 폐쇄가 발생했다는 보고도 있고, 안와 농양이 발생했다는 증례보고도 있었네요. 간단하고 안전한 시술이라고 하더라도 항상 주의가 필요할 것 같습니다.

■■■■ 참고문헌

1. Byun YS, Park YH. Complication and safety profile of posterior subtenon injection of triamninolone acetonide. J Ocul Pharmacol Ther. 2009 Apr;25(2):159-62.

수술기구

05

Key
Point

•외안부 소수술에서 사용되는 수술기구의 종류를 알아본다.
•상황에 따른 적절한 사용법과 주의할 점을 알아본다.

최근 안과 수술의 눈부신 발전은 수술 성공의 목표를 단지 시력의 향상뿐 아니라 시력의 질의 향상에 초점을 두고 있다. 이러한 배경으로 새로운 수술기계나 수술방법에 대한 소개는 활발히 이루어지고 공유하고 있다. 그러나 의외로 수술에 필요한 기본적인 기구에 대한 고찰은 드문 것 같다. 수술기구는 speculum, forceps, needle holder와 같이 수술에 필요한 기본 기구와 특수한 수술에서 사용되는 여러 특수 기구가 있다. 기본적 기구의 종류는 그 용도나 사용 편의성에 따라 워낙 다양하여 술자의 선호도에 의해 선택되는데 선호도는 아무래도 술자가 교육을 받았던 병원에서 어떤 기구를 사용했느냐에 따라 주로 결정되는 것 같다. 수술 술기가 발전하면서 필연적으로 수

술 기구는 변화한다. 비슷한 용도의 기구라 할지라도 술자 개개인의 아이디어에 따라 보다 효과적인 수술 기구가 출시되고 있는데 이 모든 것을 파악하기는 힘들더라도 기구의 특징에 대해 이해하는 것은 중요한 일이라 하겠다. 이 장에서는 안과 수술에 사용되고 있는 기본 기구에 대하여 외안부 수술을 중심으로 살펴봄으로써 기구의 선택에 대한 가이드라인과 정확한 사용법에 대하여 올바른 지식을 제공하고자 한다.

1. 개검기, 눈벌리개(Speculum)

개검기는 수술시야를 확보하는 기구이다. 초심자에게 있어서는 어떤 개검기를 선택하느냐에 따라

수술의 난이도가 바뀐다고 할 정도로 중요하다.

개검기의 종류는 고정방식, 재질, 디자인, 속눈썹이 수술시야에 들어오지 않게 막는 plate의 유무(guarded/unguarded) 등에 따라 다양하게 나뉜다. 오른쪽, 왼쪽 구분 없이 사용 가능한 것을 universal이라고 하고 screw handle이 있어서 안검을 벌리는 정도를 조절할 수 있는 것을 adjustable이라고 한다. 이러한 구분에 따라 개검기의 명칭이 결정되는데 하나의 예를 들어 보자. 그림 5-1은 Barraquer wire speculum인데 분류법에 따라 이름을 지어보면 unguarded (plate 없음), nonadjustable (screw 없음), universal(양안 호환 가능) adult (eyelid length가 14 mm) wire speculum이다.

가 없는 경우 수술 시 감염의 위험성이 있고 안구에 압박을 가하기 때문에 안내수술에는 적절하지는 않지만 사시수술, 공막수술, 외안근, 안구 심부를 다루는 수술의 경우 유용하다. Open wire blade speculum 인 Schott speculum은 상하안검을 당겨 벌리기 때문에 안구 압박이 거의 없는 것이 특징으로 각막이식술 등에 적합하다. 그러나 나사가 돌출되어 있기 때문에 실이나 tube 등이 걸릴 수 있는 점이 단점이다.

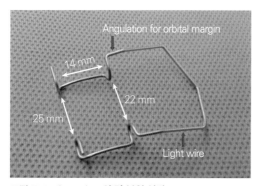

그림 5-1. Speculum의 각 부위 설명

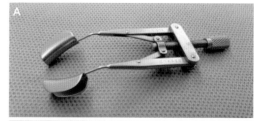
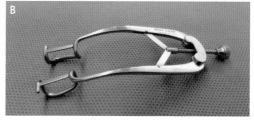
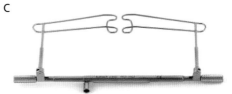

그림 5-2.
A. Plate (solid)형 나사식 고정 개검기
B. Wire형 나사식 고정 개검기
C. Schott 나사식 고정 개검기

1) 고정방식에 따른 분류
(1) 나사식 고정 개검기
Plate (solid)형과 wire형이 있다. Plate형에는 속눈썹이 수술시야에 들어가지 않도록 guard plate가 있는 것도 있다. 벌리는 폭을 조절할 수 있으며 나사로 확실하게 안검을 벌려서 고정시킬 수 있다. 안검을 벌리는 힘이 강하고 수술시야를 넓게 확보할 수 있는 것이 장점이다. Guard plate

(2) 슬라이딩식 개검기
슬라이딩 방식으로 개검 폭을 조절할 수 있으며 개검력이 강한 것은 이점이나 고정이 다소 약하고 수술조작 중에 미끄러지는 것이 단점이며 장시간의 수술인 경우에는 바람직하지 않다. 또한 나사 조절형과 마찬가지로 실이 걸릴 수 있는 것이 단점이다.

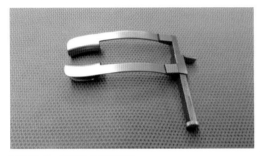

그림 5-3. 슬라이딩식 개검기

(3) 스프링식 개검기

Barraquer 개검기 등이 해당하며 많이 사용되는 개검기이다. 개검력은 나사 고정이나 슬라이딩식에 비해 약하며 수술 시야가 좁은 것은 단점이다. 가볍고 안구에 가해지는 압박도 약해서 백내장 수술, 녹내장수술뿐 아니라 초자체 수술에도 널리 사용된다. Wire speculum은 가볍고 eyeball에 가하는 압력이 적다. 형태에 따라 open loop, closed loop, 그리고 solid plate가 있는 것도 있다.

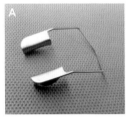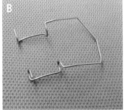

그림 5-4.
A. Plate (solid)형 스프링식 개검기
B. Wire형 스프링식 개검기

(4) 분리형 개검기

Yaffe 개검기 등이 해당된다. 분리식 wire 개검기는 분할된 상하 한 쌍의 와이어로 구성된다. 안검을 상하 별도로 벌리고 개검기는 실과 클립으로 당겨 수술 drape에 고정하는 방식이다. 상하 안검의 긴장력별로 개검기의 당김의 세기를 조절하는 것이 장점으로 전술한 schott 개검기와 마찬가지로 안구에 대한 압박이 작은 것이 특징이다. 분리형(와이어식) 개검기는 수술시야의 이측이 open space로 되어 있기 때문에 이측절개 백내장수술에 적합하다. 그러나 와이어는 수술 drape에 고정되어 있기 때문에 개검력은 약간 약하며 수술 중 미끄러지는 것이 단점이다. 그렇기 때문에 안검 긴장도가 큰 환자나 장시간의 수술에는 적합하지 않다.

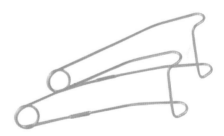

그림 5-5. Yaffe 분리형 개검기

One Point

수술시간이 10~20분 정도인 경우 akinesia를 하지 않는 경우가 많기 때문에 수술 중에 갑자기 눈을 감거나 뜨는 위험성에 대비하기 위해 개검력이 비교적 강한 나사식이나 슬라이딩식이 좋다. 안검연과 수술시야간의 접촉이 되지 않게 plate형이 추천된다.

2) 안검연 접촉 형상에 따른 분류

(1) Solid형 개검기

안검 접촉 부위가 plate 모양인 개검기는 안검연과 접촉하고 있는 면 전체가 안검을 들어 올리고 있어서 벌리는 힘이 균등하게 분산되므로 불편함이 비교적 적다. 또한 안검연과 수술 시야의 접촉을 plate 전체가 막고 있으므로 감염 예방에도 도움이 된다. 군날개 수술과 같은 외안부 소수술에 적합하다. 안내수술의 경우 상방의 plate는 12시 방향의 수술 조작에 방해가 되어 특히 12시 방향 scleral tunnel 방식의 백내장 수술 중 phaco handpiece가 plate에 걸리기 때문에 바람직하지 않다.

(2) Wire형 개검기

안검과의 접촉이 wire에 의해 두 군데의 지지 포인트로 개검하는 구조이다. plate형에 비하여 12시 방향에 걸리는 정도가 적은 것이 장점이다. 그러나 안검연이 직접 수술 시야에 접촉하기 쉬우므로 사용 시 술 전에 drape을 하거나 위치를 잡는 것에 주의를 기울여야 한다.

기존의 Barraquer 개검기에 있는 상안검연에 걸리는 와이어를 후방으로 굴곡시키거나 바깥쪽으로 하여 12시 방향에서의 수술조작이 쉽게 고안되어 있다.

안검피부의 붓기나 이완으로 수술시야가 제한되는 경우(비만, 고령)에는 날개가 달린 것 혹은 lifting wire가 달린 개검기가 유용하며 늘어진 피부를 고정할 수 있기 때문에 수술시야를 확보하는데 유리하다.

3) Special speculum

(1) Apiration speculum

안와주변의 뼈가 높고, 안구가 깊이 위치한 경우(deep set eye), 관류액이 수술시야에 고여 시야가 안좋은 경우가 많다. 이런 경우 관류액을 빨아들이는 aspiration speculum을 사용하면 매우 유용하다. 다만 blade에 위치한 흡인하는 구멍의 위치에 따라 결막도 같이 흡인될 수 있다. 이런 경우 환자가 통증을 호소하거나 결막하출혈이 생길 수 있기 때문에 조심해야 한다(그림 5-6).

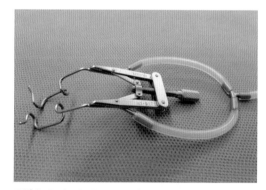

그림 5-6. **Aspiration speculum**

(2) 소아용 개검기

개검기는 안검에 걸리는 사이즈에 따라 성인용, 소아용, 미숙아용으로 나뉜다. 사이즈가 작으면 술 중에 충분한 개검이 되지 않고 너무 큰 경우는 술 후에 안검부종이나 반흔이 남을 수가 있기에 알맞은 크기의 개검기를 사용하는 것이 중요하다. 일반적으로 성인용은 11~15 mm, 소아용은 9~11 mm, 미숙아는 안검폭이나 안구의 크기에 맞추어서 6~9 mm 정도가 적당하다(표 5-1).

표 5-1	성인용, 소아용, 미숙아용 speculum size
	Eyelid length
성인용	11~15 mm
소아용	9~11 mm
미숙아용	6~9 mm

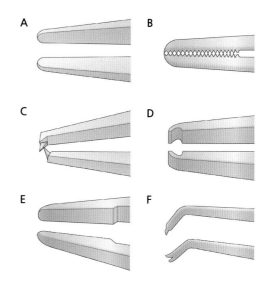

그림 5-7. 집게 끝 모양에 따른 분류
A. flat, B. serrated, C. toothed, D. notched,
E. platform flat, F. curved toothed Colibri with platform

2. 집게, 겸자(Forceps)

Forceps의 기능을 한마디로 이야기하면 '잡는다'
이다. 무엇을 무엇 때문에 잡는가라는 그 목적에
따라 forceps의 크기, 디자인이 정해진다. 수술에
있어서 forceps가 잡는 대상은 인체 조직이나 수
술 재료이다. 안구주위조직, 부속기 등 조직을 잡
아야 하며 재료로는 봉합사, 인공수정체 등 성상
이 다른 것들을 안전하고 효과적으로 잡아야 하
기 때문에 forceps의 종류는 많다. forceps가 다
양한 만큼 술자에 의해 고안된 forceps도 많아 우
선 기본적인 forceps가 갖는 특징을 이해하고 여
기에 조금 더 편의를 위해 고안된 forceps에 대해
이해를 하는 것이 중요하다.

1) Forceps의 분류

Forceps는 size에 따라 delicate, fine, micro
forceps로 분류되고, forceps 끝 형상에 따라
toothed/non-toothed로, 용도에 따라, 수술에
따라, 잡는 물질에 따라(결막, 각막, 홍채, IOL
등), 전체적인 모양에 따라(Colibri, Castroviejo)
분류되고 있다. 분류법 자체가 워낙 다양하기 때
문에 이 장에서는 필자의 편의로 구분해보고자
한다(그림 5-7).

(1) 용도별

용도, 수술, 잡는 대상 등을 기준으로 분류할 수
있는데 목적에 따라 fixation forceps, strabis-
mus forceps, cornea fixation forceps를 들 수
있고 봉합을 위한 tying forceps와 suture for-
ceps가 있고 조직을 잡기 위한 forceps로 iris
forceps, conjunctiva forceps, cornea forceps,
CCC forceps가 있다. IOL forceps 같이 특정재
료를 잡기 위한 forceps도 있으며 Colibri, Cas-
troviejo style과 같은 utility forceps가 있다.
Colibri style은 끝이 구부러져 있어 시야를 가리
지 않는 장점이 있다. 이빨 바로 뒷부분이 꼭 맞
물려 봉합매듭이 가능한 종류가 있으며 이를
suturing forceps라고 하기도 한다.

　Fixation forceps는 조직을 고정함으로써 자르
거나 봉합하는 조작을 보조하기 위함이 주 목적이
며 tying forceps는 실 두께에 따라 사이즈가 다르
다. Utility forceps는 다양한 용도로 사용된다.

(2) Forceps 끝 모양에 따른 분류

안과수술에서는 성질이 다른 다양한 조직, 재료를 잡기 때문에 forceps 끝 모양은 중요하다. 우선 toothed냐 non-toothed냐 platform이 있느냐 없느냐에 따라 나뉜다. Toothed는 toothed와 notched 형으로 나누고 non-toothed는 flat이냐 serrated(톱니형)이냐로 나눈다. Platform은 끝이 편평하고 밀착하기 때문에 10-0와 같이 가는 실을 잡을 수 있는데 많은 micro-forceps가 이 형태를 택하고 있다.

One Point

- 각막을 다룰 때 이빨이 없는 forceps로 힘주어 잡게 되면 조직이 뭉개지므로 이빨이 있는 forceps로 적당한 힘을 가해 잡도록 한다.
- 양막을 다룰 때에는 찢어지기 쉬우므로 이빨이 있는 forceps보다는 이빨이 없는 forceps로 약하게 잡고, 심하게 잡아당기지 않도록 한다.
- 봉합 시 이빨이 있는 forceps로 봉합사를 잡게 되면 끊어지는 경우가 있기 때문에 이빨이 없는 tying forceps를 이용하여 봉합을 매듭짓는 것이 좋다. 하지만 이빨이 있더라도 suturing forceps라면 이빨 바로 뒷부분을 사용하여 매듭을 지을 수 있다. 이 방법이 익숙해지면 수술시간을 줄일 수 있으므로 자신의 숙련도와 상황에 따라 사용하도록 하자.
- 이빨이 없는 tying forceps라도 강한 힘으로 실을 잡게 되면 실에 변형이 오고 끊어지는 경우가 생기므로 적당한 힘으로 잡도록 한다.

(3) Straight vs Curved

curved형은 여러 가지 각도로 다양하게 고안되어 있는데 수술 approach에 따라 각도가 미묘하게 다르기 때문이다(그림 5-8).

술자의 팔, 손목, 손, 손가락의 위치와 각도에

는 제한이 있으므로 curved instrument는 이러한 제한점을 보조한다. Straight forceps과 Colibri forceps을 비교하면 straight는 직각으로 approach하고 Colibri는 수평에 가까운 각도로 approach한다(그림 5-9).

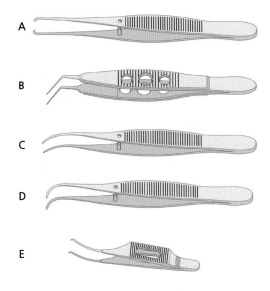

그림 5-8. straight vs curved
A. straight, B. angled, C. small curved, D. large curved
(C,D: teeth가 straight), E. Colibri (teeth가 굴곡)

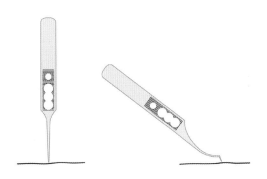

그림 5-9. Straight forceps와 Collibri forceps 비교
Straight는 수직으로 방향을 잡아야 forceps 끝이 수직
Colibri는 평행으로 접근해야 forceps 끝이 수직

(4) direct action/cross action

안과기구의 대부분은 direct action이다. Cross action은 IOL forceps나 nucleus fracture forceps, cilia forceps 등 용도가 특수한 경우에 사용한다(그림 5-10).

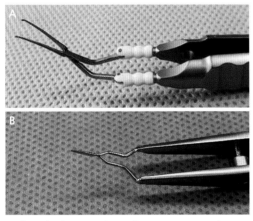

그림 5-10. Cross-action vs Reverse cross-action
A. Cross-action은 큰 움직임으로 작은 정밀한 움직임이 가능하며, 작은 힘으로 단단하게 잡을 수 있다.
B. Reverse cross-action은 정지 시에 forceps 끝이 닫혀있고 힘을 주면 열린다. 힘을 주지 않아도 잡고 있을 수 있어 IOL을 접거나 접은 상태로 삽입할 때 주로 사용된다.

(5) 다양한 forceps

① Hemostat (artery forceps)

　Hemostat도 수술실에서 흔히 사용하는 기구이며 안과도 예외는 아니다. Straight 혹은 curved가 있으며 끝에 톱니모양(serrated)으로 처리되어 있다. 안검이나 상직근에 견인 봉합을 시행한 후 towel에 고정하는 경우에도 사용한다.

　Lateral canthotomy를 할 때 lateral canthus를 crush하는 데도 이용하며 DCR 시 혈관을 잡는 데도 이용한다(그림 5-11).

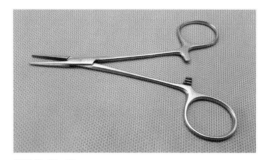

그림 5-11. Hemostat

② Superior rectus holding forceps

　Superior rectus holding forceps는 백내장이나 녹내장 수술에서 bridle suture 시 이용된다. Forceps 끝은 double curvature (S shaped)로 tip은 1:2 toothed로 이루어진다. Tip의 curvature는 globe의 curvature에 딱 맞는다(그림 5-12).

그림 5-12. Superior rectus holding forceps

③ Suture tier (tying) forceps

　Straight 혹은 curved로 tip 끝에는 tooth가 없다. Tip에는 extra thick platform이 있어서 fine suture에서 tying 시 suture end를 잡거나 removal 시 suture 끝을 잡는 역할을 한다. Suture 시 잘린 결막 margin을 잡는 데도 이

용된다(그림 5-13).

그림 5-13.
Suture tier (tying)
forceps

④ McPherson forceps

toothless forceps으로 angulation이 tip에서 7~8 mm에 있다. 인공수정체를 hold하거나 capsulotomy 후 loose anterior capsule을 제거하는 등 유용하다. 10-0 nylon suture에서도 이용된다(그림 5-14).

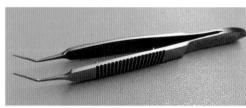

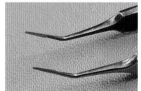

그림 5-14.
McPherson forceps

⑤ Plain dissecting forceps

보통 toothed가 없는 straight forceps로 끝부분은 약간 blunt하며 조직을 잡기 쉽도록 fine serration이 되어 있다. dissection 시 bulbar conjunctiva나 episcleral tissue를 잡거나 conjunctiva suture에 이용한다. 결막하 주사를 시행하는데 있어 결막 조직을 잡는 데 유용하다(그림 5-15).

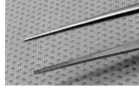

그림 5-15.
Plain dissecting
forceps

⑥ Toothed forceps

이빨이 있는 forceps는 적은 힘으로도 미끄러지지 않고 조직을 잡을 수 있는 장점이 있으나, 조직에 구멍이 나거나 부서질 수 있고 봉합사를 잡을 경우 끊어지기 쉽다. 혈관, 신경, 양막 등을 잡을 때 조심해야 한다(그림 5-16).

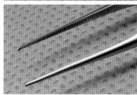

그림 5-16.
Toothed forceps

⑦ Epilation forceps (Cilia forceps)

Blunt flat ends를 갖는 forceps로 tip 근처 안쪽면에 extra thick platform이 있다(그림 5-17).

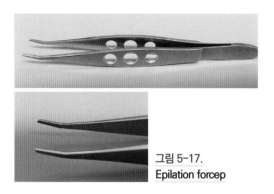

그림 5-17.
Epilation forcep

⑧ Bishop–Harmon iris tissue forceps

Tip 끝에 thin jaws와 three interlocking toothed가 있는 small, fine tissue forceps로 눈 주변 조직 grasping 시 이용된다(그림 5-18).

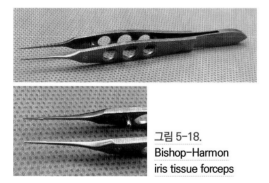

그림 5-18.
Bishop–Harmon
iris tissue forceps

3. 가위(Scissors)

안과에서 사용하는 가위는 모양, 용도에 따라 다양하게 분류된다. 선단이 sharp하냐 blunt하냐에 따라서, handle이 straight하냐 curved 하냐에 따라서, 그리고 조직에 따라서 다양한 가위가 개발되고 있다. 예를 들어 공막 천공이 의심이 되는 환자에서 exploration 시에 blunt scissor를 사용해야 주변조직의 손상을 적게 할 수 있다. 가위의 선단 부분이 straight한 것도 있고 straight로 조작하기 힘든 경우를 위해 각도가 있는 것도 있다. 손잡이 부분이 손가락을 걸어서 사용하는 것, spring handle이냐 나비모양의 손잡이를 갖느냐에 따른 분류도 가능하다. 원형의 핸들은 술자의 손가락 힘이 많이 드는 반면 스프링은 닫는 힘도 작고 여는 힘은 금속의 되돌아오는 힘을 이용하기 때문에 힘과 평행하게 작동하지 않는다. 전자는 비교적 단단한 조직을 어느 정도의 간격으로 연속해서 자를 때 적합하다. 스프링은 미묘한 거리의 비교적 부드러운 조직의 절단에 적합하다. 나비모양인 경우 칼날의 곡률을 크게 할 수 있으나 연속적으로 하기에는 부적합하다.

1) Vannas scissors

Straight, curved, angled type이 있으며 spring action이 있다. Conjunctival flap, 10–0 nylon suture를 자를 때, trabeculectomy에서 trabecular flap을 자를 때, open–sky vitrectomy 시 vitreous를 자를 때, corneal grafting시 trephination 후 corneal button을 자를 때, iridectomy 시 iris를 자를 때 사용된다(그림 5-19).

그림 5-19. Straight type의 Vannas scissors

2) Castroviejo corneoscleral scissors

Conventional ECCE 또는 ICCE에서 각막이나 각공막의 incision을 넓힐 때, 각막이식 시 각막 절개를 넓힐 때, trabeculectomy 시 공막이나 섬유주조직을 자를 때 사용된다(그림 5-20).

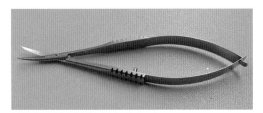

그림 5-20. Castroviejo corneoscleral scissor

3) Westcott scissors

Blade의 모양은 curved 혹은 straight이며, fine, narrowed 또는 blunt한 tip의 모양을 갖는 spring-action scissors로써 결막을 절개하거나 각막 및 공막, 홍채 조직을 절개할 때, 외안근을 분리할 때 사용된다(그림 5-21).

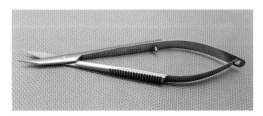

그림 5-21. Westcott scissors

4) Stevens tenotomy scissors

Fine blunt tipped scissors로 curved 혹은 straight 타입이 있으며, 외안근의 인대와 근육 조직을 분리하는 데 사용되며, 테논 조직을 공막에서 분리하는 데 사용된다. 더불어 buckling surgery, enucleation, evisceration, squint surgery에서도 이용될 수 있다(그림 5-22).

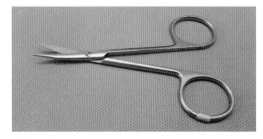

그림 5-22. Stevens tenotomy scissors

5) De Wecker's scissors

Right angle arm을 갖는 작은 blade를 가진 spring-action scissors로서 두 blade는 V-shape을 가지면서 서로 떨어져 있다. Iridectomy, iridotomy를 하는 데 사용되며, 탈출된 유리체를 잘라내거나 동공막을 잘라내는 데에도 이용된다(그림 5-23).

그림 5-23. De Wecker's scissors

6) Corneal scissors

각막을 절제하는 데 사용하는 가위로서 blade가 휘어져 있으면 curved, blade와 손잡이의 각이 져있으면 angled라고 한다. 보통 trephine된 수여각막의 원둘레를 따라 쉽게 자르기 위해 curved를 사용하는 경우가 많다. 대부분 가위날의 끝은 무디고(blunt), 아래 가위날이 0.5 mm에서 1.0 mm 정도 더 길어 홍채나 각막내피세포에 손상을 덜 주도록 디자인되어 있다. 각각 좌우 방향으로 한 쌍이 세트이므로 술자가 편한 방향의 가위를 골라 사용하면 된다(그림 5-24).

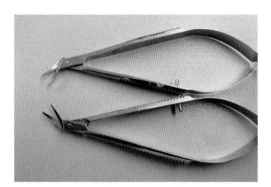

그림 5-24. Corneal scissors

막 봉합용 큰 needle holder가 이 타입에 많다. 그러나 핸들이 작은 디자인도 있기 때문에 어디까지나 술자의 선호도에 달렸다.

그림 5-25. Barraquer needle holder

그림 5-26. Castroviejo needle holder

4. 지침기, 바늘집게(Needle holder)

수술기구 중 많이 사용하는 needle holder는 현미경 아래에서 조작이 간편하도록 다양하게 개발되었다. 분류에 있어서 고려해야 할 사항은 다음과 같다. 핸들이 둥근형인지 혹은 각진형인지, 끝은 straight 혹은 curved인지, locking이 되는지 안되는지, 재질이 무엇인가에 따라 본인에게 알맞은 needle holder를 사용하도록 해야 한다.

1) 핸들
대표적으로 Barraquer needle holder는 handle이 둥글기 때문에 손가락 안에서 회전이 잘 되며 바늘의 curve에 맞게 실이 통과하므로 각막봉합용 microneedle holder가 이 타입에 많다(그림 5-25). 반면 Castroviejo needle holder로 대표되는 각진 needle holder는 잡았을 때 안정성이 좋으며 힘이 들어가기에도 좋다(그림 5-26). 그러므로 suture 시 회전운동이 많이 필요하지 않은 공

2) Curved or straight
기본적으로 안과 현미경수술에서 needle holder는 penholder 방식으로 잡는다. 그러므로 지지부 jaw가 약간 curved needle holder가 사용하기 편하다. 그러나 curve가 크거나 역으로 straight needle holder도 있다. 예를 들면 deep set eye의 각막봉합인 경우 curved가 큰 것, 심부 열공으로 scleral buckling을 해야 하는 경우는 straight가 좋다(그림 5-27).

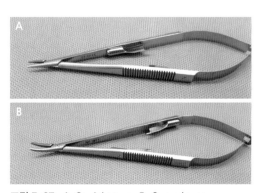

그림 5-27. A. Straight type, B. Curved type

(3) Locking type에 따라서

Locking이 되는 경우 수술시야 밖으로 needle holder에 바늘을 고정할 수 있으므로 사시수술이나 망막수술 시 marking을 하고 봉합하는 경우에는 편리하다. 그러나 cornea continuous suture의 경우 suture 할 때마다 locking을 풀어야 하기 때문에 불편하다. Locking은 가벼운 힘으로 풀어지지 못하면 봉합하는 데 어려움이 있을 수 있다.

(4) 재질

티타늄이 가볍고 부식에도 강하나 스테인레스 재질이 보다 더 튼튼하다. Needle holder의 선택에 있어, 사용하는 봉합사와 바늘의 크기에 따라 needle holder를 선택하여야 한다. Delicate한 needle holder로 두꺼운 바늘을 잡으면 기구가 파손될 수 있으므로 주의하여야 한다.

(5) 실의 굵기에 따른 needle holder의 선택

① 8-0~11-0(백내장, 녹내장, 각막이식)

전체 길이가 100 mm 전후(90~115 mm)가 일반적이다. 핸들 사이즈는 술자의 엄지와 검지로 원을 만드는 것을 기준으로 한다. 핸들이 손에 비해 작으면 사용하기 불편하고 현미경을 건드리기 쉽다. Jaw는 봉합사의 두께에 따라 extra delicate 부터 delicate (0.5 mm, 0.75 mm, 1.0 mm)를 선택한다.

② 4-0~7-0(사시수술, 망막수술, 안검 수술)

Kalt needle holder는 전체 길이가 일반적으로 130~140 mm정도로써, 사시수술, 망막 수술 등에서 사용된다(그림 5-28).

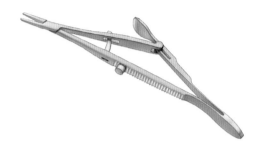

그림 5-28. Kalt needle holder

5. 밀림자, 측경기(Calipers)

밀리미터 단위의 병변 길이 또는 열상, 절개창 길이의 측정에 사용한다(그림 5-29).

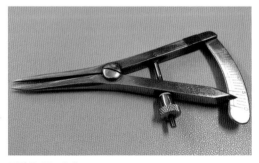

그림 5-29. Caliper

6. Blade와 scalpel handle

다래끼의 절개 및 배농술 등에 사용하는 11번 blade와 군날개를 긁어내며 제거하는 등에 사용하는 15번 blade가 있다. Blade는 일회용으로 scalpel handle no.3에 결합하여 사용한다(그림 5-30).

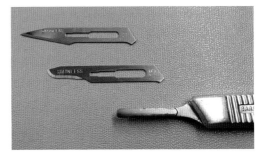

그림 5-30. No. 11 및 15 blade와 scalpel

현문현답

Q. Forceps나 needle holder를 사용하다 보면 실이 잡히지 않는 경우가 있습니다. 아마 기구가 망가진 것 같은데 망가지지 않게 하는 올바른 사용 방법이 있을까요?

A. 안과 수술기구는 예민하고 더 잘 망가지는 경향이 있는 것 같습니다. 정확히 사용하지 않으면 망가지는 속도가 더 빨라집니다. Needle을 잡을 때 바늘과 봉합사의 연결지점 swage에서 1/2 지점이나 1/3 지점을 잡도록 해야 기구가 망가지지 않습니다(그림 5-31). Needle의 point쪽은 다양한 형태를 가지고 있기 때문에 앞쪽을 잡게 된다면 needle도 망가지고 needle holder도 망가질 수 있습니다. Swage 부분은 바늘의 제일 약한 부분이기 때문에 잡으면 부서지고 실이 끊어질 수 있어 잡지 않도록 합니다.

그림 5-31. 올바르게 바늘을 잡는 법

Q. 봉합사의 크기 및 재질에 따라서도 수술기구가 망가질 수 있을 것 같습니다. 봉합사 별로는 수술기구를 어떻게 사용하고 있나요?

A. 안과수술에서 사용할 일은 적지만 4-0나 5-0 봉합사를 안과 수술기구로 잡거나 자르게 되면 기구가 망가집니다. 혹시나 타과에서 봉합한 실을 발사할 때 안과 수술기구로 자르는 일은 없도록 하십시오. 10-0 봉합사를 사용할 때는 수술기구가 망가질 이유가 없기 때문에 자유롭게 수술기구를 사용하도록 하구요. 8-0 봉합사부터는 수술기구 날의 손상이 우려되어 봉합사를 자를 때 Vannas scissors를 사용하지 않고 Westcott scissors를 사용하곤 합니다.

Q. Needle holder를 사용해서 봉합할 때 의도치 않게 잠김(locking) 상태가 되어 봉합을 망친 경험이 있습니다. Locking mechanism이 있는 needle holder를 선호하시나요 없는 것을 선호하시나요?

A. 저는 locking mechanism이 섬세한 조작에 방해가 된다고 느껴지더라구요. 바늘이 조직을 통과한 상태에서 잠김을 풀 때 움직임이 생길 수밖에 없고 그 과정에서 조직의 손상이나 바늘이 조직에서 빠지는 것을 많이 경험하곤 합니다. 그래서 덜 섬세한 봉합에서는 어떤 needle holder를 사용하든지 크게 신경쓰지 않지만 각막을 봉합할 때에는 locking mechanism이 없는 것을 선호합니다. 술자 자신의 손의 크기에 맞는 장갑을 끼듯이 기구도 자기 손에 맞는 크기를 사용해야 합니다.

참고문헌

1. Klauss G. Ophthalmic surgical instruments *Top Companion Anim Med* 2008;23(1):3-9.

2. Castroviejo R. New Instruments: A New Needle holder *Trans Am Ophthalmol Soc* 1950;48:331-332.

3. Tano Y et al. Selection of surgical instrument in ophthalmology Practical Ophthalmology Vol 3-11, 2000

봉합사의 종류와 특징 및 선택

06

> Key
> Point

- Needle anatomy를 이해한다.
- 봉합사의 재질과 형태를 이해한다.
- 다양한 안과 수술에서 어떠한 봉합사의 사용이 적합한지 알아본다.

1. 서론

모든 외과적 수술에서 봉합사는 반드시 필요한 수술 재료이다. 수술 후 항생제 투여보다도 절개 부위가 정확하게 봉합되어야만 감염을 막아 빠른 회복이 가능하기 때문이다. 정확한 봉합 방법도 중요하지만 상황에 맞도록 올바른 모양의 바늘과 봉합사를 선택하는 것이 무엇보다 중요하다. 본 장(章)에서는 안과 영역에서 사용되는 봉합사의 종류와 함께 그 적응증에 대하여 알아보고자 한다.

2. 본론

1) Needle Anatomy의 이해

(1) Swage
바늘과 봉합사 사이의 연결 부위를 말한다.

(2) Wire diameter
바늘 몸통의 두께를 뜻한다.

(3) Needle length
Swage에서 needle point까지 바늘의 둘레를 따라서 측정한 바늘 전체의 길이를 뜻한다.

(4) Radius

바늘을 원이라고 가정하고 그 중심에서 바늘까지의 거리인 반지름을 의미한다.

(5) Chord length

swage에서 needle point까지의 일직선 길이를 의미한다.

(6) Point

조직을 처음으로 관통하는 바늘의 끝부분이다.

(7) Needle shape

수술이나 술자의 선호도에 따라 다양한 바늘이 사용되는데, 그림 6-1의 우측에서 보는 것처럼 straight, 1/8, 1/4, 3/8, 1/2, bi-curve needle 등 다양한 모양으로 제조된다.

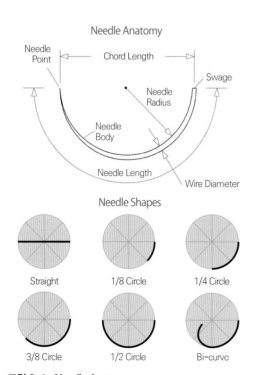

그림 6-1. Needle Anatomy

2) Needle의 형태와 사용의 적응증

(1) Side cutting spatula needle(그림 6-2)

Side cutting spatula needle은 백내장이나 각막이식, 녹내장 수술 등 전안부 분야의 수술에서 사용할 수 있는 가장 대표적인 형태의 needle이다.

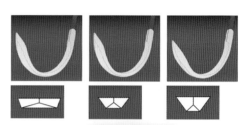

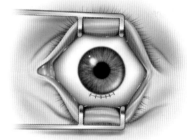

그림 6-2. Side cutting spatula needle의 다양한 형태와 대표적인 사용 적응증

(2) Inverse side cutting needle(그림 6-3)

Inverse side cutting needle은 외안근에 손상을 최소화하면서 봉합하는 데 적합한 디자인으로 사시 수술에 쓰이는 needle이다. 그러므로 주로 흡수성 봉합사와 같이 결합되어 있다.

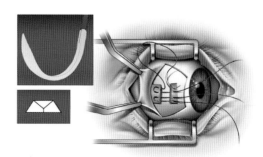

그림 6-3. Inverse side cutting needle의 형태와 대표적인 적응증

(3) Center point side cutting needle(그림 6-4)

Center point side cutting needle 역시 외안근을 봉합하는 데 적합하여 사시 수술에 널리 쓰인다.

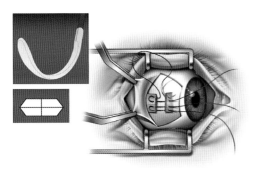

그림 6-4. **Center point side cutting needle의 형태와 대표적인 적응증**

(4) Reverse cutting needle(그림 6-5)

Reverse cutting needle은 눈꺼풀의 봉합 등, 성형안과 수술 분야에 적합하여 널리 사용된다.

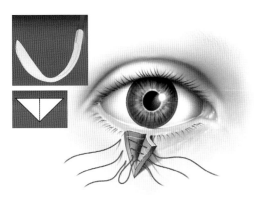

그림 6-5. **Reverse cutting needle의 형태와 대표적인 적응증**

(5) Taper point needle & Cutting taper point needle(그림 6-6)

좌측이 taper point needle이고 우측이 cutting taper point needle이며, 주로 외안근의 traction suture를 거는 데 사용하거나, IOL scleral fixation에 사용한다.

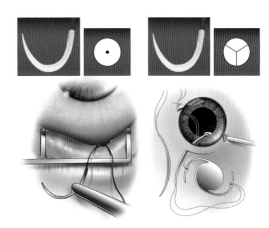

그림 6-6. **Taper point needle & Cutting taper point needle의 다양한 형태와 대표적인 사용 적응증**

One Point

- 가장 정밀한 봉합을 요하는 안과 수술은 각막 이식일 것이다. 모든 각막 이식 수술에서 10-0 nylon을 사용한다. 각막에 가해지는 손상을 줄이면서도 조직의 90% 깊이로 바늘이 통과되어 수여부와 공여부가 균등하게 봉합되려면, 아무래도 바늘이 가늘고 짧으며 커브가 큰(앞에서 배운 needle anatomy의 용어를 참고하면, wire diameter가 작고, chord length가 짧으며, needle radius가 큰) 봉합사가 유용하기 때문이다. 특정 회사 제품의 경우 같은 10-0 nylon이더라도 위의 조건에 더욱 부합하는 모델이 추가로 구비되어 있으니 각막이식에 사용하면 유리할 것이다. 다만 wire diameter가 작아 바늘이 쉽게 구부러지고 손상되는 단점은 감수하여야 한다.

- 결막을 봉합할 때, 가장 대표적으로 사용되는 봉합사 두 가지는 10-0 nylon과 8-0 vicryl이다. 10-0 nylon은 자극과 통증이 덜하지만 추후에 봉합사를 제거하여야 한다는 단점이 있고, 8-0 vicryl은 스스로 흡수되어 분해되므로 봉합사를 제거할 필요가 없지만, 녹기 전까지 이물감과 자극이 심하다는 단점이 있다. 그 외에 6-0 black silk나 10-0 prolene을 사용하는 술자도 있다.

3) 봉합사의 재질

봉합사의 재질과 두께, 그리고 monofilament의 형식인지 혹은 multifilament의 형식인지에 따라, 또한 multifilament의 경우 꼬아 놓은 형태에 따라 다양한 봉합사가 있다. 이에 따라 봉합사의 탄성이 제각기 다르며, 주로 생산되는 봉합사의 직경이 서로 다르고, 더불어 조직에 대한 반응도 다르다. 각 봉합사에 따른 안과적 수술 적응증

이 절대적으로 구분되는 것은 아니지만 표 6-1을 보면 각 봉합사의 재질과 형태에 따른 일반적인 적응증을 확인할 수 있을 것이다.

일반적인 원칙을 설명하자면, 각막과 같이 이물 반응을 최소화하고 더불어 난시 발생을 최소화하여야 하는 조직에서는 10-0 nylon과 같이 monofilament의 비흡수성 성질을 지니면서, 가는 형태의 봉합사가 가장 적합할 것이다. 결막의

표 6-1 봉합사의 재질과 형태에 따른 특징과 적응증

	Nylon	Silk	Polyester Braided	Polyester Mono-filament	Poly-propylene	Polyglycolic acid
Astigmatic Control	Excellent	Poor	N/A	Excellent	Poor	Excellent
Elasticity	Fair	Poor	Poor	Poor	Excellent	Poor
Absorption	No	No	No	No	No	Yes
Handling	Good	Excellent	Good	Poor	Good	Excellent
Tissue Reaction	None	Some	None	None	None	None
Monofilament	Yes	No	No	Yes	Yes	Yes
Braided	No	Yes	Yes	No	No	Yes
Twisted	No	Yes	No	No	No	No
Size	5-0, 6-0, 8-0, 9-0, 10-0, 11-0	4-0, 6-0, 7-0, 8-0, 9-0	4-0, 5-0	10-0, 11-0	10-0	6-0, 7-0, 8-0, 10-0
Surgical Indication	Cataract, Glaucoma, Oculo-plastic, Retinal-vitreous	Cataract, Glaucoma, Oculo-plastic, Retinal-vitreous, traction	Retinal detachment, strabismus	Cataract, Glaucoma	Cataract, glaucoma, iris repair, ICL fixation	Cataract, glaucoma, Oculo-plastic, strabismus

경우에도 가는 형태의 nylon 재질의 봉합사가 적합하지만, 나중에 봉합사를 제거해야 하는 불편함을 고려한다면, 흡수성 재질의 봉합사 사용도 무방하다. 외안근의 봉합이나 눈꺼풀의 봉합, 그리고 외안근의 traction suture에 사용되는 봉합사는 주로 굵은 형태의 봉합사가 적합할 것이다.

3. 결론

봉합사는 바늘의 형태 및 봉합사의 재질과 형태에 따라 매우 다양한 종류가 존재한다. 수술마다 봉합사 선택의 적응증이 절대적으로 존재하는 것은 아니지만 술자의 선호도와 수술에 따라 올바른 봉합사를 선택하여야만 좋은 수술 결과를 얻을 수 있을 것이라고 생각한다.

현문현답

Q. 의외로 봉합사에 대하여 얘기하는 기회가 많지 않은 것 같아요. 보통 군날개 수술할 때 어떤 봉합사를 쓰세요?

A. 지난 64차 각막질환연구회 정기모임에서 조사된 군날개 수술 시 선호하는 봉합사 재질에 관한 설문조사 결과가 있어요.

Pterygium 수술 시 가장 많이 사용하는 suture material은 무엇입니까?

1) Nylon	1 — 66.7%
2) Vicryl	2 — 10.3%
3) Glue	3 — 7.7%
4) Nylon + glue	4 — 7.7%
5) Vicryl + glue	5 — 7.7%

Q. 결막 봉합 시 어떤 실을 사용하세요?

A. 각막은 10-0 nylon으로 봉합하여야 하지만 결막은 8-0 vicryl로 봉합하여도 좋고, 10-0 nylon으로 봉합하여도 좋아요. 8-0 vicryl은 봉합사가 두꺼워 자극이 많지만 스스로 녹아 없어지는 장점이 있고, 10-0 nylon은 추후 봉합사를 제거하여야 하지만, 봉합사가 얇아 자극이 적다는 장점이 있어요.

A. 10-0 nylon을 사용하여 결막을 봉합하고 추후 봉합사 제거는 보통 2주 안쪽으로 하라는데요, 봉합사 두께가 가늘어 제거하는 데 번거로움이 따릅니다.

A. 저는 봉합 시 봉합사의 매듭을 약간 느슨하게 하는데(loose suture) 나중에 봉합사 제거할 때 편합니다. 이따금 강하게 결속된 봉합사를 제거하다가 봉합부위가 벌어지는 경우가 있으니 유의해야 합니다.

A. 같은 10-0 nylon이라도 design이 다르기 때문에 수술에 최적화된 봉합사와 needle에 대해 이해할 필요가 있을 것 같아요.

다래끼 완전 정복

07

→ Key
　　Point

- 안검의 해부를 먼저 정확히 파악하자.
- 다래끼가 언제부터 시작되었는지, 위치가 어딘지, 증상이 있는지가 치료 방향을 결정하는 데 중요하다.
- 눈꺼풀을 건드린다는 것은 일종의 미용성형수술이라는 것을 간과하지 말자.

1. 서론

'다래끼'는 '안구건조증'이나 '눈병'처럼 환자들에게 아주 친숙한 병명이다. 그러나 학생 때 수업을 들을 때부터 현재까지 '다래끼'와 관련된 용어는 산립종, 맥립종, 다래끼, 콩다래끼, chalazion, hordeolum 등 매우 다양해서 헷갈린다. 치료 방법도 약만 쓸 것이냐 수술적 치료를 할 것이냐 치료의 경계가 모호한 경우가 많으며 절개를 택할 경우도 절개 방향에 대한 의견이 다양하다. 용어를 정확히 이해하기 위해서는 우선 눈꺼풀의 해부학을 숙지해야 한다(그림 7-1).

눈꺼풀 피부는 신체 중에서 가장 얇아서 반흔이 잘 생기지 않는다고 한다. 눈꺼풀은 회색선

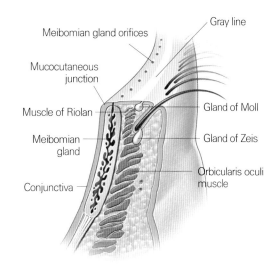

그림 7-1. 눈꺼풀의 해부학

(gray line)을 따라 앞뒤층판으로 나누는데 앞층판(anterior lamella)에는 피부와 눈둘레근(Orbicularis oculi muscle)이 뒤층판(posterior lamella)에는 검판과 결막이 위치한다.

눈꺼풀판에 있는 마이봄샘(meibomian gland)이 누액의 지질층을 만든다. 그런데 분비물의 지질조성의 변화, 선상피의 각화, 샘(gland)의 주행변화 등에 의하여 마이봄샘이 막히면 만성 육아종성 염증을 일으켜 콩다래끼(chalazion, 산립종)가 생긴다. Moll 샘은 눈꺼풀 가장자리에 위치한 modified apocrine sweat gland이며 Zeis 샘은 눈꺼풀 가장자리에 위치한 sebaceous gland인데 속눈썹의 주변부로 분비된다. 병소가 Moll 샘 혹은 Zeis 샘에 있는 것을 겉다래끼(external hordeolum, stye), 마이봄샘에 있는 것을 속다래끼(internal hordeolum)라고 한다.

이처럼 비슷하지만 서로 다른 다래끼, 콩다래끼에 대해 좀 더 알아보자(표 7-1).

2. 다래끼(맥립종, hordeolum)

다래끼는 눈꺼풀의 분비샘, 즉 Zeis 샘, Moll 샘의 급성화농성 질환으로 황색포도상구균 등 G (+) cocci가 원인균이다. 과거에 맥립종이라는 용어를 많이 사용하였는데 현재는 '다래끼'라는 표현을 많이 사용한다.

겉다래끼는 초기에는 눈꺼풀에 경도의 발적과 부어오름을 주소로 하며 약간의 통증을 수반하는데 진행하면(봉와직염기) 병소에 딱딱한 결절이 생기며 눈꺼풀의 붓기도 현저해져서 강한 통증을 수반한다. 며칠 지나서 농이 차는 시기(농양기)에 이르면 결절도 약간 연화되며 통증이 좀 줄어든다. 대부분의 경우 온열법이나 안약을 사용하면 자연 호전되는 경우가 많으나 발생하는 부위가 눈꺼풀이기 때문에 외관상 보기 안 좋아 환자가 빨리 증상 개선을 원하는 경우가 많다. 수술 적기는 피부에 농점 focal point이 생기는 시점이다.

속다래끼는 겉다래끼와 마찬가지로 눈꺼풀의 종창과 발적을 주소로 하나 염증이나 통증은 한결 강한 경우가 많다. 다래끼 치료 원칙은 통증을 조절하는 것이다. 병소부 결절을 만지고 눈꺼풀을 뒤집으면 검결막면에 농양이 융기되어 보이는 경우가 많다. 마취를 한 후 절개는 겉다래끼의 경

	다래끼(hordeolum)	콩다래끼(chalazion)
위치	속눈썹 모공이나 가까이에서 호발	상안검 eyelash 위쪽
원인	속눈썹 모공 뿌리 혹은 안검의 샘내 세균감염 -속다래끼: 마이봄샘 -겉다래끼: Zeis 혹은 Moll 샘	마이봄샘이 막혀서 생긴 만성 염증 속다래끼로 발전 가능
증상	통증(tenderness), 부기종창(swelling)	딱딱한 통증이 없는 덩어리(firm, painless lump)
치료	온찜질, 항생제, I&D	자연치유, 온찜질, I&D

표 7-1   **다래끼와 콩다래끼의 비교**

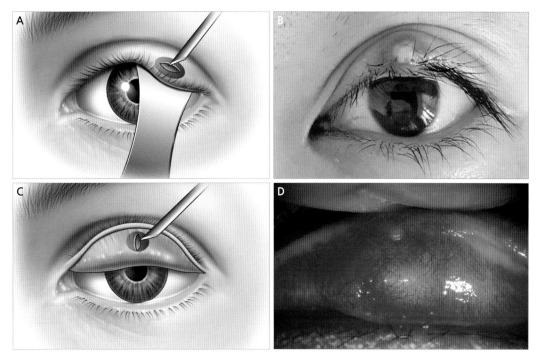

그림 7-2. A,B. 겉다래끼, C,D. 속다래끼
겉다래끼인 경우 lid plate를 이용하여 안검연에 평행으로 절개를 가하고 속다래끼인 경우
눈꺼풀을 뒤집어 검결막면에 융기된 농양을 찾고, 안검연에 직각으로 절개하여 배농한다.

우 안검연에 평행으로, 속다래끼의 경우 안검연에 직각으로 하고 배농한다(그림 7-2).

3. 콩다래끼(산립종, chalazion)

콩다래끼(chalazion, 산립종)는 마이봄샘의 만성 육아종성 염증(chronic granulomatous inflammation)으로 마이봄샘 폐쇄가 원인이다. 눈꺼풀판에 경계가 명확한 구형의 탄성이 있는 종류로 촉진된다. 속다래끼와 같은 강한 통증이나 염증은 없다. 피부면 혹은 검결막면에 반구 모양의 융기성 병변으로 나타나는 경우도 있으며 방치하면 검결막에 폴립모양의 육아종이 생기거나 피부 쪽으로 터지는 경우도 있다. 크기가 커지거나 이물감이 심하거나 외관상 문제가 된다면 적출수술의 적응이 된다. 콩다래끼의 절개나 적출은 다래끼의 경우와는 다르며 단순한 절개뿐 아니라 병소의 피막을 포함한 전체적출을 시행할 필요가 있기에 수술 시 안검 내에 마취주사를 병용할 필요가 있다.

콩다래끼는 워낙 재발을 잘하기 때문에 환자에게 충분한 설명을 해야 한다.

재발을 최소화하기 위해 시진과 촉진을 하여 정확한 위치 파악이 중요하다. 점안 마취 후 소독된 장갑을 끼고 손가락으로 피부와 검결막을 잡고 얼마나 큰지 몇 개가 있는지 파악한다. 제대로 파악하지 않으면 결국 충분히 제거되지 않아서 재발이 일어나는 원인이 된다(그림 7-3).

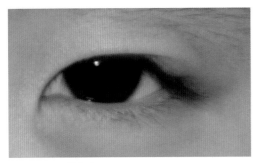

그림 7-3. 콩다래끼

절개는 안검연에 수직으로 가하는데 가급적 한 번에 한다. 콩다래끼의 고름이 찔끔 나오거나 나오지 않았다면 정확한 위치에 째지 못한 것이다. 정확하지 않은 절개를 통한 콩다래끼의 제거 시도는 재발의 지름길이다.

4. 치료방침에 대한 계획

1) 온열법과 마사지
분비물의 용해온도보다 안검의 온도를 상승시키고 안검 마사지를 하여 분비물을 배출시킨다. 직경이 2~12 mm(평균 5 mm)에서 약 80%의 증례에서 평균 치료기간 2.8주 안에 치료된다.

2) 스테로이드 주사[1,2]
희석한 Triamcinolone (5 mg/ml)을 0.05~0.2 ml 정도 1~2주 사이에 반복한다. 성공률은 76~93%로 보고되고 있는데 병소가 6개월 이상 된 것, 직경이 8 mm 이상인 경우 효과가 떨어진다. 주의해야 할 점은 감염이 아니라는 것을 100% 확신한 후 시행해야 한다.

3) 천자(puncture)
황백색의 내용물이 피부 측 혹은 결막 측으로부터 비쳐 보일 경우, 그쪽으로 puncture 한다. 크기가 크나 황백색 내용물이 피부 혹은 결막 측으로 보이지 않은 경우에는 결막 측으로부터 puncture를 가하는 것이 미용상 좋다.

피부측인 경우에는 피부연에 평행으로, 결막측인 경우에는 안검연에 수직으로 절개를 넣듯이 18G 침을 찌른다. 피부 쪽으로 접근 시 피부선에 평행으로 하는 것은 절개 후 반흔을 최소화하기 위함이고, 결막 측으로 접근 시 안검연에 수직으로 넣는 것은 눈물층에 대한 영향을 최소화하기 위함이다.

Puncture 시에는 18G 바늘을 꽂은 상태로 안검을 압박하여 배출시키는 것이 효과적이다. 바로 바늘을 빼면 창상부가 작기 때문에 창구가 폐색되어 충분한 배출이 안 된다.

4) 절개소파술(Incision and curettage, I&C)
우선 절개배농의 시기 결정이 중요하다. 피부 발적이 심한 경우는 안검판이 부은 경우가 많아 절개해도 충분히 나오지 않은 경우가 많으므로 발적이 좋아질 때까지 기다린다. 발적은 특히 감염이 동반된 경우가 많기 때문에 스테로이드는 사용하지 않고 항생제만 점안, 내복하도록 한다.

콩다래끼의 외과적 치료법은 안검 피부쪽에서 절개하는 방법과 결막쪽에서 절개하는 방법이 있다. 발생의 근원지인 마이봄샘은 뒤층판에 존재하기 때문에 병소의 거리만을 생각한다면 결막쪽에서 접근하는 것이 용이하다.

절개배농은 ① 본다(시진) 그리고 만진다(촉진)→ ② 마취한다 → ③ 검결막을 짼다 → ④ 다래끼 주머니를 짼다 → ⑤ 큐렛으로 긁는다 가 기본이다. 다만 절개배농 시 검결막을 뒤집게 되면 병소 부위가 움직여서 정확히 절개하기가 어려운 경우가 있다. 손가락을 이용하여 피부쪽으로 병소를 고정하여 절개할 부위를 표시하는 것이 도움이 된다. 정확한 위치에 절개선을 가하면 고름이 많이 나온다. 남아 있는 고름은 큐렛을 이용하여 긁어야 하는데 지나치게 큐렛을 사용하면 결국 조직손상이 일어난다. 너무 힘을 주면 피부측 혹은 결막측으로 관통할 수도 있기에 조심해야 한다. 필요에 따라서는 toothed forceps와 microscissor를 이용하여 콩다래끼 내의 피막이나 조직을 제거할 필요도 있다. 여러 번 절개를 하게 되면 결막에 반흔을 만들 수 있기에 조심 또 조심해야 한다.

만일 병소가 앞층판에 국한하여 크기가 크거나 다발성이거나 안검연에 있는 경우는 피부측으로 접근하는 것이 용이하다. 특히 피부에 발적, 상안검 중앙, 피부에 구멍이 생긴 경우는 피부측으로 접근한다. 절개는 병소보다 2 mm 크게 하고 쌍꺼풀이 있는 경우는 쌍꺼풀선에, 없는 경우는 안검연에 평행하게 절개를 가한다. 절개 시행 시 반드시 반대쪽 안검을 확인하여 쌍꺼풀 라인이나 절개로 인한 반흔 형성 시 문제가 되지 않도록 확인하는 것이 중요하다. 절개 배농술 후 미용적인 문제가 발생할 수 있다. 절개 배농술은 하나의 성형수술임을 늘 염두에 두어야 한다.

5. 다래끼인듯 다래끼가 아닌 듯 다래끼 비슷한 것들

다래끼 환자를 보다보면 많은 경우 마이봄샘 기능장애(Meibomian gland dysfunction, MGD)을 동반하는 경우가 많기 때문에 다래끼인지 MGD인지 헷갈리는 경우가 많다.

이물감을 호소하는 환자를 세극등현미경으로 보았을 때 마이봄샘 입구가 막혀 보이는데 이것을 환자의 증상과 연결시킬 것인지 말 것인지 판단하려면 연륜이 필요하다. 마이봄샘 입구가 단순히 막혀 물집같이 보이는 capping(그림 7-4A)과 마이봄샘 입구가 각화물질이나 점도가 저하된 지질로 막혀 있는 plugging 혹은 pouting(그림 7-4B)이 있다. 눈꺼풀을 누르면 마이봄샘 입구에서 투명한 지질(meibum)이 나오는 것이 일반적이나 plugging인 경우 meibum이 배출이 잘 되지 않고 배출되더라도 황백색의 지질이 나오거나 진행된 경우 치약 형태의 하얀 고형의 meibum이 나온다(그림 7-4C). 이 내용물을 조직검사해보면 마이봄샘 관 상피가 각화(keratinization)되어서 생긴 각화물로 판명된다.

Capping의 경우 면봉으로 제거가 가능하며 면봉으로 제거 후 압박하여 내용물을 배출시킨다. plugging의 경우 squeezing을 하더라도 충분히 나오지 않은 경우 27G 바늘을 이용하여 plug를 제거한 후 짜낸다.

한편 마이봄샘 관내 각화물질이 뭉친 결석(concretion)이 생겨 결막측에 융기된 경우도 있는데(그림 7-4D) 내용물을 제거하기 위해 개구부를 절개하여 확대할 필요도 있다.

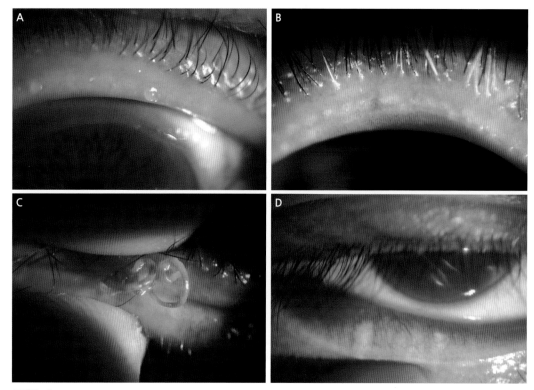

그림 7-4.
A. capping: 마이봄샘 입구가 단순히 막혀서 물집 형태로 나타남. 면봉이나 눈꺼풀을 압박하여 제거한다.
B. plugging: 점도가 낮은 meibum으로 막혀 배출이 쉽지 않아 27G 바늘 등으로 입구의 plug를 제거하고 면봉이나 forceps로
   천천히 내용물을 제거한다.
C. MGD가 진행하면 마이봄샘 내 점도가 높은 내용물이 내용물이 차게 된다. 눈꺼풀을 누르면 치약 형태의 고형 meibum이 나온다.
D. concretion: 마이봄샘 관내 각화물질. 절개를 내어서 제거한다.

현문현답

Q. 제가 전공의 시절 첫 수술 집도라 하면 chalazion I&C였던 것 같은데요. puncture하고 난 후 튀어나오는 pus를 보면서 뭔가 뿌듯함을 느꼈던 기억이 납니다.

A. 맞습니다. 저도 그랬는데요. I&C는 쉬운 것 같지만 절대 쉬운 procedure는 아닌 것 같아요. 애써 수술했는데 얼마 안 있다 재발해서 온 환자의 어두운 얼굴을 보면 내가 잘못한 게 아닌데 잘못한 것 같은 느낌이 들곤 하죠.

A. 콩다래끼는 워낙 재발을 잘 하기 때문에 환자한테 충분한 설명을 해야 합니다. 특히 어린이들에게 생긴 콩다래끼를 째려고 할 때 정신적 트라우마를 줄 수 있기 때문에 수술 결정은 신중히 해야 하며 수술이 필요한 경우 마취 방법 결정도 신중히 해야 합니다.

Q. 트라우마라고 하면?

A. 아주 어린 아이들은 전신마취를 하지만 초등학교 4, 5학년은 좀 애매하지 않아요? 이런 경우 붙잡고 수술하

면 '안과는 무서운 곳'이라는 생각뿐 아니라 잘 참는 애들이라도 '공포', '두려움'이 기억이 남는다는 거죠.

Q. 하긴 어른도 마찬가지에요. 대부분 I&C한 환자들한테 물어보면 '엄청 아프다'라는 이야기를 하는데요, 그건 마취가 충분하지 않은 경우도 있을 것 같아요.

A. 마취주사 자체도 통증을 초래하니까요. 저의 경우 점안 마취약을 흠뻑 적신 면봉을 주사할 부위에 충분히 갖다대요. 그리고 면봉을 medial canthus에 올려놓고 환자에게 눈을 지그시 감도록 한뒤 5분간 기다립니다. 아주 도움이 돼요.

Q. '마취'하면 생각나는 건데 마취 안약으로도 쇼크가 일어날 수 있죠.

A. 저도 2, 3년에 한 번은 보는 것 같아요. 완전히 환자가 syncope을 일으키는데 무섭습니다. 경험해보지 않은 분들은 모르실 거에요. 대학 병원이다 보니 안과외래에도 syncope 환자를 대비한 필수적인 emergency kit가 준비는 되어 있지만 당황스러워서 제대로 사용 못하는 경우도 있습니다.

대부분은 별문제 없지만 늘 염두에 두셔야 할 것 같습니다.

Q. '재발'에 대한 대처는 어떻게 하세요?

A. 그냥 재발과는 별개로, 노인에서는 재발성 다래끼, 콩다래끼, 피지샘암종(sebaceous gland carcinoma)을 반드시 감별진단 해야 해요. 암(carcinoma)인 경우는 피부아래 종물과 발적, trichiasis, 눈썹의 파괴, 결막 파괴, 결막 반흔 형성이 관찰되는데 부적절한 절개나 curettage는 암종이 자라고 퍼지는 데 일조할 수 있잖아요.[3, 4]

A. 맞습니다. 그런데 젊은 연령에 재발된 chalazion이 malignancy였다는 보고도 있어서 나이와 관련없이 warning을 해야 할 것 같습니다.

Q. 좀 더 무서운 얘기를 해 드릴께요. I&C 후 실명했다는 보고도 있습니다.

A. 아. 저도 봤습니다. 마취 injection하다 eyeball perforation.

A. 또 있어요. triamcinolone injection 후 embolization로 인하여 retina와 choroid artery occlusion도 보고되었죠.[5]

A. Triamcinolone이 slow release 하기에 glaucoma도 보고되고 orbital abscess case도 있더라구요.

A. Needling을 통한 배농인 경우는 지연성 출혈인 경우는 드물지만 I&C 시 지연성 출혈이 생기는 경우가 간혹 있기 때문에 I&C 시 bleeding point는 확실하게 지혈시키는 것이 중요할 것 같아요.

A. 조심하면 피할 수 있죠. 주사할 때는 lid plate 대시구요, 또 반드시 역류검사(regurgitation)를 하고 injection 해야 할 것 같습니다. 외래 follow up 시 안압 검사 꼭 하시구요.

Q. 순수하게 다래끼로 인해 시력이 떨어지는 경우도 있나요?

A. 결국 meibomian gland 문제라 ocular surface가 unstable하니 시력이 떨어질 수도 있겠죠. 제가 경험한 환자인데요. 백내장으로 refer된 case인데 양안 백내장 정도는 비슷한데 한쪽이 너무 시력이 떨어져 있는거에요. 망막이나 신경도 괜찮아 보이는데….

Q. 얼마나요?

A. 한쪽은 0.3으로 교정이 안 되고 반대쪽은 1.0 나오구요. 양안 nuclear sclerosis type이긴 했는데 수술 recommend를 받은지라 환자가 강하게 수술을 원하고 있었구요. 이상하다 싶어 topography를 찍었는데 asymmetricity가 심해서 aberrometer를 찍어보니 고위수차가 너무 심했던 것이죠. 그제서야 eversion을 해봤는데 topo에서 flat한 부위에 chalazion이 덜커덕…. I&C하고 시력도 회복되고 cornea도 정상이 되었어요(그림 7-5).

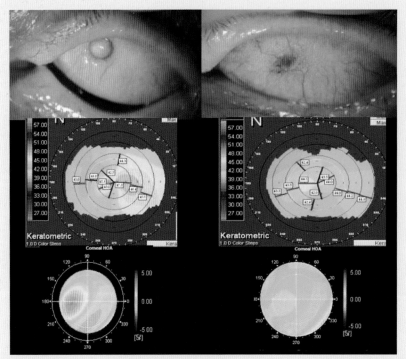

그림 7-5. 콩다래끼가 각막을 눌러 시력이 저하된 경우

Q. Slit lamp 볼 때 lid eversion은 반드시 필요하지만 안하는 경우도 사실 많은데 좋은 case네요. 저도 열심히 눈 꺼풀을 뒤져 보아야겠어요. 마지막으로 재발방지를 위해 특별히 comment하실 것이 있으신가요?

A. 저는 curettage를 많이 하고 지저분한 조직은 scissors로 잘라 냅니다. curettage를 열심히 하는 것은 중요한데 잘못하면 뚫을 수도 있구요. 다래끼는 좋아졌는데 지나친 curettage에 의한 conjunctiva scarring으로 dry eye가 심해질 수 있으니 과욕은 금물입니다.

■■■ 참고문헌

1. Ben Simon GJ, Huang L, Nakra T, Schwarcz RM, McCann JD, Goldberg RA. Intralesional triamcinolone acetonide injection for primary and recurrent chalazia: is it really effective? Ophthalmology. 2005 May;112(5):913-917.

2. Aycinena AR, Achiron A, Paul M, Burgansky-Eliash Z. Incision and Curettage Versus Steroid Injection for the Treatment of Chalazia: A Meta-Analysis. Ophthalmic Plast Reconstr Surg. 2016 May-Jun;32(3):220-224.

3. Vrcek I, Hogan RN, Mancini R.Cutaneous squamous cell carcinoma of the eyelid masquerading as a chalazion. Int Ophthalmol. 2015 Feb;35(1):131-134.

4. Keskinaslan I1, Pedroli GL, Piffaretti JM, Meyer P, Kunz C, Haefliger IOEyelid sebaceous gland carcinoma in a young Caucasian man. Klin Monbl Augenheilkd. 2008 May; 225(5):422-3.

5. Thomas EL, Laborde RP. Retinal and choroidal vascular occlusion following intralesional corticosteroid injection of a chalazion. Ophthalmology. 1986 Mar;93(3):405-407

결막 유두 절제술
: 알러지결막염을 수술로?

08

- 알러지결막염에 대한 유두절제술을 포함한 수술적 치료는 보존적 치료와 약물적 치료에 반응하지 않는 경우에 고려한다.
- 유두절제술은 재발이 흔하므로 자가결막이식이나 양막이식 또는 마이토마이신의 사용을 고려한다.

1. 봄철각결막염(Vernal keratoconjunctivitis)과 거대유두결막염(Giant papillary conjunctivitis)

1) 수술에 앞선 일반적인 치료

봄철각결막염의 치료에는 보존적인 치료와 약물 사용의 다각적인 접근이 필요하다. 모든 알레르기성 질환의 첫 번째 치료는 알레르기 항원을 피하는 것이나 봄철각결막염에서는 실질적으로는 시행하기 어려운데, 일반적으로 눈을 비비는 행위를 제한하고 햇빛, 바람 등의 비특이적인 촉발요인(trigger factor)과 애완동물의 털과 같은 흔한 알레르기항원을 피하는 것이 권장된다.[1] 봄철각결막염에서는 탈민감요법도 제한적인데, 수많은 알레르기항원에 대해 이를 시행하는 것이 불

가능하고, 결막조직에서는 전혀 반응이 없기 때문이다.[2]

봄철각결막염에서는 약물치료가 주된 치료방법이 되며 levocabastine, emedastine 등의 항히스타민제와 cromolyn sodium, nedocromil, lodoxamide 등의 비만세포안정제가 도움이 된다. 이중작용약물인 olopatadine, azelastine, ketotifen, epinastine은 항히스타민제의 빠른 증상 경감과 비만세포 안정제의 치료효과를 동시에 얻을 수 있어 임상적으로 유용하다.[1] 중등도 또는 심한 봄철각결염에서는 fluoromethatolone, loteprednol, rimexolone과 같은 점안 스테로이드를 사용하여 결막의 염증을 완화시킬 수 있고, 심한 계절적 악화가 나타날 경우에는 단기

간에 dexamethasone 0.1%, prednisolone 1%와 같은 고용량의 점안 스테로이드 pulse요법을 이 중작용 약물과 함께 사용할 필요가 있다. 점안 사 이클로스포린은 봄철각결막염의 증상을 조절하 고 임상적 징후를 완화시키는 효과가 있어 스테 로이드의 사용을 줄일 수 있다.[3] 사이클로스포린 과 유사한 작용기전을 가진 타크로리무스(ta-crolimus)도 심한 봄철각결막염 치료에 효과적이 라는 보고도 있다.[4] 경구약물로는 스테로이드, 항 히스타민제, 비스테로이드 항염증제 등을 사용할 수 있으나 효과는 매우 변동적이다.

거대유두결막염에 대한 약물치료의 목적은 비 만세포로부터 히스타민의 방출을 줄이고 국소염 증을 억제하는 것이다. 국소 비만세포안정제는 거대유두결막염의 치료에 효과적이며 항히스타 민제가 포함된 이중작용약물은 증상을 호전시킬 수 있다. 거대유두결막염에도 불구하고 콘택트렌 즈를 계속 착용하는 경우에는 이러한 약물을 지 속적으로 투여할 필요가 있다. 국소 스테로이드 점안제도 눈꺼풀판 충혈과 염증을 억제하기 위해 흔히 사용되는데 거대유두결막염의 급성기에 제

한적으로 사용하는 것이 좋다.[5] 인공눈물을 사용 하여 기계적인 마찰을 줄이는 것도 효과적이다.

2) 수술적인 치료

봄철각결막염과 거대유두결막염은 원인 회피 및 약물치료가 우선이지만 이러한 적극적인 약물치 료에도 불구하고 임상적 징후의 호전이 없거나 지속적으로 재발 및 악화되는 경우가 있다. 따라 서 이러한 경우에는 약물치료 이외에 스테로이드 주입술이나 수술적 치료를 고려할 수 있다.

(1) 스테로이드 주입술

눈꺼풀판유두 스테로이드 주입술은 유두의 크기 를 효과적으로 줄일 수 있고 윗눈꺼풀판에 트리 암시놀론을 주입할 경우 증상과 징후의 개선을 보일 수 있으나 이와 같이 스테로이드 단독 주입 시 거의 모두에서 재발하는 경향이 있다.[6,7]

(2) 유두절제술

윗눈꺼풀판 거대유두의 절제는 난치성 혹은 재발 성 알러지결막염 특히 봄철각결막염에서 시도해

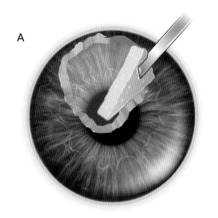
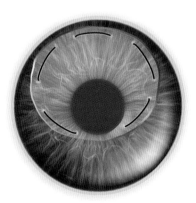

그림 8-1.
A. 궤양 주변에 접착이 불량한 상피를 제거한다. B. 상피재생을 돕기위해 양막 이식을 실시한다.

볼 수 있는 수술적 방법이다. 심한 알러지결막염은 극심한 통증과 시력저하를 수반하기도 하며, 윗눈꺼풀판 거대유두의 중심과 주변부에는 염증반응에 관여하는 여러 가지 세포와 화학주성인자가 증가되어 있기 때문에, 거대유두의 절제를 통해 염증조직을 물리적으로 제거하는 동시에 각막 자극을 줄이는 효과를 얻을 수 있다.[8]

유두절제 시에 각막에도 염증성 변화가 동반된 경우, 염증성변화가 있는 상피조직도 함께 제거하는 것이 좋다. 제거 후에 상피 재생을 돕기 위해 양막이식이 필요할 수 있다(그림 8-1). 수술적인 방법은 빠른 효과를 기대할 수 있어 일반적인 치료에 반응하지 않는 경우 적극적으로 고려해 볼 수 있다. 거대유두의 단순절제술만 시행한 경우에는 80% 이상의 재발률을 보이고 절제와 동시에 마이토마이신을 사용하거나 스테로이드를 주입하면 재발을 감소시킬 수 있다.[9-11] 다만 윗눈꺼풀판의 자갈모양유두를 동결절제(cryoablation)를 하면 단기간의 호전을 가져올 수 있으나 염증반응을 오히려 더 유발하며 결막에 반흔 형성으로 인해 눈꺼풀과 눈물층의 이상이 유발될

수 있다. 위눈꺼풀판유두의 수술적 제거와 함께 결막구석전진술(decline of conjunctival fornix depths), 구강점막이식술(oral mucosal graft)을 시행한 경우 결막구석소실(fornix shortening)이 발생할 수 있으므로 주의가 필요하다.[12,13] 최근에는 거대유두의 수술적 절제 후 윗눈꺼풀판결막의 결손부위를 덮어주기 위한 자가결막이식, 양막이식을 시행하여 재발없이 좋은 결과를 보고한 예도 있다(그림 8-2).[13-17]

3) 유두절제술의 과정

0.5% proparacaine hydrochloride로 점안마취 후 2% 리도카인과 1:80,000 에피네프린 희석액의 혼합액 0.5 ml를 27G 바늘을 이용하여 윗쪽 결막구석 또는 눈꺼풀테 바로 뒤쪽 결막하공간에 주입한다.

윗눈꺼풀을 뒤집어 눈꺼풀판결막을 노출시킨 후 거대유두가 자리한 영역을 표시한다. Lid plate나 겸자(entropion clamp)를 사용하여 윗눈꺼풀을 뒤집을 경우 수술부위의 노출뿐만 아니라 지혈효과도 얻을 수 있고 편평한 절제면을 유지

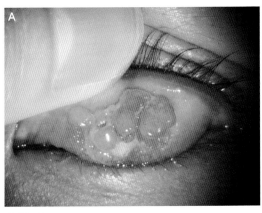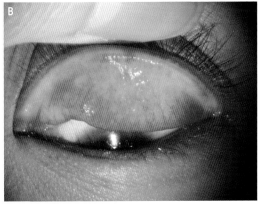

그림 8-2.
A. 난치성 봄철각결막염 환자에서 나타난 자갈모양유두, B. 동일 환자에서 유두절제술과 양막이식 시행 후 3개월째의 모습[16]

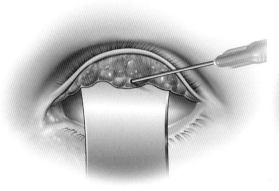

그림 8-3. 검결막에 주사 시에 lid plate를 사용하여 안구천공과 같은 합병증을 방지한다.

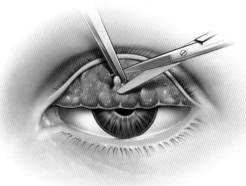

그림 8-4. 검결막을 eversion 시켜 유두를 잡아당겨 유두 기저를 절제한다.

하는 데 도움이 된다.[12] 자갈모양유두와 결막조직을 15번 블레이드 또는 Vannas scissors를 이용하여 윗눈꺼풀판의 표면이 매끄러워질 때까지 박리를 진행한다(그림 8-3, 4).[10] 오른손잡이의 경우 유두의 오른쪽에서부터 왼쪽으로 가능하면 유두를 남김없이 절제한다. 이 때 블레이드 또는 가위의 끝이 눈꺼풀판에 평행하게 진행하도록 하여 눈꺼풀판을 손상시키지 않도록 주의한다.

거대유두조직 경계 1~2 mm를 포함하여 절제하며 박리는 속눈썹 모낭(lash follicle)과 결막구석 구조물의 손상을 막기 위해 눈꺼풀테에서 3 mm 뒤쪽까지만 진행하고 결막구석까지는 진행하지 않는다.[12] 지혈을 위해 국소혈관수축제를 적신 스폰지를 사용하여 닦아내고, 전기소작을 시행할 경우 반흔을 형성하여 불편감을 초래할 가능성이 있으므로 사용을 최소화 하거나 사용하지 않는 것이 좋다.[14] 마이토마이신을 사용할 경우 0.05% 농도로 5분간 적용한 후 생리식염수 500 cc로 세척한다. 유두절제 완료 후 노출된 윗

눈꺼풀판의 크기에 맞추어 자가결막이식 또는 양막이식을 시행할 수 있는데 이때는 봉합사를 사용할 경우 매듭이 각막을 자극할 수 있으므로 glue를 사용하는 편이 유리하나 지속적인 눈깜빡임으로 인해 장기간 이식편을 유지하기는 힘들다. 트리암시놀론을 주입할 경우 27G 바늘을 이용하여 윗눈꺼풀판 경계 1 mm 상부에 결막과 뮐러근 사이로 주사한다. 수술 후에는 지혈을 위해 5분간 압박하고 압박안대를 수 시간 이상 시행한다.

One Point

봉합사를 사용하면 각막에 자극을 줄 수 있으므로 glue를 사용하는 편이 낫고 눈깜빡임으로 인해 이식한 결막이나 양막이 단시간 내에 떨어질 수 있음을 환자에게 미리 설명한다.

현문현답

Q. 거대유두결막염의 치료에 있어서 가장 중요한 점은 원인을 일으키는 요소를 제거하는 것이지요. 이 질환의 병태 메커니즘인 기계적인 손상과 항원 자극을 조절하면 거대유두결막염의 징후와 증상을 완화시킬 수 있습니다. 콘택트렌즈와 관련된 경우를 자주 보게 되는데 이에 대한 경험을 공유해 주시겠어요?

A. 콘택트렌즈와 연관된 거대유두결막염의 경우 콘택트렌즈의 착용시간을 줄이고 일일착용렌즈로 교체하여 사용하는 것이 가장 좋은 해결 방법입니다. 일일착용렌즈를 사용할 수 없을 때는 렌즈 재질이나 가장자리 디자인 등을 고려하여 가장 적절한 렌즈를 처방하고 렌즈의 위생상태에 각별히 주의를 기울여야 하겠지요. 적합한 표면세척제나 효소세정제를 사용하면 렌즈표면의 침착물 생성을 억제할 수도 있겠습니다.

Q. 증상 완화를 위하여 항히스타민이나 스테로이드 점안액을 흔히 처방하는데 기타 다른 점안제의 사용 경험에 대하여 말씀주실 수 있을까요?

A. 싸이클로스포린 성분의 점안제도 유용한 것 같습니다. 최근에는 0.05%뿐 아니라 0.1%의 제제가 출시되었는데요, 스테로이드 사용으로 인한 부작용도 줄일 수 있다는 점에서 장기적인 사용도 가능할 것 같습니다.

Q. 다른 의견은 없으신가요?

A. 싸이클로스포린 0.1% 제제의 경우 말씀주신 것처럼 스테로이드 제제에 비하여 보다 안전하게 사용할 수 있지만 개인적인 경험으로는 심한 알레르기 결막염의 증상을 즉각적으로 완화하는데 주력 제제로서의 효과보다는 스테로이드 제제 사용의 보조 요법 정도로 적합하지 않을까 합니다. 물론 장기간 사용하여도 안전하고, 또 장기간 사용으로 알레르기 결막염의 증상 재발을 줄일 수 있는 효과도 있을 것 같습니다.

A. 최근 우리나라에서도 0.1% 싸이클로스포린 점안제가 만18세미만의 VKC에서는 사용허가가 되었지만, 아직 보험급여가 되지 않고 있지요? 앞으로 다기관 임상연구가 진행되어야 할 것 같습니다.

A. 저는 타크로리무스 제제를 자주 사용하는데 여러 선생님들께서 사용하시는 것처럼 피부과에서 아토피 피부염의 치료로 사용되는 타크로리무스 연고를 오큐프록사신 연고 등으로 적절히 희석하여 점안하는 것도 우수한 효과가 있습니다.

A. 유두 절제술은 이러한 약제 사용에도 반응하지 않는 심각한 경우에만 적용하는 것이 좋을 것 같아요.

Q. 병변 내 트리암시놀론 주사를 시행하는 선생님들도 있으실텐데요, 이에 대한 주사 방법에 대하여 의견을 주실 수 있을까요?

A. 트리암시놀론 주사는 드문 부작용으로 안검하수와 감염, 혹은 피부에 색소 침착 등이 나타나는 경우가 있기 때문에 주의하여야 하는데요, 일반적으로 supra-tarsal plate나 papillae lesion 내에 직접 주사할 수 있습니다.

Q. 보다 더 자세한 술기를 말씀해주세요.

A. 네, 일단 점안 마취약을 투여하고요, 상안검을 eversion 시킵니다. 이후 0.2% 리도카인 주사액을 27G 주사바늘을 이용하여 0.25 ml 주사합니다. 뮬러 근육과 결막 사이의 supra-tarsal space에 주사하는데요, 마취 후 일정 시간이 지나면 20 mg의 트리암시놀론을 같은 부위에 같은 방법으로 주사하면 되겠습니다.

■ 참고문헌

1. Andrea Leonardi. Allergic disase of the conjunctiva and cornea. in: Thomas Reinhard, Frank Larkin, eds. Cornea and External Eye Disease, revised. *Springer-Verlag Berlin Heidelberg*, 2000; v.1 chap. 8.

2. Buckley RJ. Vernal Keratoconjunctivitis. *Int Ophthalmol Clin*. 1988 Winter;28(4):303-308.

3. Ozcan AA, Ersoz TR, Dulger E. Management of severe allergic conjunctivitis with topical cyclosporin a 0.05% eyedrops. *Cornea* 2007 Oct;26(9):1035-1038.

4. Vichyanond P, Tantimongkolsuk C, Dumrongkigchaiporn P, Jirapongsananuruk O, Visitsunthorn N, Kosrirukvongs P. Vernal keratoconjunctivitis: Result of a novel therapy with 0.1% topical ophthalmic FK-506 ointment. *J Allergy Clin Immunol* 2004 Feb;113(2):355-358.

5. Friedlaender MH, Howes J. A double-masked, placebo-controlled evaluation of the efficacy and safety of loteprednol etabonate in the treatment of giant papillary conjunctivitis. The Loteprednol Etabonate Giant Papillary Conjunctivitis Study Group I. *Am J Ophthalmol* 1997 Apr;123(4):455-464.

6. Holsclaw DS, Whitcher JP, Wong IG, Margolis TP. Supratarsal injection of corticosteroid in the treatment of refractory vernal keratoconjunctivitis. *Am J Ophthalmol* 1996 Mar;121(3):243-249.

7. Singh S, Pal V, Dhull CS. Supratarsal injection of corticosteroids in the treatment of refractory vernal keratoconjunctivitis. *Indian J Ophthalmol* 2001 Dec;49(4):241-245.

8. Kato N1, Fukagawa K, Dogru M, Fujishima H, Tsubota K. Mechanisms of giant papillary formation in vernal keratoconjunctivitis. *Cornea* 2006 Dec;25(10 Suppl 1):S47-52.

9. Tanaka M, Takano Y, Dogru M, Fukagawa K, Asano-Kato N, Tsubota K, Fujishima H. A comparative evaluation of the efficacy of intraoperative mitomycin C use after the excision of cobblestone-like papillae in severe atopic and vernal keratoconjunctivitis. *Cornea* 2004 May;23(4):326-329.

10. Fujishima H1, Fukagawa K, Satake Y, Saito I, Shimazaki J, Takano Y, Tsubota K. Combined Medical and Surgical Treatment of Severe Vernal Keratoconjunctivitis. *Jpn J Ophthalmol*. 2000 Sep-Oct;44(5):511-515.

11. Choi W, Lim SK, Yoon KC. Effect of Treatment With Excision of Papillae and Supratarsal Triamcinolone Injection on Refractory Vernal Keratoconjunctivitis. *J Korean Ophthalmol Soc* 2010;51:492-497.

12. Iyer G, Agarwal S, Srinivasan B. Outcomes and Rationale of Excision and Mucous Membrane Grafting in Palpebral Vernal Keratoconjunctivitis. *Cornea* 2018 Feb;37(2):172-176.

13. Nishiwaki-Dantas MC, Dantas PE, Pezzutti S, Finzi S. Surgical resection of giant papillae and autologous conjunctival graft in patients with severe vernal keratoconjunctivitis and giant papillae. *Ophthal Plast Reconstr Surg* 2000 Nov;16(6): 438-442.

14. Guo P, Kheirkhah A, Zhou WW, Qin L, Shen XL. Surgical resection and amniotic membrane transplantation for treatment of refractory giant papillae in vernal keratoconjunctivitis. *Cornea*. Jun;32(6):816-820.

15. Lai Y, Sundar G, Ray M. Surgical treatment outcome of medically refractory huge giant papillary conjunctivitis. *Am J Ophthalmol Case Rep*. 2017 Sep 18;8:22-24.

16. Song HJ, Kwon JY, Han JS, Yang JH, Kwon JW. A Case of Intractable Vernal Keratoconjunctivitis Treated by Papillectomy and Amniotic Membrane Transplantation. *J Korean Ophthalmol Soc* 2017 Aug;58(8):986-992.

17. 한국외안부학회. 각막. 일조각. 3판. 2013;266.

눈꺼풀봉합술

09

Key Point

- 환자의 상태나 질병에 따라, 얼마나 눈꺼풀봉합을 유지할지에 따라 일시적 또는 영구적눈꺼풀봉합술을 정한다.
- 판단이 어려운 경우 일시적 눈꺼풀봉합을 반복적으로 시행할 수 있으며, 가장 먼저 일시적 가쪽눈꺼풀봉합술을 해볼 수 있다.
- 진행성 병변의 경우 지속적인 관찰이 가능한 방법을 선택한다.

1. 서론

각막건조(corneal desiccation)는 안구건조증 이외에도 불충분한 눈꺼풀 감김으로 발생할 수 있는데 이로 인해 각결막이 노출되고 눈물 증발이 증가하여 안구표면에 심각한 손상과 시력 저하를 유발할 수 있다. 눈꺼풀의 불충분한 감김은 눈꺼풀속말림 또는 눈꺼풀겉말림과 같은 눈꺼풀위치이상, 토끼눈(lagophthalmos), 또는 눈깜박임 운동에 문제가 있는 경우 발생하게 되는데 이러한 문제는 주로 반흔형성, 얼굴신경마비, 중추신경계손상 그리고 수술 후 형태 변화와 관련되어 발

생한다.

더 이상 약물 치료에 반응하지 않는 구조적인 문제의 경우에는 눈꺼풀의 보호 기능을 회복하기 위해 일시적(temporary) 또는 영구적(permanent) 눈꺼풀봉합술이 필요하다.

2. 눈꺼풀봉합술

눈꺼풀봉합술은 각막을 포함함 안구표면을 보호하기 위한 가장 강력하며 가역적인 수술 방법으로 감염각막염이 있는 경우에 전체눈꺼풀봉합을 하는 것 이외에는 금기가 되는 경우는 거의 없다.[1]

표 9-1	눈꺼풀봉합술의 적응증

안면신경마비에 의한 마비토끼눈
반흔토끼눈
수술 후 발생한 토끼눈과 노출각막염
눈깜박반사 저하
불완전형 눈깜박(incomplete blinking)
심한 건성안증후군
신경영양각막염
각막기질 소실을 동반한 낫지 않는 무균각막염
느슨한 눈꺼풀증후군

눈꺼풀봉합술은 수일에서 수주간 단기간 효과를 위해 시행되는 경우와 눈꺼풀테의 유착을 유도해 영구적인 안구보호를 위해 시행되는 방법이 있으며 적응증은 표 9-1에 정리되어 있다.[2-5]

일시적 혹은 영구적 눈꺼풀봉합술 중 어떤 시술을 선택할지에 대한 명확한 답변은 없으나 환자의 상태나 눈꺼풀봉합을 유지해야 하는 기간에 따라 정할 수 있다. 결정이 어려운 경우는 일시적 눈꺼풀봉합술을 선택하는 게 바람직한데 그 이유는 봉합사를 이용한 눈꺼풀봉합도 3개월 정도는 유지가 가능하며 쉽게 원상복구가 가능하고 주기적으로 눈 검사가 가능하며 만약 다시 봉합이 필요하다면 반복적으로 시행 가능하기 때문이다.[6]

3. 일시적 눈꺼풀봉합술

1) 단순 일시적 눈꺼풀봉합술(Simple temporary tarsorrhaphy)

비흡수봉합사를 이용하여 비교적 간단하게 눈꺼풀을 봉합하는 방법으로 대개는 눈꺼풀의 가쪽 1/3 부위를 봉합한다.

주로 double armed 5-0 polypropylene 또는

5-0 nylon 봉합사를 이용하며 4주 이상 효과를 유지하려면 4-0 polypropylene 봉합사를 사용하는 것이 바람직하다. 4-0 silk 봉합사는 조직반응과 유지기간이 짧아 조기 제거 가능성이 높다.

봉합사로 눈꺼풀 피부 위에서 바로 봉합하였을 때 봉합사가 피부로 파고 들어가거나 피부압박으로 인한 눈꺼풀 가장자리 조직의 국소 괴사를 막기 위해 Bolster를 사용하는 것이 좋다.

Bolster로는 정맥천자용 나비바늘 세트의 실리콘 튜브를 2~5 mm 크기로 잘라 봉합사를 통과하여 사용하거나 이를 길이방향으로 반으로 나누어 둥근 면이 피부로 향하게 해서 사용할 수 있다.

One Point

병원에 망막 선생님이 계시다면, Bolster로 공막두르기에 사용되는 실리콘 스폰지나 실리콘 밴드를 사용해도 된다.

실리콘 튜브(Bolster)를 통과한 바늘은 눈꺼풀테로부터 5 mm아래의 아래눈꺼풀 피부로 들어가 회색선(gray line)으로 나오도록 하고 위눈꺼풀의 회색선을 기점으로 하여 속눈썹의 3~5 mm 위의 피부를 관통하도록 한다. 이때 안구를 관통하지 않도록 주의해야 하는데 애디슨집게(Adson forceps)를 이용해서 눈꺼풀가장자리를 살짝 들고 바늘을 통과하면 직접적인 관찰이 가능하고 안구와 거리가 멀어져 위험을 줄일 수 있다. 봉합사의 다른쪽 바늘은 먼저 봉합으로 아래눈꺼풀에 위치해 있는 실리콘튜브를 통과하여 같은 방법으로 시술한다. 위눈꺼풀 쪽으로 나온 두 개의 바늘이 실리콘튜브를 통과하여 윗눈꺼풀 쪽에서 매듭을 만든다(그림 9-1). 국소적으로 원하는 부분

만 봉합을 시행할 수 있으며 추가적인 봉합을 이용해 전체 눈꺼풀봉합을 완성할 수 있는데 더 긴 시간 동안 효과를 유지해야 하는 경우 봉합을 추가할 수 있다.

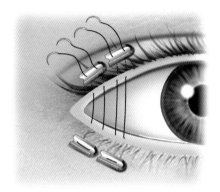

그림 9-1. 단순 일시적 눈꺼풀봉합
1. 실리콘 튜브를 통과한 바늘은 아래눈꺼풀의 피부와 눈꺼풀판을 지나 회색선(gray line)으로 나오도록 한다.
2. 위눈꺼풀의 회색선을 기점으로 하여 속눈썹의 3~5 mm 위의 피부를 관통하도록 한다.
3. 다른 바늘은 실리콘 튜브를 통과하도록 시술한다.
4. 윗눈꺼풀 쪽에서 매듭을 만든다.

One Point

• 매듭은 언제 하는 것이 좋을까?
2~3개의 봉합이 필요한 경우 첫 봉합 매듭을 한 후에 두 번째 봉합을 시작하면 눈꺼풀 외전이 어려워 회색선을 찾기 어렵고 시술이 불편하므로 하나 이상의 봉합을 할 경우에는 봉합사를 모두 관통시킨 후에 가장 마지막에 각각 매듭을 하는 것이 편리하다.

• 매듭의 강도는?
수술 전 국소 마취로 인해 눈꺼풀이 부어 있고 평소 각막 봉합에 적응되어 있는 외안부 의사가 각막 봉합의 느낌으로 눈꺼풀봉함 매듭을 하면 다음날 눈꺼풀이 다시 떠져 있는 것을 경험하게 될 것이다. 부종이 있고, 시간이 지나며 느슨해지는 경향을 고려해야 한다.

---

2) 눈꺼풀테간 유착복합술(Intermarginal adhesion tarsorrhaphy)

일시적 눈꺼풀 봉합술과 거의 동일한 방법을 시행하되 눈꺼풀테에서 표면 상피를 제거해서 유착시켜줌으로써 오랫동안 유지할 수 있다(intermarginal adhesion tarsorrhaphy). 봉합사는 10~14일 후에 제거하며 회복되어 눈꺼풀을 열어 줄 경우 눈꺼풀 변형은 거의 생기지 않는다(그림 9-2).

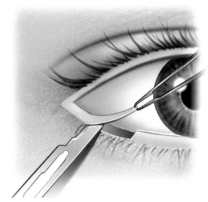

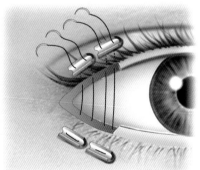

그림 9-2. 눈꺼풀테간 유착봉합술

3) 흡수봉합사를 이용한 일시적 눈꺼풀봉합 (Absorbable temporary tarsorraphy)

환자가 눈꺼풀봉합사를 제거하기 위한 의료기관 접근이 어려운 경우 4-0 chromic gut 봉합사를 사용해서 bolster를 사용하지 않고 가족눈꺼풀봉합을 시행할 수 있다. 봉합사가 흡수되면서 각막 자극의 위험이 있으므로 중앙부 눈꺼풀봉합술은 피하는 것이 좋으며 환자에게 봉합사가 유지되는 시간 동안 사용할 연고를 처방하도록 한다.[7]

다른 방법으로 단기간 효과를 위해 cyanoacrylate glue를 사용할 수 있다. 유지되는 기간을 예측하기가 어렵고 조직접착제가 안구표면을 자극할 수 있지만 다른 치료가 어려운 경우 시도해 볼 수 있다.[8]

> **One Point**
>
> chromic gut 봉합사가 생산중단 예정으로 구하기 어려울 경우, 흡수성 봉합사 중 'Rapid absorbing coated polyglactic 910, Vicryl Rapide)로 대체해서 사용할 수 있다. 다만 chromic gut에 비해 지속기간은 약 1주 정도 짧을 수 있다.

4) 가역매듭(Reversible knot)을 이용한 일시적 눈꺼풀봉합

재상피화 장애로 각막이 점차 얇아져 천공위험이 있는 환자와 같은 경우는 눈꺼풀봉합이 필요하지만 또한 각막 상태를 자주 관찰할 필요가 있는 경우 사용할 수 있다(그림 9-3).[9]

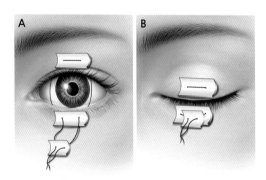

그림 9-3. Drawstring tarsorrhaphy
A. 각막관찰을 위해 눈꺼풀이 열려 있는 경우
B. 눈꺼풀이 닫혀 있는 경우

5) 보툴리눔독소 주사

위안와가장자리(superior orbital rim) 바로 아래의 위눈꺼풀의 중심부를 지나 안와지붕을 따라 1~2 cm 위치에 5~10 unit를 25G 바늘을 사용해 주사한다. 2일 정도 후에 눈꺼풀이 감기게 되는데 수주에서 수개월간 지속된다. 정확한 기간 및 시술 결과를 예측하기 힘들며, 반복 주사가 필요할 수 있다.

4. 영구적 눈꺼풀봉합

1) 영구 가쪽눈꺼풀봉합 및 눈꺼풀판 전위봉합술
(Surgical apposition and transposition tarsorrhaphy technique)

전형적인 영구적 눈꺼풀봉합술은 11번 Bard-Parker blade를 이용해 눈꺼풀을 앞 뒤층판으로 층판 분리하고 눈꺼풀테의 상피를 벗겨내서 조직 유착을 도모한다. 속눈썹선과 외안각 부분은 보존하며 4-0 chromic gut, 6-0 polyglactic acid (Vicryl), 또는 뒤층판은 5-0 Vicryl 그리고 앞층판은 7-0 Vicryl을 이용하여 위아래 눈꺼풀을 앞 뒤층판을 각각 봉합한다(그림 9-4).

눈꺼풀을 열었을 때 대부분은 변형이 생기지 않으나 생길 수도 있는 방법으로 오랜 기간 동안 확실한 효과를 필요로 하는 경우에 시행하는 방법 중 하나이다.

'Tongue-in-groove' 전위술은 원상복구가 조금 더 어렵지만 보다 강력한 방법이다. 눈꺼풀 앞 뒤층판을 분리하고 위눈꺼풀의 뒤층판을 아래눈꺼풀의 제거된 뒤층판쪽으로 봉합한다(그림 9-5).

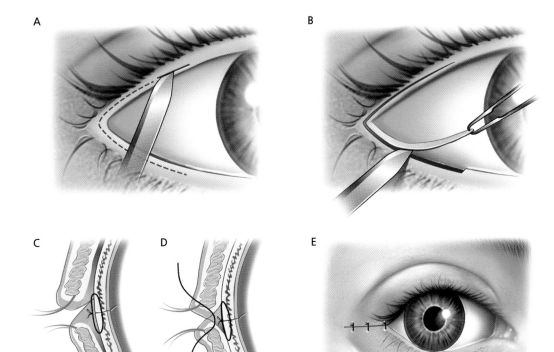

그림 9-4. 영구적 가쪽눈꺼풀봉합

A. 회색선을 기준으로 눈꺼풀테에 scalpel blade를 이용하여 절개를 한 후 눈꺼풀을 앞 뒤층판으로 분리하는데 Westcott scissors를 사용하여 4 mm 깊이로 분리한다.

B. 가쪽 1/3의 뒤눈꺼풀층판 상피를 제거한다.

C, D. 앞뒤 눈꺼풀층판을 각각 봉합한다. 피부봉합은 약간 외번(everting)되도록 한다.

E. 영구적 가쪽눈꺼풀봉합이 완성된 모습

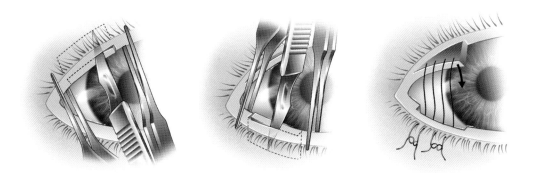

그림 9-5. 눈꺼풀판 전위봉합술(Tarsal transposition tarsorrhaphy)

눈꺼풀 앞 뒤층판을 분리하고 뒤층판의 눈거풀테 상피를 제거해서 위눈꺼풀에 'tongue'을 아래눈꺼풀 눈꺼풀판의 상부 일부를 제거하여 'groove'를 만든다. Tongue을 groove에 봉합하는 데 6-0 polyglactic acid (Vicryl)을 이용하여 단순단속봉합(simple interrupted suture)를 하거나 4-0 chromic gut로 수평매트리스봉합(horizontal mattress suture)을 할 수 있다.

2) 영구적 안쪽눈꺼풀봉합술(Permanent medial tarsorrhaphy)

안쪽눈꺼풀봉합술은 가쪽과 달리 눈물소관이 위치해 있어 눈물소관 손상을 일으키지 않게 주의해야 하며 눈꺼풀층판분리가 불가능한 차이점이 있다(그림 9-6).[10]

3) 영구적 눈꺼풀봉합술의 복구(Reversal)

먼저 맞닿아 있는 눈꺼풀테에 국소마취주사로 마취가 필요한데 점안마취제로 안구표면을 마취한 후 안구를 손상시키지 않도록 가느다란 malleable retractor를 이용하는 것이 용이하다. Straight iris scissors나 15번 Bard-Parker blade를 이용해서 위아래 속눈썹 사이를 따라 위아래 눈꺼풀을 분리한다.

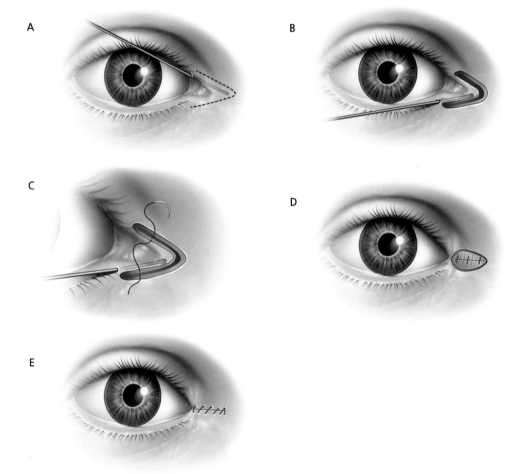

그림 9-6. 영구적 안쪽눈꺼풀봉합술
A. V자 모양의 절개를 위한 표시를 한다. 이때 Bowman probe를 이용해 눈물소관의 손상을 방지한다.
B. 15번 Bard-Parker blade를 이용해 피부를 절개하고 Westcott scissors를 이용해 피부근육판을 만든다.
C, D. 근육층을 5-0 Vicryl을 사용해 봉합한다.
E. 피부는 7-0 Vicryl을 사용해 연속 봉합한다.

현문현답

Q. 눈꺼풀봉합술은 분명히 노출된 각막을 호전시키는 데 도움이 되지만 보호자는 이해를 하더라도 환자의 동의를 얻기가 힘든 것 같아요. 거부하는 이유가 다양한데 역시 미용적인 문제겠죠?

A. 개인적인 생각입니다만, 미용적인 목적으로 거부하는 것을 의료진도 이해를 해드려야 하지 않을까 싶습니다. 사실 저 같아도 조금 마음이 불편해질 것 같아요.

A. 성공적인 눈꺼풀봉합술을 위해서는 수술적인 technique도 중요하지만 환자의 마음을 이해해서 향후 계획을 같이 잡는 것이 중요하겠죠. 저 같은 경우는 일단 보존적인 치료가 fail하면 양막이식술를 권하고 양막이식술이 fail하면 그때는 일시적 눈꺼풀 봉합술을 권하고 그것도 fail하면 그때는 영구적 봉합술을…

A. 저는 환자나 보호자에게 PED (persistent epithelial defect)는 결국 각막기질의 혼탁 또는 신생혈관을 유도해 시력 저하를 초래하며 기질이 얇아져 천공에 이르기도 한다는 점을 강하게 설명하고 밀어붙이는 경우가 많아요. 예전에 기다리다가 결국 완전히 나빠진 후에 이제 눈꺼풀 봉합을 하겠다고 했는데 이미 적절한 시기를 놓쳤으니 마음이 아프죠. 그래도 치료를 안 할 수가 없으니 수면시간 동안만이라도 눈물연고 등을 듬뿍 넣은 후 위아래 눈꺼풀 가장자리를 밀착시켜 테이프를 붙이는 방법을 교육하는데 이게 또 만만치 않더라구요.

Q. 그런데 눈꺼풀 봉합술 후 blinking이 어려워지니 눈물의 질이 나빠져서 문제 생긴 경우는 없으셨어요?

A. 저 같은 경우는 follow up이 잘 안 된 환자였는데 bacterial infection이 생겨서 오신 경우도 있습니다. 눈꺼풀 봉합술 후 반드시 항생제 안약을 사용해야 하는 것을 잊지 말아야 할 것 같습니다.

Q. PED가 좋아지면 봉합을 언제 푸세요?

A. 상피가 좋아졌다고 바로 봉합을 풀게 되면 다시 악화되는 경우가 많습니다. 최소한 상피 회복이 되고 2주는 봉합을 유지하는 것이 좋을 것 같습니다.

■■■■   **참고문헌**

1. Cosar CB, Cohen EJ, Rapuano CJ, Maus M, Penne RP, Flanagan JC, Laibson PR. Tarsorrhaphy: clinical experience from a cornea practice. *Cornea* 2001 Nov;20(8):787-791.

2. Seiff SR, Chang JS, Jr. The staged management of ophthalmic complications of facial nerve palsy. *Ophthalmic Plast Reconstr Surg* 1993 Dec;9(4):241-249.

3. Tsubota K, Satake Y, Ohyama M, Toda I, Takano Y, Ono M, Shinozaki N, Shimazaki J. Surgical reconstruction of the ocular surface in advanced ocular cicatricial pemphigoid and Stevens-Johnson syndrome. *Am J Ophthalmol* 1996 Jul;122(1):38-52.

4. Portnoy SL, Insler MS, Kaufman HE. Surgical management of corneal ulceration and perforation. *Surv Ophthalmol* 1989 Jul-Aug;34(1):47-58.

5. Bouchard CS. Lateral tarsorrhaphy for a noncompliant patient with floppy eyelid syndrome. *Am J Ophthalmol* 1992 Sep 15;114(3):367-369.

6. Alon Kahana MJL. Tarsorrhaphy and lacrimal occlusion. *Corneal surgery* 3rd ed: Elsevier; 2009. p. 265-272.

7. McInnes AW, Burroughs JR, Anderson RL, McCann JD. Temporary suture tarsorrhaphy. *Am J Ophthalmol* 2006 Aug;142(2):344-346.

8. Diamond JP. Temporary tarsorrhaphy with cyanoacrylate adhesive for seventh-nerve palsy. *Lancet* 1990 Apr 28;335 (8696):1039.

9. Kitchens J, Kinder J, Oetting T. The drawstring temporary tarsorrhaphy technique. *Arch Ophthalmol* 2002 Feb;120 (2):187-190.

10. Nerad J. Techniques in Ophthalmic Plastic Surgery with DVD. 1st ed: Saunders.

눈물점마개 다시 보기

> **Key Point**
>
> • 눈물점마개에 대해 잘못 알고 있는 상식에 대해 알아본다.
> • 눈물점마개의 합병증 및 그에 대한 대책을 알아본다.

1. 서론

건성안 환자에서 눈물점을 막으려는 시도는 꽤 오래 전부터 있었다. 문헌을 찾아보면 1976년에 조직접합제로 눈물점을 폐쇄하는 논문이 있고 실리콘 플러그로 눈물점마개(punctal plug)를 시행한 논문이 1978년에 나와 있으니 벌써 40여 년 전부터 사용이 되었던 시술이다.[1,2] 건조각결막염에서 눈물점폐쇄(punctal occlusion)라는 제목으로 1978년 Ophthalmology지에 실린 논문에서도 인공누액으로 증상이 개선되지 않으면서 Schirmer test가 2 mm/5 min 이하이고 로즈벵갈 염색이 되는 경우 눈물점마개의 적응증이 된다고 소개하면서 유용한 시술임에도 불구하고 잘 사용되지 않

는다고 기술하고 있다.[3] 현재에도 눈물점마개는 잘 시행되지 않고 있으며 특히 실리콘 플러그를 이용한 눈물점마개에 대해 많은 안과 의사들이 주저하고 있다. 비용을 들여 플러그를 삽입했는데 쉽게 빠져버린 경험이 있거나 별 효과를 보지 못했던 경험, 그리고 Herrick 플러그와 같이 눈물점이 아닌 눈물소관에 삽입하는 플러그의 합병증으로 고생했던 개인적인 경험이 작용할 수도 있겠지만 가장 큰 부분을 차지하는 것은 눈물점마개에 대해 잘못 알려진 상식 때문이 아닐까 생각한다.

이에 본 장에서는 눈물점마개에 대해 잘못 알고 있는 상식 및 눈물점마개 후 자주 접하게 되는 합병증을 어떻게 해결해 나갈지에 대해 알아보고자 한다.

2. 본론

1) 눈물점마개에 대해 잘못 알려진 상식

(1) 눈물점마개를 시행하기 전에 안구표면의 염증을 충분히 조절한 후 시행해야 한다.

눈물점마개를 시행하는 데 주저하는 가장 잘못 알려진 상식이다. 그러나, 오랜 기간 동안 눈물점마개와 관련된 강의에서는 빠짐없이 언급되던 내용이다. 그리고 우리는 객관적 근거가 없는 이 상식에 의해 건성안으로 안구표면에 손상이 심한 환자들에서 눈물점마개가 아닌 다른 방법으로 염증을 충분히 치료하려고 노력했다. 그러나 쇼그렌증후군이나 이식편대숙주병(Graft versus host disease, GVHD) 환자에서 다른 방법으로 안구표면의 염증을 충분히 조절하는 것이란 거의 불가능하다고 생각한다. 따라서, 그동안 눈물이 거의 나오지 않는 쇼그렌증후군 환자에서조차 눈물점마개를 잘 시행하지 않았다. 그러나, 최근 들어 눈물점마개와 염증조절을 동시에 시행함으로써 좋은 치료효과를 얻은 증례들이 발표되면서 그동안 우리가 알고 있었던 상식이 잘못되었다는 것에 점차 동의하는 안과 의사들이 늘어나고 있다.

눈물점폐쇄를 시행한 후 눈물 내에 염증 사이토카인을 분석한 연구에서도 눈물점폐쇄 시행 1주 후에 측정한 경우 염증 사이토카인이 약간 증가했으나, 3주 후에는 이전 수치로 돌아가서 눈물점폐쇄로 인해 안구표면에 염증 사이토카인이 증가하는 것은 일시적 현상임을 알 수 있다.[4] 또한, 눈물 내 단백질을 분석한 추가 연구에서 보면 환자들 중 눈물점폐쇄 후 눈물의 염증 사이토카인은 도리어 감소하고, 눈물 내에 항균작용을 하는 lactoferrin과 lysozyme은 증가한 환자군이 있으며 이 환자들은 반대의 결과를 보인 환자군에 비해 눈물 분비양이 유의하게 적었다고 보고하였다.[5] 이처럼 눈물점폐쇄는 안구표면 염증을 악화시키지 않으며 정상적인 눈물에 포함된 유익한 단백질 성분을 증가시키는 작용도 있어 약물로 치료되지 않는 중등도 이상의 건성안 환자에서는 염증치료와 동시에 눈물점폐쇄를 시행하는 것이 좋은 치료방법이라 생각한다.

(2) 실리콘 플러그는 영구적이다.

안과 의사들 조차 실리콘 플러그를 영구적(permanent)이라고 얘기를 한다. 녹는(absorbable) 플러그에 상대되는 개념으로 그렇게 설명할 수도 있으나 영구적이라는 의미는 그렇게 간단하지가 않다. 안과 의사나 환자 모두의 입장에서 영구적으로 눈물점을 폐쇄한다고 인식하게 되면 주저할 수 밖에 없다. 그러나, 분명한 것은 실리콘 플러그는 영구적이지 않다는 것이다. 플러그가 쉽게 빠지는 환자에서는 가끔 실리콘 플러그가 영구적이었으면 좋겠다는 생각도 해 본다. 영구적이라는 개념은 한번 시술하면 빠지지도 않고 원상태로 되돌릴 수 없는 것을 의미한다. 문신을 하는 경우에도 시간이 지나면 색이 빠져 반영구 문신이라는 용어를 쓰는데 하물며 쉽게 제거가 가능한 실리콘 플러그를 영구적이라고 얘기하는 것은 명백히 잘못된 어휘 사용이다. 초창기인 1987년 Ophthalmology지에 실린 논문에서도 실리콘 플러그를 영구적 'permanent'이라는 용어가 아닌 'removable'이나 'reversible'이라는 용어를 사용하였다.[6] 이제부터라도 실리콘 플러그에 대해 적합한 용어를 사용하는 것이 중요하겠다.

1) 눈물점의 건식 도크 전환(Transfer of the Punctum to 'Dry Dock')

눈물점은 눈물이 모여서 배출되는 경로로 항상 젖어있는 구조이므로 일종의 습식 도크(wet dock)라 할 수 있다. 이 방법은 Murube와 Hernandez[21]에 의해 처음으로 기술되었으며, 눈물점을 눈꺼풀가장자리 바깥쪽으로 옮겨 눈물점에 눈물이 모이는 것을 방해하여 습식 도크를 건식 도크(dry dock)으로 변화시키는 수술법이다.

① 눈물점 앞쪽으로 절개를 한다. 이때 깊이는 2 mm 이하로 수평눈물소관이 손상되지 않아야 한다(그림 11-4A).
② 더듬자(Probe)를 눈물점에 넣은 후 절개를 확장하여 눈물소관의 수직부분 전체가 노출되도록 수직부분 주위로 절개를 확장한다. 수직부분 눈물소관에 더듬자가 위치해 있는 상태에서 앞쪽으로 진행시킨다(그림 11-4B).
③ 새로운 눈물점 위치의 뒤쪽 절개면은 8-0 Vicryl® 봉합사로 봉합한다(그림 11-4C).

즉, 눈물점과 기저부 눈물소관의 수직 부분을 바깥쪽으로 이동하여 기존위치와 눈꺼풀 속눈썹 사이에 놓여지게 하여 눈물점이 눈물띠에 접하지 않게 하는 방법이다.[21]

가역적 수술 방법 중에서 이 방법은 덜 침습적이고 가역적이다. 드물게는 눈물점이 원래 위치로 옮아가기도 하고, 종종 눈물점이 일차 또는 이차적으로 위축되어 아주 작게 남아 있을 수 있지만, 이는 다시 확장시켜 호전시킬 수 있다.

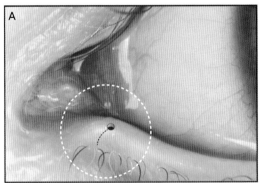
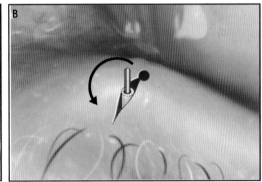
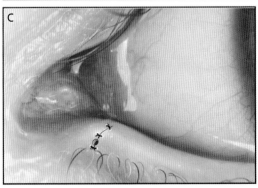

그림 11-4. 눈물점의 건식 도크(dry dock) 전환
눈물점 앞쪽으로 절개를 한다(A). 더듬자를 눈물점에 넣고
절개를 눈물소관의 수직부분 주위로 확장시키고
다시 앞쪽으로 진행시킨다(B). 마지막으로 눈물점의
새로운 위치 뒤쪽 절개면은 봉합한다(C).

2) 눈물점 눈꺼풀봉합술(Punctal Tarsorrhaphy)

이 방법은 위, 아래 눈물점 주위를 깊이 1 mm 깊이로 조직을 직사각형으로 절제한다(그림 11-5). 위쪽 눈물점이 보통 더 코쪽으로 위치하기 때문에 3×2 mm 크기의 눈꺼풀테를 절제할 때, 위쪽 눈물점은 직사각형의 안쪽 절반에 위치하고, 아래쪽 눈물점은 바깥쪽 절반에 위치한다. 8-0 Vicryl 봉합사로 위, 아래 눈꺼풀테의 절제부위를 맞추어 단속봉합하고, 절제면의 접촉을 확실하게 하기 위해 double armed mattress suture를 시행하여 2주간 압박을 가하여 준다. 장기간의 경과를 관찰한 보고는 없지만, 일반적으로 성공률은 눈꺼풀봉합술과 같거나 높을 것으로 보인다. 눈꺼풀틈새를 5-7 mm 정도 감소시키게 되어, 미관상 문제가 될 수 있으므로 외관 변화에 민감한 환자에서는 주의할 필요가 있다.

3) 눈물점 가리개(Punctal Patch)

이 방법은 Murube[5]에 의해서 소개되었다. 2% lidocaine 국소마취 후 현미경 하에, 눈물점을 포함하는 약 2×2 mm 크기의 눈꺼풀 가장자리 조직을 사각형 모양으로 절제한다(그림 11-6A). 절제한 조직을 안구결막에 위치시켜 이를 주형(template)으로 하여, 비슷한 크기로 안구결막 이식편을 채취한다. 이식편은 눈물점을 덮은 후, 7-0 흡수성 봉합사로 단속봉합하여 고정한다(그림 11-6B, C).

이 방법은 몇 가지 단점을 가지고 있다. 첫째, 점막유사천포창(mucous membrane pemphigoid) 또는 스티븐스-존슨 증후군과 같은 질환에서는 안구건조로 인해 종종 심한 안구표면질환을 유발한다. 이러한 경우, 소량의 결막 손상이라도 결막붙음증(symblepharon)과 같은 문제가 발생

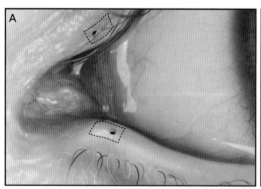
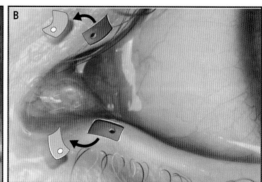
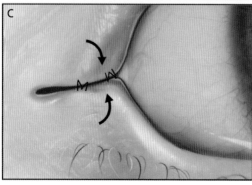

그림 11-5. 눈물점 눈꺼풀봉합술
상부 및 하부 눈물점 주위로 비대칭적 직사각형으로 표면에 표시하고(A), 절제(B) 및 상/하 눈꺼풀 절제부위 가장자리를 맞추어 봉합(C).

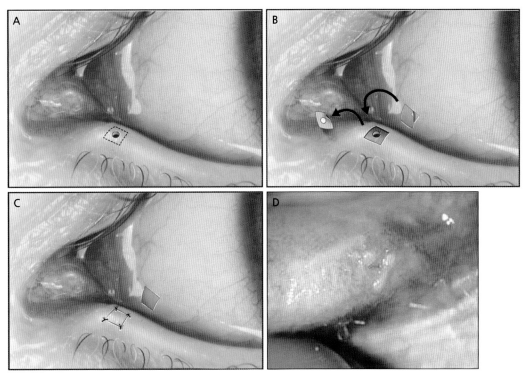

그림 11-6. 눈물점 가리개

눈물점을 포함하는 피부를 약 2×2 mm 크기의 사각형 모양으로 절제한다(A). 결막에서 똑같은 크기의 이식편을 떼어낸다(B).
그리고 절제된 피부에 봉합한다(C). 3개월 후 이식편의 괴사로 재개통되었다(D).

할 수 있어 이러한 환자에서는 추천되지 않는다. 둘째, 염증이 동반되어 있을 때에, 염증성분의 파급은 어떠한 형태의 결막 외상에 의해서도 유발될 수 있으므로 피하여야 한다. 셋째, 이식편 조직은 상대적으로 얇고 아래 조직이 없는 눈물소관팽대 위에 매달려 있으므로 중앙부, 즉 이식편의 중요한 부분에 기계적 지지 또는 혈액 공급이 되지 않을 경우 이식편의 괴사로 이어질 수 있다. 그러므로 이 방법을 변화시켜 생체역학적으로 보다 강력한 이식 조직을 제공하고, 눈알결막의 손상을 피할 수 있게 하는 방법으로 다음에서 설명할 눈물점 전환 이식(punctum switch graft)이 소개되었다.

4) 눈물점 전환 이식(Punctum Switch Graft)

간단히 말해서, 이 방법은 눈물점을 포함한 얇은 눈꺼풀테 이식편을 만든 후, 이를 방향을 바꾸어 주는 것이다(그림 11-7).

① 수술용 현미경 아래에서 2% lidocaine 리도케인을 눈꺼풀 가장자리 및 눈물점 주위에 주사하여 국소마취를 시행한다.

② 보다 쉽게 수술부위를 노출시키기 위해 4-0 silk나 큰 콩다래끼 클램프를 이용하여 눈꺼풀을 외반시킨다. 콩다래끼 클램프로 압박하면서 외반 시 출혈을 방지하여 수술부위 시야확보에도 도움이 된다.

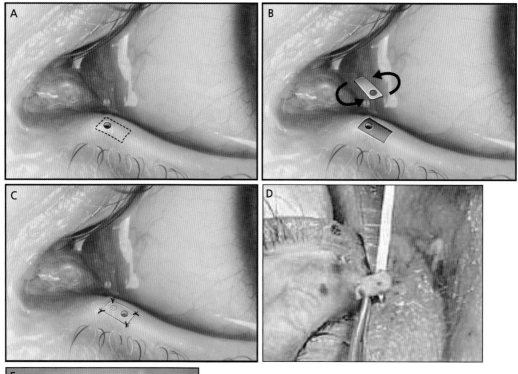

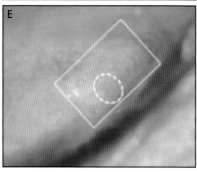

그림 11-7. 눈물점 전환 이식
눈물점이 포함되게 3×2 mm의 얇은 눈꺼풀테를 약 1 mm 깊이로 절개한다(A).
이식편을 회전시켜서(B) 절개한 위치에 고정시키면 눈물점이 눈물소관에서 귀쪽
에 놓이게 된다(C). 절제 직후 이식편(D). 수술 후 3개월째 개방된 눈물점(원)을 지
닌 이식편(직사각형 상자, E)

③ No 11. surgical blade로 속눈썹의 바로 뒤쪽에서 눈물점이 포함되게 3×2 mm의 얇은 눈꺼풀테 조직을 약 1 mm 깊이로 절개한다. 피가 많이 날 때는 지짐기로 지혈을 하는데 조직에 지나친 열손상이 가지 않도록 한다.

④ 이식편을 180도 회전시키고 7-0 흡수성 봉합사로 봉합한다.

⑤ 수술부위에 ofloxacin eye ointment를 바른다.

이렇게 함으로써 절제된 눈물점을 눈물소관 팽대부(수직부분 눈물소관) 바깥쪽에 놓이게 하고, 눈물소관 팽대부가 눈꺼풀테 조직에 의해 덮인다. 이 수술법은 보통 위 눈꺼풀 보다 아래 눈꺼풀에서 더 쉽게 행할 수 있다. Geerling과 Tost[24]의 보고에 의하면 수술 후 3개월째, 약 66%의 성공률을 보였다. 이 술기는 단순한 소작술보다 시간과 장비에 대한 요구가 높다.

4. 눈물점 외과적 폐쇄 시 고려해야 할 사항

1) 수술 전 고려사항

• 코눈물관폐쇄가 안구표면손상의 증상과 소견을 유발할 수 있기 때문에 눈물점 또는 눈물소관을 막기 전에 눈물소관 관류술 등 세밀한 검사가 필요하다.

• 영구적인 외과적 폐쇄 전에 일시적으로 눈물분비기관을 차단하는 효과가 있는 실리콘이나 다른 눈물점마개로 검사해야 한다. 일단 폐쇄되면 눈물분비기관을 다시 개통시키기는 어렵기 때문이다.

• 심각한 눈물부족으로 인한 건성안의 성공적인 치료 전략으로 눈물분비기관의 폐쇄를 고려해야 할 수 있다.

2) 수술방법 선택 시 고려사항

• 아래쪽 눈물소관을 먼저 폐쇄하고 공통눈물소관은 보존한다.

• 가역적 그리고 비가역적 수술법은 눈물점과 눈물소관조직을 파괴 또는 이식이 포함된다.

• 모든 방법 중에 소작술이 가장 간단하다. 그러나 장기간의 폐쇄효과를 위해서는 일차적인 열손상이 커야 한다. 눈물점/눈물소관 결찰법은 간단하고 성공적인 대안으로 간주될 수 있다.

• 눈물점을 'dry dock'으로 만들거나 눈물점 전환은 새롭고 영구적이나, 이식편 위축 시 다시 눈물관류가 될 수 있어 잠재적으로 가역적인 방법이다.

3) 수술 후 고려사항

• 수술 후 시간이 지나면서 재개통이 나타날 수 있기 때문에, 건성안의 증상과 소견이 지속될 때에는, 눈물길 관류검사나 더듬자검사를 시행해 재개통 여부를 확인한다.

• 눈물분비기관의 차단 후 몇 주에서 수개월 후 생기는 의인성 합병증으로 눈물흘림, 육아종 형성, 화농성 눈물소관염 그리고 급성 눈물주머니염이 나타날 수 있다.

현문현답

Q. 실제로, 외과적인 눈물점 폐쇄를 자주 시행하시나요? 저 같은 경우는 영구적인 폐쇄를 굳이 해야 할까 싶어서 되도록이면 눈물점마개 같은 방법을 더 선호하는데요.

A. 물론, 외과적 시술까지 하는 경우가 많지는 않아요. 하지만, 눈물점마개의 크기나 모양이 균일화되어 있기 때문에 눈물마개를 하더라도 눈물점 폐쇄가 효율적이지 못한 경우도 흔하다고 봅니다. 또한, 눈물점마개의 부작용이 있고 쇼그렌증후군 환자나 ocular GVHD 환자 같이 수성눈물부족 건성안이 상당히 심해서 안표면의 상태가 다른 치료로 호전이 되지 않는 경우에 눈물점 폐쇄를 고려하게 되며 신중하게 시술을 결정하는 편입니다.

■■■■ 참고문헌

1. Dursun D, Ertan A, Bilezikçi B, Akova YA, Pelit A. Ocular surface changes in keratoconjunctivitis sicca with silicone punctum plug occlusion. Curr Eye Res 2003 May;26(5): 263-269.

2. Kaido M, Goto E, Dogru M, Tsubota K. Punctal occlusion Punctal occlusion in the management of chronic Stevens-Johnson syndrome. Ophthalmology 2004 May;111(5):895-900.

3. Glatt HJ. Acute dacryocystitis after punctal occlusion for keratoconjunctivitis sicca. Am J Ophthalmol 1991 Jun 15;111(6):769-770.

4. Marx JL, Hillman DS, Hinshaw KD, Olson JJ, Putterman AM, Lam S. Bilateral dacryocystitis after punctal occlusion with thermal cautery. Ophthalmic Surg 1992 Aug;23(8):560-561.

5. Murube J, Murube E. Treatment of dry eye by blocking the lacrimal canaliculi. Surv Ophthalmol 1996 May-Jun;40(6):463-480.

6. Tucker NA, Tucker SM, Linberg JV. The anatomy of the common canaliculus. Arch Ophthalmol 1996 Oct;114(10): 1231-1234.

7. Liu D, Sadhan Y. Surgical punctal occlusion: a prospective study. Br J Ophthalmol 2002 Sep;86(9):1031-1034.

8. Vrabec MP, Elsing SH, Aitken PA. A prospective, randomized comparison of thermal cautery and argon laser for permanent punctal occlusion. Am J Ophthalmol 1993 Oct 15;116(4):469-471.

9. Glatt HJ. Failure of collagen plugs to predict epiphora after permanent punctal occlusion. Ophthalmic Surg 1992 Apr;23(4):292-23.

10. Knapp ME, Frueh BR, Nelson CC, Musch DC. A comparison of two methods of punctal occlusion. Am J Ophthalmol 1989 Sep 15;108(3):315-318.

11. Benson DR, Hemmady PB, Snyder RW. Efficacy of laser punctal occlusion. Ophthalmology 1992 Apr;99(4):618-621.

12. Law RW, Li RT, Lam DS, Lai JS. Efficacy of pressure topical anaesthesia in punctal occlusion by diathermy. Br J Ophthalmol 2005 Nov;89(11):1449-1452.

13. McLean CJ, Rose GE. Postherpetic lacrimal obstruction. Ophthalmology 2000 Mar;107(3):496-499.

14. Patten JT. Punctal occlusion with N-butyl-cyanoacrylate tissue adhesive. Ophthalmic Surg 1976 Summer;7(2): 24-26.

15. Diamond JP, Morgan JE, Virjee J, Easty DL. Cyanoacrylate occlusion with cyanoacrylate adhesive. A new treatment for the dry eye. Eye 1995;9 (Pt 1):126-129.

16. Kohler U. Komplikationen nach vorubergehendem Tranennasenwegsverschluss mit Gewebekleber (Histoacryl). Klin Mbl Augenheilk 1986;189:486–490.

17. Charleux J, Brun P. Traitement chirurgical des syndromes secs oculaires. Bull Mem Soc Fr Ophthalmol 1978; 89:177-185.

18. DeMartelaere SL, Blaydon SM, Tovilla-Canales JL, Shore JW. A permanent and reversible procedure to block tear drainage for the treatment of dry eye. Ophthalmic Plast Reconstruct Surg 2006 Sep-Oct;22(5):352-355.

19. Putterman AM. Canaliculectomy in the treatment of keratitis sicca. Ophthalmic Surg 1991 Aug;22(8):478-480.

20. Farris RL. Eyes; in Harris EK (ed): The Sjogren's Syndrome Handbook. Sjogren's Syndrome Foundation Inc. ISBN 0–9621157–0–3, 1989, pp 29–42.

21. Murube-del-Castillo J, Hernandez-King J. Treatment of dry eye by moving the lacrimal punctum to dry dock. Opthalmic Surg 1993 Jan;24(1):53-58.

22. Shalaby O, Rivas L, Rivas AI, Oroza MA, Murube J. Comparison of two lacrimal punctal occlusion methods. Arch Soc Esp Oftalmol 2001 Sep;76(9):533-536.

23. Yokoi N, Nishii M, Komuro A, Kinoshita S. New surgical methods for punctal occlusion of severe tear-deficient dry eye and its outcome. Nippon Ganka Gakkai Zasshi 2004 Sep;108(9):560-565.

24. Geerling G, Tost FH. Surgical occlusion of the lacrimal drainage system. Dev Ophthalmol 2008;41:213-229. doi: 10.1159/000131091

25. Dursun D, Ertan A, Bilezikçi B, Akova YA, Pelit A. Ocular surface changes in keratoconjunctivitis sicca with silicone punctum plug occlusion. Curr Eye Res 2003 May;26(5): 263-269.

26. Kaido M, Goto E, Dogru M, Tsubota K. Punctal occlusion Punctal occlusion in the management of chronic Stevens-Johnson syndrome. Ophthalmology 2004 May;111(5):895-900.

27. Glatt HJ. Acute dacryocystitis after punctal occlusion for keratoconjunctivitis sicca. Am J Ophthalmol 1991 Jun 15;111(6):769-770.

28. Marx JL, Hillman DS, Hinshaw KD, Olson JJ, Putterman AM, Lam S. Bilateral dacryocystitis after punctal occlusion with thermal cautery. Ophthalmic Surg 1992 Aug;23(8): 560-561.

29. Murube J, Murube E. Treatment of dry eye by blocking the lacrimal canaliculi. *Surv Ophthalmol* 1996 May-Jun;40(6): 463-480.

30. Tucker NA, Tucker SM, Linberg JV. The anatomy of the common canaliculus. *Arch Ophthalmol* 1996 Oct;114(10): 1231-1234.

31. Liu D, Sadhan Y. Surgical punctal occlusion: a prospective study. *Br J Ophthalmol* 2002 Sep;86(9):1031-1034.

32. Vrabec MP, Elsing SH, Aitken PA. A prospective, randomized comparison of thermal cautery and argon laser for permanent punctal occlusion. *Am J Ophthalmol* 1993 Oct 15;116(4):469-471.

33. Glatt HJ. Failure of collagen plugs to predict epiphora after permanent punctal occlusion. *Ophthalmic Surg* 1992 Apr; 23(4):292-23.

34. Knapp ME, Frueh BR, Nelson CC, Musch DC. A comparison of two methods of punctal occlusion. *Am J Ophthalmol* 1989 Sep 15;108(3):315-318.

35. Benson DR, Hemmady PB, Snyder RW. Efficacy of laser punctal occlusion. *Ophthalmology* 1992 Apr;99(4):618-621.

36. Law RW, Li RT, Lam DS, Lai JS. Efficacy of pressure topical anaesthesia in punctal occlusion by diathermy. *Br J Ophthalmol* 2005 Nov;89(11):1449-1452.

37. McLean CJ, Rose GE. Postherpetic lacrimal obstruction. *Ophthalmology* 2000 Mar;107(3):496-499.

38. Patten JT. Punctal occlusion with N-butyl-cyanoacrylate tissue adhesive. *Ophthalmic Surg* 1976 Summer;7(2):24-26.

39. Diamond JP, Morgan JE, Virjee J, Easty DL. Cyanoacrylate occlusion with cyanoacrylate adhesive. A new treatment for the dry eye. *Eye* 1995;9 (Pt 1):126-129.

40. Kohler U. Komplikationen nach vorubergehendem Tranennasenwegsverschluss mit Gewebekleber (Histoacryl). *Klin Mbl Augenheilk* 1986;189:486–490.

41. Charleux J, Brun P. Traitement chirurgical des syndromes secs oculaires. *Bull Mem Soc Fr Ophthalmol* 1978;89:177–185.

42. DeMartelaere SL, Blaydon SM, Tovilla-Canales JL, Shore JW. A permanent and reversible procedure to block tear drainage for the treatment of dry eye. *Ophthalmic Plast Reconstruct Surg* 2006 Sep-Oct;22(5):352-355.

43. Putterman AM. Canaliculectomy in the treatment of keratitis sicca. *Ophthalmic Surg* 1991 Aug;22(8):478-480.

44. Farris RL. Eyes: in Harris EK (ed): The Sjogren's Syndrome Handbook. Sjogren's Syndrome Foundation Inc. ISBN 0–9621157–0–3, 1989, pp 29–42.

45. Murube-del-Castillo J, Hernandez-King J. Treatment of dry eye by moving the lacrimal punctum to dry dock. *Opthalmic Surg* 1993 Jan;24(1):53-58.

46. Shalaby O, Rivas L, Rivas AI, Oroza MA, Murube J. Comparison of two lacrimal punctal occlusion methods. *Arch Soc Esp Oftalmol* 2001 Sep;76(9):533-536.

47. Yokoi N, Nishii M, Komuro A, Kinoshita S. New surgical methods for punctal occlusion of severe tear-deficient dry eye and its outcome. *Nippon Ganka Gakkai Zasshi* 2004 Sep;108(9):560-565.

48. Geerling G, Tost FH. Surgical occlusion of the lacrimal drainage system. *Dev Ophthalmol* 2008;41:213-229. doi: 10.1159/000131091

각막문신
: 각막에도 문신이 가능하다

12

Key
Point

• 각막문신술의 술기와 합병증, 술후 관리를 알아보자.

1. 각막문신술이란 무엇인가요?

살다보면 여러 가지 이유로 각막이 뿌옇게, 하얗게 변할 수 있다. 각막이란 원래 투명한 조직이지만 우리나라 사람들의 경우 진한 홍채색깔로 인해 눈동자가 검게 보임으로써 일반인들은 각막을 검은자라고 부른다. 이렇게 검은자가 하얗게 되면 다시 짙은 갈색이나 검은색 염료로 문신을 하여 미용적 개선을 할 수 있다.

각막문신술은 투명한 각막이 투명성을 잃고 하얗게 변했을 때, 눈동자와 비슷한 색깔의 염료를 각막실질내에 주입하여 각막의 색을 변화시키는 시술방법이다. 문신을 한 각막은 흰 눈동자보다는 미용적으로 개선되기 때문에, 각막이식 등이 불가능하거나 어려운 각막혼탁 환자의 미용적 치료로 고려해 볼 수 있다(그림 12-1).

2. 각막이 왜 하얗게 되었을까요?

각막혼탁의 원인은 김 등이 2005년에 각막문신술을 시행한 67안을 분석한 논문에 의하면,[1] 외상(56.6%)과 염증성 질환(19.4%)이 가장 많았고, 동반질환으로는 감각신경성사시(43.3%)와 띠각막병증(31.3%)이 가장 많았다. 2010년에 Chang 등이 우리나라 각막혼탁 환자 401명을 대상으로 한 연구에서,[2] 각막혼탁이 생기는 원인으로는 외상이 50.6%로 가장 많고, 그 다음으로 망막질환(15.5%), 홍역후유증(9.5%), 각막염 후유증

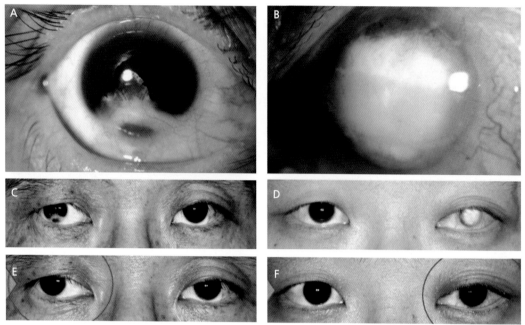

그림 12-1. 여러 가지 각막혼탁
다양한 각막혼탁 사진(A, B, C ,D) 및 각막 문신술 후(E, F) 사진으로 수술 전에 비해 미용적 개선을 이루었다.

(5.7%) 선천성(5.5%) 순이었다. 동반된 질환으로는 사시(23.6%)가 가장 많았고, 홍채이상(19.2%), 안구위축(9.2%) 순이었으며 그 외에도 띠각막병증, 백내장, 무수정체안, 각막지방변성, 말기녹내장, 망막박리 등이 있었다. 수차례의 각막이식 실패 후 전체 각막혼탁이 온 경우도 3.5%에서 관찰되었다.

이렇듯 각막혼탁은 선천성질환과 동반되어 생길 수도 있지만, 살아가면서 외상이나 염증, 안수술의 후유증으로 발생하는 경우가 대부분이며, 한번 생긴 각막혼탁은 특별한 경우를 제외하고는 영구적으로 지속되는 경우가 많으므로 환자들이 살아가는 데 있어 심각한 사회적 제약을 초래한다.[2] 이러한 각막혼탁의 치료로는 각막이식술, 홍채렌즈, 각막문신술을 들 수 있겠다.

3. 어떠할 때 각막문신술을 할 수 있을까요?

각막혼탁환자가 각막혼탁이 생기는 원인은 매우 다양하므로 원인을 먼저 파악한 후 각막문신이 적합한지 결정해야 한다.

흔히 시력이 없어야 각막문신술을 할 수 있다고 생각할 수 있는데, 시력이 좋아도 혼탁이 주변에 있어서 미용적으로 문제가 될 경우에는 시력과 상관없이 시행할 수 있다. 반면에 진행되는 각막혼탁이나 치료가 가능한 각막혼탁의 경우는 치료를 최대한 시행한 후 염증 등이 가라앉고 병변이 안정화 되었을 때 수술한다. 또한 각막 자체에는 이상이 없으나 포도막염 등의 후유 증으로 백내장이 진행하고 시력이 없어 백내장 수술이 권장되지 않는 백색 백내장(white cataract)의 경우에도 적응증이 될 수 있다.

일반적으로, 각막혼탁이 현재 상태까지 진행되고 악화되지 않은 채 6개월이 경과되면 시행해 볼 수 있다. 띠각막병증(band keratopathy)이 심한 경우에는 침착한 칼슘부위에는 염료가 침투하지 않으므로 칼슘을 긁어낸 후 각막실질에 시술한다. 환자에게는 수술 후에 다시 칼슘침착이 생길 수 있다는 것을 술 전에 미리 설명하고 동의를 받아야 한다.

4. 어떤 경우는 하지 않아야 하나요?

1) 진행되는 각막혼탁: 진행이 멈춘 후 시술하도록 한다.
2) 환자의 이해도가 떨어지는 경우: 미용적 시술이므로 환자 이해도와 만족도를 고려해야 한다.
3) 심한 안구위축: 미용적으로는 초박형 의안이 더 권장된다.
4) 진행하는 안질환: 염증 등이 조절되지 않거나 통증이 있는 경우 역시 진행이 멈춘 후에 시술한다.
5) 결론적으로는 환자가 통증이나 충혈 등의 다른 불편이 없고, 혼탁의 진행이 멈추었다고 판단될 때 시행해야 한다.

5. 각막문신술의 방법

1) 구후마취, 점안마취, 전신마취를 할 수 있다.
시력이 없는 각막혼탁 환자의 경우 사시나 안구위축 등으로 구후마취를 정확한 위치에 시행하기 어려운 경우가 많으므로 환자의 협조만 가능하다면 점안마취가 권장된다.

결막하주사는 주사부위에 염료가 침투할 수 있으므로 시행하지 않는 것이 좋다.

2) 염료의 준비
검정색 또는 진한 갈색의 인체용 염료를 구하여, 적정량을 용기에 덜은 다음 준비된 염료를 술 전에 자동멸균기에서 30분간 소독하여 1 cc 주사기에 담아 준비한다.[3,4]

3) 시술
(1) 주사바늘은 30G부터 다양하게 사용할 수 있

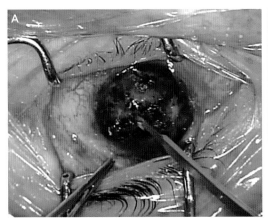
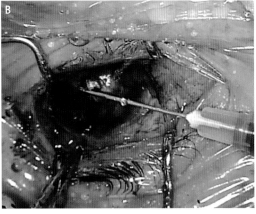

그림 12-2.
A. 칼슘제거 및 각막문신술 후 재발한 띠각막병증에서 칼슘제거하는 모습. 문신술 전에 블레이드를 이용하여 칼슘을 긁어낸다.
B. 같은 환자에서 실질에 평행하게 주사바늘을 삽입하고 문신약을 주입하고 있다.

으며, 염료의 밀도에 따라 조정할 수 있다.

(2) 띠각막병증이 있을 경우, 칼슘침착부위에는 염료가 침투하지 않으므로 블레이드를 이용하여 칼슘을 먼저 제거한다(그림 12-2A).

(3) 주사바늘을 혼탁부위에 각막에 평행하게 삽입한 후 혼탁부위가 검게 변할 때까지 반복적으로 주입한다(그림 12-2B, 3). 매 주입 후에는 평형

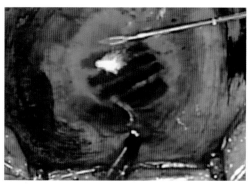

그림 12-3.
3번의 각막이식수술 후 거부반응, 안구위축, 각막내피로의 신생혈관 생성 및 전체각막혼탁이 생긴 환자에게 각막문신술을 시행하고 있는 모습

염액으로 세척하여 수술부위가 항상 잘 보이게 한다.

(4) 문신 시에는 상피가 벗겨지는 경우가 많으며, 문신부위 상처치유를 돕기 위해 치료용 콘택트렌즈를 끼운 후 수술을 마친다.

4) 각막문신술 후 관리
다른 안수술과 마찬가지로 항생제 점안액과 항염증제 점안액을 1일 4회 1달간 점안하도록 한다.

6. 각막문신술 합병증

1) 수술 중 합병증
(1) 각막천공[1]
각막혼탁부위는 비정상적으로 얇아져 있거나 두꺼워져 있는 경우가 많아서 정확한 각막두께를 술 전에 가늠하기 어렵다. 정상각막 자체도 550 μm로 얇기 때문에 주사바늘이 각막실질 내에 있

One Point

- 각막혼탁 환자들 중에는 각막문신이 가능한지 모르고 사회생활을 못 하거나, 사회적으로 정신적으로 위축되어 지내는 환자들도 많다. 각막문신술 후 검은 눈동자를 갖게 되어 새 삶을 살게 되었다는 환자의 감사편지는 우리 안과 의사들이 진행되는 질환만 고치는 것이 아니고, 우리의 능력으로 재건수술을 해서 환자의 삶의 질을 높여줄 수 있다는 것을 의미한다고 하겠다.
- 각막혼탁 자체가 의학적인 방법으로 좋아지기 어려운 경우에 우리가 해 줄 수 있는 선택은 몇 가지가 있으므로, 현재 환자의 눈 상태(각막혼탁의 원인, 혼탁 정도, 띠각막병증의 합병여부, 안구위축의 여부와 정도)에 따라 각 방법의 장단점을 설명하고 환자에게 선택하도록 하는 것이 좋겠다.
- 각막문신술 이후에도 홍채렌즈를 착용할 수 있고, 홍채렌즈가 미용적으로는 가장 우수하므로 이 가능성을 설명해 주자.
- 초박형 의안을 사용하는 경우도 안구위축으로 꺼진 눈이나 작아진 각막을 미용적으로 개선하는 데 도움이 되는데, 이에 관해 들어본 적도 없는 환자도 있으므로 다양한 개선방법을 알려주고, 각막문신술이 각막을 크게 하는 게 아니지만, 초박형 의안이나 홍채렌즈를 제거해도 눈동자가 검게 보인다는 데 의의를 두는 환자도 많으니 이 역시 설명해 주자.
- 일반인은 안구의 해부학적인 구조에 대한 이해가 부족하고, 검은자가 검은 색인 줄 아는 경우도 실제로 있으므로, 각막문신은 원래 투명해야 할 각막이 하얗게 되어 우리 눈에 보이는 검은 색으로 문신해 주는 것일 뿐, 정상안과 색이 완선히 같게 보이지는 않으므로, 기대치를 너무 높지 않게 직질히 낮추는 깃도 필요하다 하겠다.

는 것을 확인 후 염료를 주입해야 한다.

수술 중 각막이 천공되어 염료가 전방으로 들어갈 경우에는 전방천자를 하고 평형염액으로 충분히 세척하도록 한다. 가는 주사바늘을 사용하기 때문에 천공부위는 일반적으로 저절로 막히는 경우가 많으며, 치료용 렌즈를 끼워 준 후 염증반응 여부를 잘 관찰하도록 한다.

(2) 각막이외 부분의 염료주입(그림 12-4)[1]

각막혼탁 환자의 경우 신생혈관이 각막에 자라 들어와 있는 경우가 많아서 의도치 않게 염료가 결막으로 역류하는 경우가 많다. 염료의 역류가 확인되는 즉시 염료의 주입을 중지하고, 이미 염료로 염색된 결막은 염료가 테논낭 조직에 모두 침투한 상태이므로 절제해 준다. 결막결손이 작을 경우 저절로 치유되며, 결막결손이 클 경우에는 8-0 바이크릴을 이용하여 공막에 고정해 준다.

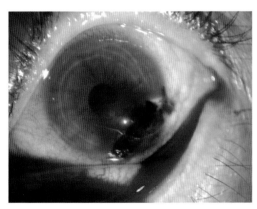

그림 12-4. 염료가 결막으로 역류된 증례

2) 수술 후 합병증
(1) 색 빠짐

생체염색이다 보니 시간이 지나면서 새로운 세포의 재생, 눈물, 방수 등으로 인해 색이 탈색될 수 있다. 탈색 시 대부분에서 재염색이 가능하므로, 탈색될 수 있음을 술 전에 환자에게 충분히 설명한다.

(2) 지속적인 각막상피결손

각막혼탁 환자의 대부분에서 각막의 상태가 좋지 못하다. 윤부결핍으로 360도 각막신생혈관이 생겨 있는 경우도 많고, 상피혼탁이 함께 동반되어 있는 경우도 많다. 각막의 세포재생능력이 떨어져 있는 경우에는 각막문신술 후 상피재생이 잘 되지 않거나 드물게 기질용해가 일어나기도 한다. 상피결손은 일반적인 상피결손에 준하여 치료하며, 적극적인 치료에도 불구하고 재생이 되지 않을 경우에는 양막 이식 등의 수술적 방법을 고려해야 한다.

(3) 충혈

각막혼탁 환자들은 이미 많은 신생혈관들을 결막 및 각막에 갖고 있는 경우가 많으며, 술 전에 환자에게 이미 생겨있는 혈관들은 없어지지 않는다는 것을 설명하도록 한다. 수술로 인한 충혈은 일반적으로 시간이 지나면서 회복된다.

(4) 재혼탁

생체 염색이기 때문에 세포가 재분포 및 재생되는 과정에서 시간이 지나면서 다시 혼탁이 오기도 한다. 대부분의 경우 각막실질의 염색은 잘 되어 있는데 각막상피 자체에 혼탁이 생기는 경우가 많다. 띠각막병증의 경우 칼슘침착은 거의 모든 경우에서 다시 생긴다.

7. 각막문신술의 응용

1) 수포각막병증 환자에서의 각막문신(그림 12-5)

시력호전 가능성이 없는 수포각막병증 환자에서 수포를 제거한 후 각막에 문신을 해 주고, 다시 상피가 자라나면 수포각막병증만 있을 때보다 각막의 색이 진해져서 미용상의 개선을 볼 수 있다.[5]

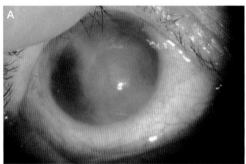
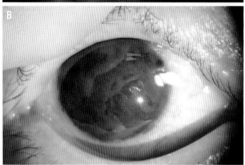

그림 12-5.
A. 69세 남자, 수포각막병증, 각막문신술 전. 망막수술 3차례 후 무광각
B. 수술 후 1달

2) 안구적출술 환자에서 결막문신[6]

Jo 등은 각막혼탁으로 안구내용물적출술을 받은 이후 통증으로 인해 의안착용을 할 수 없어 사회적으로 위축되었던 27세 남자에서, 반대쪽 눈 각막위치의 안구내용물적출안 결막부위에 눈동자모양의 문신을 시행하여 미용적 호전과 함께 환자의 사회적 복귀를 가져온 증례에 대하여 소개하였다.

3) 홍채결손이나 홍채절개술 후 눈부심 환자에서의 각막문신[7,8]

다양한 이유로의 홍채결손이나 안내렌즈삽입술을 위한 홍채절개술 후 홍채사이로 들어가는 빛으로 인해 눈부심을 심하게 호소하는 환자에게, 빛의 통로를 차단하기 위해 홍채절개부위 앞쪽의 투명한 정상각막에 문신술을 시행하여 환자의 증상을 호전시킬 수 있다.

4) 수술이 불가능한 백색동공(백내장)에서의 각막문신술(그림 12-6)

각막은 투명하나 하얗게 된 백내장이 있고, 녹내장이나 망막질환 등 합병된 안질환으로 인해 시력이 완전히 없어서 백내장 수술 합병증을 감수할 필요가 없을 때, 투명한 각막에 시행해볼 수 있다.

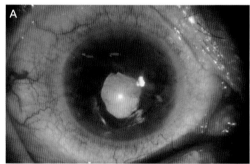
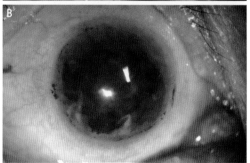

그림 12-6.
A. 75세 남자, 우안 홍역 앓은 후 어릴 때부터 무광각. 백색동공으로 홍채렌즈 장기 착용 중
B. 투명한 각막에 문신을 해 줌으로써 백색동공을 가리어 미용적 개선을 도모하였다.

8. 결론

각막문신술은 환자마다 원인질환과 동반질환 및 임상양상이 매우 다양하다. 각막문신을 원하는 환자가 내원 시에는 철저한 이학적 검사를 통하여, 각막문신이 최후의 방법인지 판단하는 것이 중요하며, 미용적 수술이기 때문에 수술의 장단점과 생길 수 있는 합병증을 충분히 설명하여 환자를 이해시킨 후, 환자가 원할 시 시행하는 것이 바람직하다.

또한 환자가 각막혼탁과 동반하여 갖고 있는 여러 안과적인 문제(신생혈관, 각막후막, 띠각막병증 등)에 따라 수술방법이 달라질 수 있으므로, 한 가지 방법으로 시술하기 보다는 각 환자마다 가장 적합한 방법으로 시술하는 것이 더 나은 예후를 가져올 수 있겠다.

현문현답

Q. 각막이 결막화되어 생긴 각막혼탁의 경우 각막문신을 하다보면, 염료가 결막으로 다 퍼져서 흰자까지 검게 염색되어 미용적으로 보기 싫은 경우가 있더라구요. 이런 경우 좋은 tip이 있을까요?

A. 저 같은 경우는 각막 위의 결막화가 확실하고 광범위한 경우에는 이를 방지하기 위해 각막주변부의 결막을 제거하는 경우도 있습니다. 무엇보다 염료가 각막범위 밖으로 나가는 가장 빈번한 요인은 각막신생혈관을 타고 염료가 흰자로 퍼지는 것이라서 염료주입시에 혈관을 피하는 것도 요령이 될 수 있을 것 같네요.

A. 각막에 염료를 주입할 때 가장 무서운 게 천공일 것 같은데요. 저는 얼마전 old RD로 광각무 환자에서 각막문신을 하다 환자분이 갑자기 기침을 하셔서… 바늘이 각막에 꽂혀 있던 상태라….

Q. Disaster인가요?

A. 전방에 염색약이 들어가긴 했었는데요. 그 다음부터 각막에 바늘이 들어가기 전에 환자분께 한 번 더 절대 움직이지 말라고 이야기합니다.

Q. 천공을 막기 위한 tip과 전방에 염료가 들어갔을 때는 어떤 처치가 필요한지 알려주세요.

A. 천공을 막기 위해서 가장 중요한 것은 눈의 고정입니다. 고정은 보통 toothed forceps를 이용하는데 11시 방향을 잡고 하는 것이 편합니다. 결막만 잡으면 고정이 안 되고 결막이 찢어지면서 조직염색약이 결막하로 퍼질 수 있으므로 테논낭까지 잡아서 고정하는 것이 좋습니다. 혹시라도 각막이 천공되어 전방내로 염료가 주입되었을 경우에는 당황하지 말고, 전방천자를 하고 평형염액으로 씻어내도록 하면 됩니다.

Q. 문신을 하다 보면 혼탁부위가 너무 깊어서 생각보다 색깔이 안 나오는 경우가 있는데요. 이런 경우 어떻게 해결하세요?

A. 혼탁이 앞쪽에 있을 경우 각막실질의 뒤쪽뿐 아니라 앞쪽에도 주입하면 문신의 효과를 높일 수 있습니다. 각막문신술이 완벽한 방법은 아니고 미용적인 개선을 위한 방법이라는 것도 수술 전에 환자에게 충분히 설명하는 것도 중요합니다.

참고문헌

1. Kim C, Han YK, Wee WR, Lee JH, Kwon JW. Cosmetic repair of corneal opacity by tattooing. *J Korean Ophthalmol Soc* 2005 Dec;46(12):1967-1973.

2. Chang KC, Kwon JW, Han YK, Wee WR, Lee JH. The Epidemiology of Cosmetic Treatments for Corneal Opacities in a Korean Population. *Korean J Ophthalmol* 2010 Jun; 24(3):148-154.

3. Tang CK, Ahn HB. The clinical effects of dye-amniotic membrane transplantation. *J Korean Ophthalmol Soc* 2003;44:1741-1747.

4. Kim C, Han YK, Hyon JY, Wee WR, Lee JH, Kwon JW. Cosmetic Repair of Band Keratopathy Using Stained Amniotic Membrane. *J Korean Ophthalmol Soc* 2007 Nov; 48(11):1459-1465.

5. Kim YK, Han YK, Wee WR, Lee JH, Kwon JW. 7 Cases of Combined Corneal Tattooing and Amniotic Membrane Transplantation in Bullous Keratopathy. *J Korean Ophthalmol Soc* 2008 Mar;49(3):503-508.

6. Jo DH, Han YK, Kwon JW. Conjunctival tattooing after evisceration for cosmesis. *Can J Ophthalmol* 2011 Apr; 46(2):204.

7. Ahn SJ, Han YK, Kwon JW. A Case of superficial corneal tattooing for glare after trabeculectomy. *Can J Ophthalmol* 2009 Dec;44(6):e63.

8. Shin KH, Kim KH, Kwon JW. Two Cases of Glare after Iridotomy for Phakic Intraocular Lens Implantation. *J Korean Ophthalmol Soc* 2011 Dec;52(12):1537-1540

결막모반의 치료

13

Key Point

• 결막모반의 치료에는 경과관찰, 수술적 제거, 화학적 박피, 레이저 시술 등이 있음을 숙지하자.

결막모반은 양성 병변으로 대개 비측, 이측, 윤부 근처의 구결막에 위치하는 경우가 많으며, 드물게 결막 원개부, 눈꺼풀판, 혹은 각막에 위치하기도 한다. 시간에 따라서 약 4~10% 정도에서는 색깔 및 크기가 변화할 수도 있다.[1,2] 결막모반에서 악성화되는 증례도 있으므로 경과관찰을 필요로 한다. 또한 호르몬에 의한(임신, 사춘기) 성상의 변화도 가능하다.[3,4]

One Point

결막에 존재하는 색소를 동반한 병변의 악성화를 시사하는 소견은 병변의 크기의 증가, 의심스러운 세극등현미경하 검사소견(혈관화의 변화, feeder vessel의 증가, 색소침착의 변화) 등이 있다.

조직학적으로는 compound, subepithelial, junctional, blue, combined 등이 관찰되고 있다.

1. 경과 관찰(Observation)[5]

대개의 경우는 규칙적으로 관찰해서 변화가 있는지 살펴보는 경우가 많다.

2. 수술적 제거 및 생검(Surgical excision and biopsy)

수술적 제거 및 생검을 하는 경우는 크기와 색깔의 변화로 임상적으로 악성으로 진행하는 미미한 가능성이라도 있다고 생각이 되면 수술적으로 제거해서 조직검사로 확인이 필요하며, 악성화와 상관이 없다 하더라도 만약 미용상 문제가 된다면 수술적으로 제거해 볼 수 있다. 또한 제거 후 재발을 했을 경우도 외과적 절제 및 생검이 필요하다.[1]

수술적 제거 및 생검 시 냉동치료를 함께하는 경우도 있다.[5]

외과적 절제는 상처가 남을 수 있고, 혈관화 등이 주변에 동반될 수 있다는 단점이 있다.

모반의 크기가 커서 광범위한 절제를 했을 경우 모반 조직을 떼어낸 후 노출된 부위에 양막이식 등이 필요할 수 있다.[6] 이때 양막은 직접 봉합하거나 생체조직적합체로 붙여준다(그림 13-1).

시술 방법은 다음과 같다.

첫 번째, 색소가 있는 병변부위에 gentian violet 등으로 표식을 한다.

두 번째, 결막모반, 즉 양성병변의 가능성이 많은 상태에서 시술하는 것이므로 병변에서 약 1 mm 내의 조직을 포함해서 현미경용 미세 가위로 잘라낸다.

세 번째, 남은 결막부위를 흡수봉합사로 직접 봉합하든지(그림 13-2), 생체조직접합제 혹은 전기소작(electrocautery)으로 붙인다. 잘라낸 조직은 조직검사를 나가서 결막모반인지 확진이 필요하다.

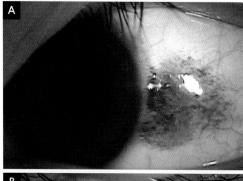
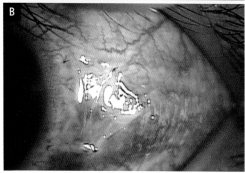

그림 13-1.
A. 수술 전 결막모반의 세극등현미경 사진
B. 결막모반을 외과적으로 절제한 후 노출된 부위에 양막을 덮은 후 봉합한다.

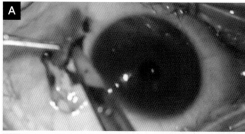
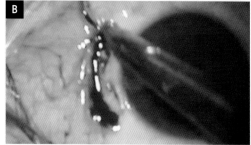
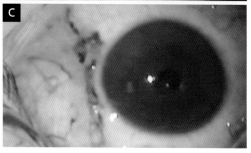

그림 13-2. 결막모반의 수술적 치료
결막모반을 외과적으로 절제한후 노출된 부분이 크지 않은 경우, 결막을 당겨서 직접 봉합해준다.

One Point

만약 조직검사에서(결막모반) 양성이 아닌 소견이 보이면 잘라낸 테두리의 결막을 더 잘라내어 추가 조직검사를 나가야 할 수도 있고, 결막 테두리에 추가적인 냉동치료나 화학치료를 할 수도 있다.

One Point

최근에는 PASCAL 레이저를 이용한 제거도 보고되었다.[10] PASCAL 레이저의 장점은 조사시간을 0.1초 정도로 줄일 수 있어서, 조사시간이 긴 레이저 치료보다 통증이나 thermo-mechanical energy에 의한 합병증을 줄일 수 있다는 점이다(대개, 레이저 조사시간이 0.1초 미만으로 너무 짧으면 병변의 제거에 불충분할 수 있다).

3. 아르곤레이저 광응고술[7-11]

아르곤레이저 광응고 치료는 외과적 절제와 비교해서 빠르고 간단하며, 통증이나 남는 상처 등이 없다는 장점이 있다.

특히 표층에 위치한, 커다란 nevus는 수술적 절제 후 상처가 남기 쉽고, 또한 양막이식 등으로 결막을 덮어 주어야 하는 경우가 있으므로 레이저 광응고 치료가 미용상 유리하다.

1) 시술방법

결막의 nevus의 색깔, 위치, 크기, 낭성변화(cystic change), feeder vessel 등이 있는지 임상적으로 자세한 관찰이 필요하다. 먼저 국소 점안마취를 시행한 후, argon green laser (532 nm)를 이용하여 치료한다.

레이저 빔이 직접 nevus에 초점이 맞게 하고, 겹치지 않도록 하여, 레이저 조사 크기는 100~200 μm, 조사 시간(pulse duration)은 0.1~0.2초, 그리고 도달하는 레이저 에너지는 100 to 300 mW 정도로 맞춘다. popping sound가 들리고 색소가 위축되거나 색이 더 어두워지거나 기포가 생기거나 융기된 모습을 보이면 시술을 끝낸다. 면봉으로 부드럽게 문지르면 벗겨진다. 환자에게는 항생제와 스테로이드 안약을 약 1주일간 투여하도록 한다.

4. 화학적 박피술

최근 국내논문에 소개된 방법이다.[12]

1) 시술방법

국소 마취제를 점안한 후 83% 알코올을 이용하여 면봉으로 표층에 위치한 결막모반을 알코올을 적신 면봉과 마른 면봉으로 번갈아 가며 문질러서 화학적 박피술을 제거한다. 각막부근에 있을 때는 Bard-Parker (No.15 blade) 칼날로 긁어가면서 제거한다. 알코올이 묻은 면봉이 각막에 닿지 않도록 주의한다. 수술 마지막에 생리식염수로 알코올을 깨끗이 씻어내준다. 알코올의 농도가 높을수록 모반의 제거는 잘 될 수 있었으나 가능한 각결막 독성을 고려해서 83% 정도의 농도로 시도했을 때 가장 좋은 결과가 있었다.

현문현답

Q. 의외로 결막에 점을 갖고 있는 환자분들이 많은데 점인 줄 모르는 경우가 많은 것 같아요. 조직검사를 하고 없애는 것이 원칙이나 크기나 색깔의 변화가 없으면 지켜보다가 조직검사 없이 제거해도 될 것 같습니다.

A. 저는 점이 깊지 않으면 의외로 간단한 방법으로 환자의 스트레스를 없애줍니다. 세극등현미경 아래 면봉에 점안마취제를 점 부위에 soaking한 후 마른 면봉을 이용하여 적당한 힘을 가해서 긁습니다. 이렇게 하면 웬만큼 제거가 돼요.

Q. 쉬운 방법이네요. 이게 합병증 같은 것은 없습니까?

A. 너무 강한 힘을 주면 결막하 출혈이 발생하기 쉽습니다. 좀 더 심한 합병증은 환자의 결막이 얇은 경우에 나타나는데요… 결막이 찢어지는 경우도 있으므로 조심해서 시술합니다.

참고문헌

1. Shields CL, Fasiuddin AF, Mashayekhi A, Shields JA. Conjunctival nevi: Clinical features and natural course in 410 consecutive patients. Arch Ophthalmol 2004 Feb;122(2):167-175.

2. Levecq L, De Potter P, Jamart J. Conjunctival nevi clinical features and therapeutic outcomes. Ophthalmology 2010;117:35-40.

3. Al-Jamal RT, Mudhar HS, Currie Z, Rennie IG, Salvi SM. Conjunctival Melanoma during Pregnancy. Ocul Oncol Pathol 2017 Jul;3(2):101-105.

4. Thiagalingam S, Johnson MM, Colby KA, Zembowicz A. Juvenile conjunctival nevus: clinicopathologic analysis of 33 cases. Am J Surg Pathol 2008 Mar;32(3):399-406.

5. Oellers P, Karp CL. Management of Pigmented Conjunctival Lesions. Ocul Surf 2012 Oct;10(4):251-263.

6. Tanaka TS, Demirci H. Cryopreserved Ultra-Thick Human Amniotic Membrane for Conjunctival Surface Reconstruction After Excision of Conjunctival Tumors. Cornea 2016 Apr;35(4):445-450.

7. Kwon JW, Jeoung JW, Kim TI, Lee JH, Wee WR. Argon laser photoablation of conjunctival pigmented nevus. Am J ophthalmol 2006 Feb;141(2):383-386.

8. Shin KH, Hwang JH, Kwon JW. Argon laser photoablation of superficial conjunctival nevus: results of a 3-year study. Am J Ophthalmol 2013 May;155(5):823-828.

9. Alsharif AM, Al-Gehedan SM, Alasbali T, Alkuraya HS, Lotfy NM, Khandekar R. Argon Laser Photoablation for Treating Benign Pigmented Conjunctival Nevi. Middle East Afr J Ophthalmol 2016 Jul-Sep;23(3):247-249.

10. Park YM, Lee JE, Lee JS. Efficacy of Pattern Scan Laser photocoagulation for superficial conjunctival nevi ablation. Laser Med Sci 2016 Jul;31(5):1037-1039.

11. Park JJ, Chung BJ, Seo HD. Treatment of conjunctival nevus with argon laser. J Korean Ophthalmol Soc 2004 Dec;45(12): 1995-1999.

12. Jang WB, Ko SJ, Kim SD. Surgical Outcome of Chemical Peeling of Conjunctival Nevus with Alcohol. J Korean Ophthalmol Soc 2016 May;57(5):705-709.

오타모반
: 공막의 점은 없앨 수 있을까요?

Key
Point

• 오타모반도 제거가 가능하다는 것을 알고 환자에게 설명해주자

1. 서론

공막의 점은 오타모반(Ota nevus)이라고도 불린다. 1939년 Ota씨가 눈의 색소침착과 함께 제5뇌신경 1분지 및 2분지가 분포하는 피부에 발생한 색소성 모반을 보고한 이후 Ota씨의 이름을 따서 오타모반이란 용어가 많이 알려지게 되었다.[1] 오타모반 수술이 우리나라에서 처음 보고된 지 10년이 지났다.[2]

2. 본론

오타모반은 주로 편측의 눈 주위의 피부 및 안구에 청색 혹은 갈색의 색소침착이 나타나는 질환

으로 백인이나 흑인보다는 동양인에서 더 흔하다.[3] 안과적으로 문제가 되는 경우는 드물지만 미용적인 문제가 되는 경우가 많으며, 환자본인에게는 대인관계 기피 등의 심리적 문제를 일으킨다. 특히 외모를 중시하는 사회에서는 남과 다르다는 점이 본인뿐만 아니라 가족에게도 심각한 스트레스를 주기도 한다.[2]

1) 점은 눈(공막)에만 있나?
2010년 안 등이 발표한 "한국인에서의 오타모반의 임상양상"이라는 논문에서, 환자의 50%에서 결막모반이 동반되었다고 하며, 결막 색소침착이 있는 군에서 공막모반의 범위가 더 넓었다고 한다.[4] 결막모반은 세극등검사 시 결막을 움직여 보면 같이 움직이고 위치가 달라 감별 가능하다. 가끔 보면 공막모반(오타모반) 환자의 진료의뢰서에 결막모반이라고 적어 보내주시는 경우가 있는데 결막모반과 공막모반은 위치도, 치료방법도 다르므로 감별할 필요가 있겠다(그림 14-1).

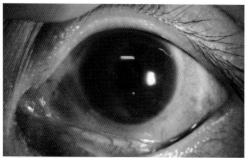
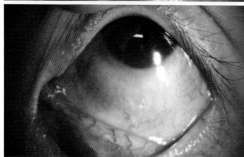
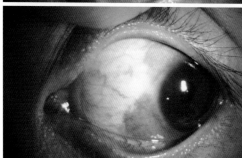
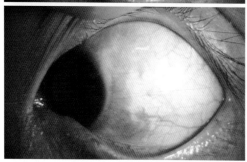

그림 14-1. 공막에 오타모반이 있는 눈의 모습

2) 모두 태어날 때부터 있나? 성별 차이가 있나?

우리나라 환자를 대상으로 한 연구에서[4] 발견 나이는 평균 7개월이고, 24세에 처음 발견했다고 진술한 환자도 있으나 대부분(77%)에서 선천성이라고 답변하였다.

성별로는 여성이 2.5배 많았으며, 남자보다는 외모를 더 중시하는 경향으로 인해 여성 환자가 더 많이 병원에 찾아왔을 가능성도 염두에 두어야 한다.

3) 치료는 어떻게 하나?

(1) 오타모반을 내과적으로 또는 레이저치료로 없애는 방법은 현재까지 개발되지 않았고, 외과적으로 수술한다. 외과적으로는 공막이식술, 공막 점 제거술과 레이저수술 병합, 공막층판분리술(scleral lamellar dissection) 등을 통해 점이 있는 부위만 선택적으로 제거한다.

(2) 마취는 환자가 원할 경우 전신마취도 가능하지만, 대부분에서 부분마취로 시행한다.

(3) 수술부위 결막을 열고 공막색소침착부위를 노출시킨 후(그림 14-2A) 공막이식 또는 공막 점 제거술을 시행 후(그림 14-2B, C) 다시 결막을 덮어준다(그림 14-2D). 이때 결막은 각막에 10-0 nylon으로 봉합해 주고 2주 후 발사한다.

4) 수술방법은 어떤 것들이 있나?
(1) 공막이식술[1,5]

결막을 노출한 후 공막 점이 있는 부위에 기증자의 공막을 얇게 재단하여 이식한다. 공여공막이 필요하고 색이 부자연스럽다는 제한점이 있으나 시술결과가 불만족스러울 경우 이식공막을 제거할 수 있다는 장점도 있다.

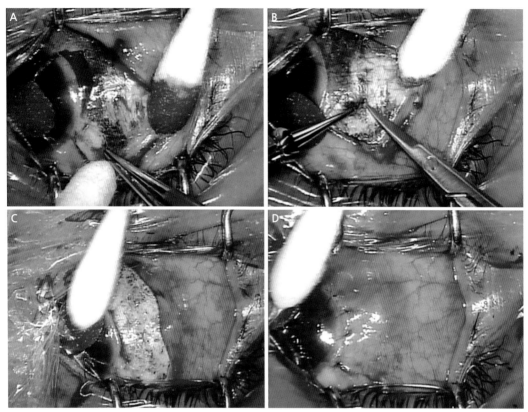

그림 14-2. 오타모반의 수술 과정
A. 결막과 테논낭을 열어 공막의 점을 노출시킨다. B. 공막의 점을 제거한다.
C. 공막의 점을 제거한 후의 사진으로, 깊은 점은 약간 남을 수 있다. D. 결막을 덮고 10-0 nylon으로 봉합한다.

(2) 공막층판절제 후 뒤집어서 다시 붙여주는 방법[3]

점이 있는 부위의 공막을 얇게 층판절제 후 뒤집어서 다시 붙여주면, 점이 있는 부위가 안쪽으로 향하게 되어 색이 옅어진다. 공막색소를 가리거나 제거하는 게 아니고 연해지기 때문에 미용적 효과에 한계가 있다는 제한점이 있다.

(3) 공막점 외과적 제거 및 레이저 제거

오타모반을 Vannas scissors로 제거 후 남은 부분은 레이저를 이용하여 제거하는 방법[6]도 소개되었다.

(4) 공막층판절제술[7]

점이 있는 부위를 선택적으로 층판절제(lamellar dissection) 후 제거한다.

5) 수술 후 생길 수 있는 합병증은?

점의 깊이는 점의 진하기와 상관없기 때문에 점이 너무 깊을 경우 완전제거가 어렵고 점이 남을 수 있다. 잡초의 뿌리를 완전히 제거하지 못하면 잡초가 다시 자랄 수 있는 것처럼, 점이 깊이 있어 완전제거가 안 된 경우 수년이 지나면서 약간의 재발이 있을 수 있다. 그 외 결막과 공막의 수술이기 때문에 결막하출혈, 충혈이 있다.

모든 안수술에서 드물게 생길 수 있는 감염의 가능성도 희박하지만 있다.

6) 수술 후 관리는?

다른 안수술과 크게 다르지 않다. 항생제, 항염증제를 1일 4회 1달간 점안하고 상황에 따라 끊거나 서서히 감량한다.

One Point

- 군날개 수술이나 양막이식처럼 전 세계적으로 많이 발생하는 질환이거나 많이 시행되는 수술이 아니며, 아시아인에게 많은 질환이다.
- 유전관련성은 없다고 되어 있으니, 오타모반 아기를 데리고 오는 환자 보호자들의 마음을 안정시켜 주어야 한다.
- 아직 소아에서의 수술보고는 없다. 만 15세 이후의 환자에게 수술하는 경우가 많다. 소아는 안조직의 특성이 성인과 다르고, 성장기에 있기 때문에 수술을 한다면 가능한 합병증을 잘 설명하고, 수술결정에 신중을 기해야 한다.

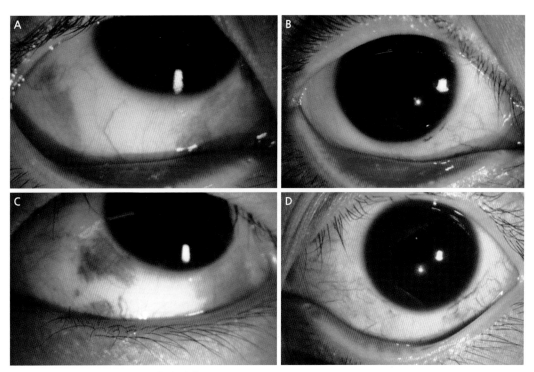

그림 14-3. 오타모반 수술 전 및 수술 후 사진
A. 18세 남자, 수술 전. B. 수술 후 3주
C. 27세 남자, 수술 전. D. 수술 후 3주

현문현답

Q. 공막층판절제술을 하는 것이 만만치 않아서 위험성을 최소화하기 위해 그냥 공막을 노출시키고 blade로 긁는 방법을 해 본 적이 있습니다. 생각보다 효과가 좋더라구요. 간혹 테논낭에도 점이 있는 경우가 있는데 테논낭은 눈 건강에 매우 중요한 조직이므로 제거하지 않고 긁어서 없앨 수 있는 점만 제거합니다.

A. Ota nevus 환자의 수술적 치료에서 가장 중요한 것은 수술 시 욕심을 버리는 일 같습니다. 점이 남더라도 너무 깊은 공막박리는 공막연화증 발생 예방을 위해 피해야 합니다.

Q. 부위가 큰 경우 아무래도 넓은 부위를 손대야 해서 그러다 보면 전안부허혈증후군의 위험이 있을 것 같은데요. 이를 예방할 수 있는 tip을 알려주세요

A. 네. 맞습니다. 전안부허혈증후군을 예방하기 위해 광범위한 절제가 필요한 경우에는 수술을 2~3차례에 걸쳐 일정 간격을 두고 나누어서 시행하는 것이 좋을 것 같습니다.

■ 참고문헌

1. Ota M. Nevus fusco-caeruleus ophthalmo-maaxillaris. Jpn J Dermatol 1939;46:369-372.

2. Cho BJ, Han YK, Kim JH, Wee WR, Lee JH, Kwon JW. Cosmetic repair of nevus of Ota. J Korean Ophthalmol Soc 2006 Jun;47(6):996-999.

3. Yoon JT, Tchah HW. The Surgical Treatment of Nevus of Ota with Ocular Involvement. J Korean Ophthalmol soc 1999;40:281-285.

4. Ahn SJ, Kwon JW, Han YK, Wee WR, Lee JH. Clinical Features of Nevus of Ota in Korean Population. J Korean Ophthalmol soc 2010 Dec;51(12):1579-1583.

5. Cho BJ, Kwon JW, Han YK, Kim JH, Wee WR, Lee JH. Cosmetic Improvement of Nevus of Ota by Scleral Allograft Overlay. Can J Ophthalmol 2011 Oct;46(5):428-430.

6. Park JH, Kim JY, Kim MJ, Tchah H. Efficacy and Safety of combination treatment for oculodermal melanocytosis: Surgical reduction and use of 532-nm Q-switched Nd:YAG laser Cornea 2014 Aug;33(8):832-837.

7. Jung S, Kwon T, Zhang CC, Chuck RS, Kwon JW. A Novel Surgical Approach for Oculodermal Melanocytosis: Superficial Sclerectomy. Eye Contact lens 2017 Jul;43(4):253-256.

결막이완증의 수술적 치료

15

→Key
 Point

• 결막이완증의 조직학적 특성과 다양한 수술적 치료 방법을 알아보자.

결막이완증(Conjunctiovochalasis, Cch)은 다양한 형태의 증상이 나타날 수 있어서 많은 경우에서 간과될 수 있는 질환이다(그림 15-1). 즉 불편감, 통증, 반복된 결막하출혈 이외에도 "뭔가 매달린(?) 것 같다", "뭔가 찍찍하게(?) 걸리적거린다" 등 금방 쉽게 알아듣기 힘든 여러 증상을 호소하는 경우도 많다. 물론 위의 표현들은 Cch가 치료된 다음에는 한결 편해지는 경우가 많다. 60세 이상의 44%에서 Cch가 관찰되고, Cch 환자의 98%는 60세 이상임을 보면 분명 나이 들면서 결막에 생기는 일종의 elastotic degeneration이라 할 수 있는데[1,2] 이런 경우 결막충혈 뿐 아니라 표면 염증과 각질화 등이 동반될 수 있으며, 여러 형태의 만성적인 난치성 질환으로 발전되기도 한다.

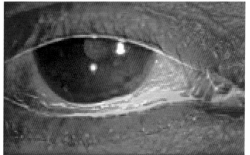

그림 15-1. **결막이완증**

형태적 분류는 다양하게 보고되나, 간단하게는 눈물띠(tear meniscus)의 크기에 비해 이완된 결막이 같거나 크고, 아래로 보거나 손으로 아래 눈꺼풀을 누를 때 정도가 심해지면 중등도 이상으로 보면 된다.

치료 시기의 결정은 개개인에 따라 조금씩 다를 수 있으나, 이측보다 비측에 생기는 경우가 증상도 심하고 치료 효과도 좋아 조기에 치료를 요하는 경우가 많다.[3]

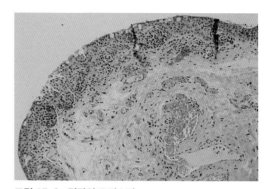

그림 15-2. 결막의 조직소견
결막은 상피하 기질은 lymphatic channels, capillaries 등을 포함하는 느슨한 조직으로, endothelial cell junction이 단단하지 않아 자극 혹은 염증반응에 관외 유출(extravasation)이 쉽게 일어난다.

One Point

결막이완증과 비슷한 병태생리를 보이는 질환군은?
- Lymphagiectasia
- Superior limbic keratoconjunctivitis (SLK)
- Blepharoplasty 이후에 생긴 acute/chronic chemosis

조직학적으로는 microscopic lymphangiectasis와 elastic fiber들의 fragmentation, 만성적으로 오래 지속된 lymphatic flow의 obstruction 그리고 여러 염증인자들의 발현 등이 관찰될 수 있다.[4]

---

1. 결막의 조직학

결막은 안구와 검판에 보호막으로 부착되어 있는 조직으로 교과서에는 'loosely adherent', 그리고 동시에 'potential space for expansion'이라고도 설명되어 있다. 그 이유는 결막의 해부학에서 쉽게 유추할 수 있듯이 결막이완증은 대개 deeper fibrous layer의 유착이상이 원인 중 하나이기도 하다. 이 두 가지 설명이 결막이완증과 유사한 질환들에서 가장 중요한 physiology가 된다(그림 15-2).

1) Epithelial layer

2) Submucosal substantia propria
- Superficial adenoid layer: lymphoid tissue (layer 특성상 0.5~2.0 mm의 avascular follicle이 생긴다)
- Deeper fibrous layer: connective tissue (아래의 tarsus, 혹은 안구에 비교적 단단히 접촉되고, 중심 혈관 조직을 가진 papillae가 생기는 부위이다.)(그림 15-2)

2. 결막이완증의 수술적 치료

약물에 반응을 하지 않은 결막이완증 환자에서는 수술을 고려한다. 수술의 목적은 구결막을 재건함으로써 결막표면을 편평하고 부드럽게 만들고 눈물막 기능을 회복시키며 이완된 결막으로 인한 기계적 자극을 줄이는 데 있다. 수술 결과는 이완된 결막의 위치와 중증도의 영향을 크게 받기 때문에 만족할 만한 확실한 방법은 아직 없다. 다양한 수술방법이 시도되고 있는 가운데 결막 cauterization, 결막절제법, 그리고 scleral fixation 이 대표적이다.

1) Conjunctival cauterization(결막소작술)

Cauterization은 약물에 반응하지 않은 결막이완 증 환자에서 간단하게 시행할 수 있는 방법이다. Cauterization을 함으로써 conjunctival coagulation, shrinkage, underlying episclera와 adhesion을 꾀한다.[5-8] 기본적인 시술 방법은 점안 마취나 리도카인을 결막하 주사 후 윤부에서 3–5 mm 아래에 이완된 결막을 coagulation forceps을 이용하여 cauterization을 한다. 변형 된 다양한 방법이 보고되었는데 bipolar electri

그림 15-3. conjunctival cauterization
Limbus에서 4 mm 아래에 cauterization 한다.

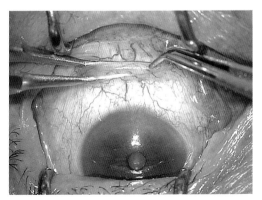

그림 15-4. conjunctival cauterization
inferior fornix 부위에 conjuctiva fold를 forceps로 잡고 cauterization 한다.

cal cautery를 아래쪽 구결막에 10~20개의 superficial burn을 입히는 방법(그림 15-3), 아래쪽 윤부에서 5 mm 아래로 이완된 결막을 curved tying forceps로 잡고 low temperature handled fine-tip thermocautery를 이용하여 lateral canthus에서 medial canthus까지 한 line으로 cautery 하는 방법(그림 15-4) 등 다양하다.

- 장점: 짧은 수술 시간과 회복 시간 그리고 봉합 사와 관련된 합병증이 없다. 정상적인 결막을 제거하는 시술이 아니며 scar formation이나 안구 운동 장애가 없다.
- 단점: 시술방법, cautery의 energy 및 시간에 따라 재발률의 보고가 매우 다양하다. 반복적 인 시술이 필요할 수 있다.

2) Conjunctival resection(결막절제술)

결막이완증 치료에 결막절제술은 1921년에 Braunschweig 등에 의해 처음으로 보고되었다.[9] 수술은 윤부에서 5 mm 아래쪽에 crescent shaped으로 결막 절제(25 mm×5~10 mm)를 하고 흡수성 봉합사로 봉합을 했다고 한다. 이를 바탕으로 다양한 수술 방법이 고안되어 보고되고 있다.[10-13] 기본적인 수술 방법은 그림과 같이 이 완된 결막의 범위를 잘라내고 end-to-end 봉합 하는 방법이다(그림 15-5). 주로 노출되지 않는 하 안검에 가려지는 아래측 구결막을 절제하고, 아 래측 공막에도 단속적으로 고정하여 봉합하여, 결막과 공막의 안정적 고정을 도모한다. 결막을 봉합하지 않을 경우 노출된 공막에 양막을 사용 하는 방법도 보고되고 있다.[14] 결막 절제 후 봉합 을 하는 경우 생길 수 있는 합병증(이물감, 염증, giant papillary conjunctivitis 등)을 피하기 위해 봉합 대신 조직접착제의 사용이 보고되었다.[15-16] 한편 Doss 등은 단순 결막 절제의 변형으로 Paste-Pinch-Cut (PPC) conjunctivoplasty를 보고하였는데 윤부 아래에 fibrin glue를 먼저 결막하에 주사하고 이완된 결막을 curved ptosis forceps으로 잡고 20초 후 glue가 polymerization된 후에 excess conjunctiva를 절제하는 방법이다.[17]

- 장점: 이완된 결막의 위치에 상관없이 절제가 가능하다. 특히 fornix-dehiscence를 동반한 치료에 효과적이다.
- 단점: 증상 호전을 위해 얼마나 결막을 절제해야 하는지는 판단하기 어렵다. 과교정은 하측 결막구석 손상(compromised inferior fornix), 하안검 반흔성 내반증, 안구운동 장애를 일으킬 수 있다. 봉합하는 경우 봉합사와 관련된 합병증이 생길 수 있다. 수술 시간 및 회복시간이 길다.

3) Scleral fixation of conjunctiva(결막공막고정)

하측 결막이완증 환자에서 단독 혹은 결막 절제술과 같이 시행한다. 이완된 결막을 윤부에서 8 mm 아래에 8-0 Vicryl를 이용하여 3-4군데 sclera에 fixation 한다. 원리는 Vicryl에 의한 focal inflammation을 유발시켜 결막이 공막에 유착되도록 한다(그림 15-6).[18]

- 장점: 결막에 절제를 하지 않기 때문에 fornix shortening이나 안구 운동 장애는 일어나지 않는다.
- 단점: 8-0 vicry 봉합사와 관련된 합병증으로 이물감, 염증 등이 생길 수 있다.

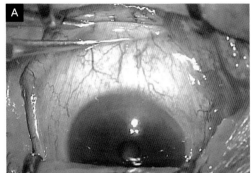
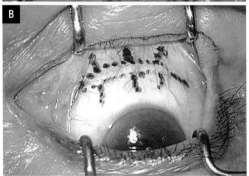
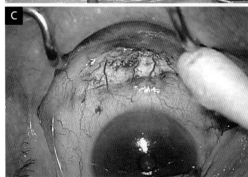
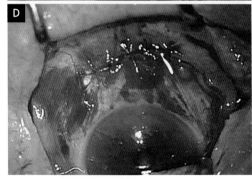

그림 15-5. conjunctival resection
A, B. 이완된 결막을 확인 후 Gentian violet을 이용하여 절제할 결막과 vicryl로 suture할 위치를 marking한다.
C, D. marking한 결막 부위를 scissor를 이용하여 절제한 후 8-0 vicryl로 suture를 시행한다.

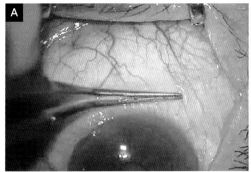

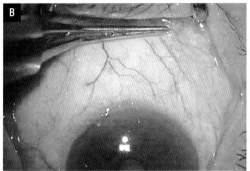

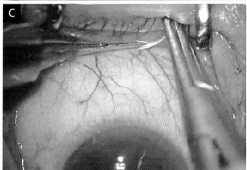

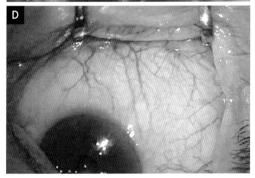

그림 15-6. **scleral fixation of conjunctiva**

A. 이완된 결막을 angulated forceps (Mcpherson)를 이용하여 결막 구석(conjunctival fornix) 쪽으로 밀어준다.

B. 하부 결막을 편평하게 해준다.

C, D. 윤부에서 8 mm 아래에 8-0 Vicryl을 이용하여 3~4군데 결막과 테논낭을 공막에 고정한다.

4) Laser conjunctivoplasty

Argon laser conjunctivoplasty로 쉽고 빠르게 결막이완증 환자를 치료할 수 있다. 윤부에서 2 mm 하방에 레이저를 조사하여 윤부 손상없이 결막 coagulation과 shrinkage를 일으켜 이완된 결막을 치료한다. Laser setting은 보고자마다 다양하다.[19-20] 비측 결막이완증으로 눈물 흘림을 호소하는 환자에서 400~450 mW power, 0.1s pulse, spot size 200 μm의 setting으로 argon laser conjunctivoplasty의 효과가 보고되었고(그림 15-7A) Grade가 다른 결막이완증 환자에서 600~1200 mW power, 0.5s pulse, spot size 500 μm의 setting 하에 argon green laser conjunctivoplasty를 시행하여 임상증상의 호전을 보고하였다(그림 15-7B).

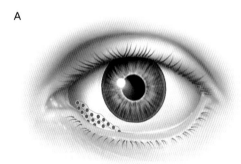

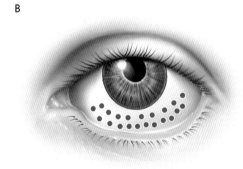

그림 15-7. **laser conjunctivoplasty**

A. nasal conjunctivochalasis의 laser 치료

B. 전반적인 inferior conjunctivochalasis의 laser 치료

- 장점: 결막에 절제를 하지 않기 때문에 절제와 관련된 합병증이 없다.
- 단점: 결막부종, 충혈, 결막하출혈 등이 생길 수 있다.

5) Radiowave electro-surgery

고주파를 이용하여 70~80℃ 정도의 열로 결막과 테논의 열수축 화상을 입힘으로써 결막 단면

적의 감소와 아래측 조직과의 유착을 강화하여 원하는 부위의 결막을 치료할 수 있다.

- 장점: 회복이 빠르고 inter-palpebral fissure 사이의 결막의 치료에도 가능하다.
- 단점: 광범위한 이완증에 제한적으로 시술되며, 기구 의존적이다.

One Point

결막의 lymphatics에 대한 이해가 중요! (과욕은 금물)

Conjuctivochalasis와 비슷한 lymphangiectasis, SLK, blepharopalsty 후 생긴 chemosis 등에서 수술 시 경과나 예후가 다를 수 있기 때문에 수술 전에 환자와 치료 계획을 상의하고 설명하는 것이 중요하다. 또한 lymphatics의 흐름을 생각하면 한 번에 너무 많은 과도한 결막의 처치는 outflow를 더욱 악화시켜 병변 이외 부종의 확장을 초래하는 경우도 종종 있다.

- 안구 표면 주변의 Lymphatics의 흐름
  (그림 15-8)
  Lateral ½ of the conjunctiva
  → Preauricular node
  Medial ½ of the conjunctiva
  → Submandibular node

- 하안검 수술 시 fornix 근처에서 광범위하게 절개를 하고 lid tension이 증가한 경우에는 regional lymph node의 'stasis'를 초래하고 그림 15-9와 같이 원치 않는 chronic chemosis를 동반하는 경우를 종종 볼 수 있다.[4]

- 나이든 환자에서 결막이완증 수술 후 비교적 오랜 기간 동안 결막부종이 회복되지 않는 것은 아래쪽으로 흘러야 할 lymphatic drainage가 광범위하게 손상이 되어 이차적으로 주변 조직의 부종, 건조(desiccation)가 생기기 때문인 경우가 많다.

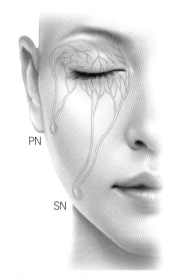

그림 15-8. 눈 주위의 lymphatic flow

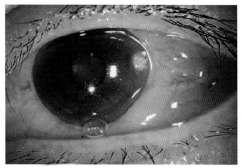

그림 15-9. Blepharoplasty 이후 생긴 chronic chemosis로 dellen을 동반하고 있다.

One Point

High-Frequency Radiowave Electrosurgery (HFRE : Choi's procedure)

4 MHz 전후의 고주파 에너지는 주변 조직으로의 'heat dispersion'을 최소화하는 장점을 가지며, 그 자체가 80℃ 전후의 비교적 낮은 단계의 열만을 발생시키게 된다. 그러므로 일반적인 CO₂ laser 혹은 cautery 등의 가열치료에 비해 electrosurgery는 5배 이하(피부기준)의 열전도를 보이는 특징을 가지고 있어 결막이완증 수술에 응용하여 소개하였다.

- 탐침으로부터 주변 조직의 열화상을 최소화하는 것이 도움이 된다. 적당한 결막하 수축과 하부조직과의 유착을 치료의 목표로 정하여야 한다.
- 고주파 RF가 주변조직으로의 열전도가 최소화되기 때문에 회복에 있어서 보다 효과적이다.
- 고령의 만성 환자에서 한번에 너무 광범위하게 치료하기보다는 추가적 치료를 계획하여 환자의 조직 회복 특성을 먼저 파악하여 단계적으로 접근하는 것이 도움이 될 수 있다.
- 결국 회복도 국소적으로 발생된 부종이 lymphatic drainage를 통해야하므로 너무 인접하고 촘촘한 치료는 회복을 더디게 할 수 있다.

SLK, lymphangiectasis와 chronic chemosis에서의 HFRE

- **Lymphangiectasis**

  병변의 아래로 흐르는 lymphatics의 inflow / outflow가 병인의 관건이다. 즉, 병변의 크기보다 조금 더 크게 주변까지 결막하 유착을 유도할 수 있는 범위의 치료가 필수이며, 수술 직후 젖은 거즈로 압박하는 것이 유착에 도움이 된다.

- **SLK**(그림 15-10)

  SLK는 상측에 생긴 결막이완증으로도 생각되고, 절제술 및 silver nitrate 등 여러 가지의 치료방법이 있으나 limbus로부터 5 mm가량 떨어진 부위에서 HFRE만 시행하여도 호전을 보이는 경우도 많다. 즉, 염증이 많은 부위의 불필요한 자극을 최소화하므로 환자의 불편감을 최소화하고 빠른 경과를 보일 수 있다.

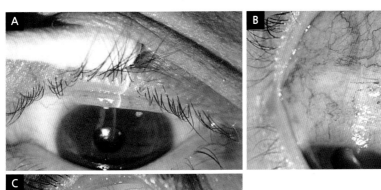
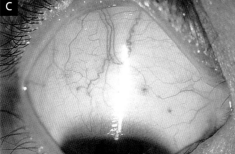

그림 15-10. HFRE를 이용한 SLK치료
A. SLK 수술 전
B. SLK 수술 직후
C. SLK 수술 1달 후

One Point

• Blepharoplasty 이후에 생긴 acute/chronic chemosis(그림 15-11)

HFRE를 이용한 결막 치료 중 가장 challenging한 적응증이라 할 수 있다. 그 이유는 노출되는 결막에도 치료를 해야 하기 때문이다. 다른 적응증에서 조금 경험이 쌓이고 결막의 표면 손상을 최소화하고, 추가적인 lymphatic flow의 손상 또한 최소화할 수 있어야 만족할 만한 결과를 가질 수 있다. 이전 수술로 환자가 치료 경과에 예민한 경우가 많으므로 특히 수술 전에 충분히 상의하여야 한다.

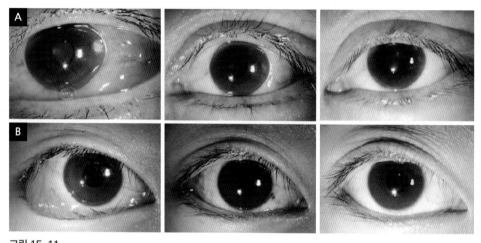

그림 15-11.
A. 51세 여자 환자에서 blepharoplasty 후 생긴 6개월 간의 만성 결막부종과 HFRE 치료 후
B. 23세 여자 환자에서 lower blepharoplasty 수술과 뒤트임 수술 후 6주간 지속된 결막부종과 HFRE 치료 후

현문현답

Q. 연세가 좀 있으신 분들에서 이물감을 호소할 때 이것이 안구건조증 때문인지 결막이완증 때문인지 판단이 잘 안 서는 경우가 많은데요.. 어떻게 확신을 갖고 치료를 해야 하나요?

A. 네. 좀 어려운 질문인데요. 우선 결막이완증이 왜 증상을 일으키는지 생각을 해봐야 할 것 같습니다. 결막이완증이 안구표면에 미치는 영향은 크게 두 가지로 설명될 수 있습니다. 첫 번째는 이완된 결막이 blinking 시 안검연과 각막에 마찰을 일으키는 mechanical effect이고 또 한 가지는 비정상적인 tear meniscus로 인한 눈물기능부전(tear dysfunction)입니다. 이 두 가지만 이해하면 결막이완증의 증상이나 소견을 이해하기 쉽고 수술을 할 것인지 결정에 도움이 됩니다.

Q. 결막이완증의 수술 방법이 많이 보고되고 있는데 수술의 결정에 도움이 되는 소견이 있나요?

A. 진단 시 중요한 소견은 fluorescein staining입니다. 염색을 해보면 결막이완증으로 인해 안 보이던 결막의 주름도 보입니다. 이러한 주름이 환자의 증상과 관계기 있는지 판단을 해야겠죠.

A. 저같은 경우는 눈을 꽉 감게 합니다. Forced blinking을 하여 만약 이완된 결막이 lower lid margin 위로 노출된다면 이물감의 원인이라고 판단합니다.

A. 이완된 결막도 중요하지만 inferior fornix가 정상인지도 중요합니다. 환자가 상방 주시할 때 만일 inferior fornix의 깊이감이 없이 위로 올라온다면 fornix reconstruction이 필요합니다(그림 15-12).

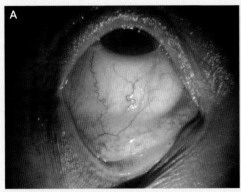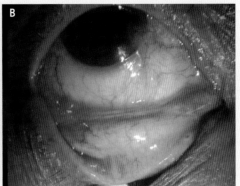

그림 15-12. fornix reconstruction 전(A), 후(B)

Q. reconstrucion이라 함은…

A. 최대한 환자를 상방주시 시킨 상태에서 inferior conjunctiva를 아래로 밀고 episclera에 고정시킵니다. 일반적으로 정상 lower fornix depth는 limbus 에서 8 mm에 해당합니다. 만일 이보다 더 깊게 suture를 하면 lower gaze restriction이 생길 수 있으므로 조심해야 합니다. 결막절제술이나 공막 고정 시 고려해야 할 것은 lower fornix의 정상 anatomy를 유지하고 있는지 확인해야 합니다. 만일 fornix 형성이 제대로 되어 있지 않은 경우 fornix reconstruction을 해야 좋은 수술 결과를 얻을 수 있습니다.

Q. 수술 중 발생되는 출혈이 생기면 술자를 당황하게 할 수 있는데 이런 경우는 어떻게 해야 하나요?

A. 우선 출혈의 위험성이 예측되거나 이를 피하기 위해서는 혈관수축 작용의 안약을 수술 전에 미리 사용하는 것도 도움이 될 수 있으며, 일단 출혈이 생긴 경우에도 조심스럽게 압박을 가하며 술기를 지속하면, 수술 후에 의외로 빠른 출혈의 회복과 술기의 목적이 달성됨을 볼 수 있습니다. 고령의 결막이완증 환자에서는 결막 아래 조직이 느슨하여 출혈이 단번에 넓게 퍼지기도 하지만, 회복 시에도 밖으로 쉽게 흘러나오기도 합니다.

Q. 표면에 직접 열을 가하는 방식으로 표면 결막을 수축시키는 방법도 간단히 해볼 수 있는데 도움이 될까요?

A. 필자의 경험에 따르면 Argon-laser 혹은 cautery 등의 여러 가지의 에너지로 표면에서 만든 화상은 회복의 지연과 상처 혹은 환자에게 불편감을 초래하는 경우를 볼 수 있었습니다. 또한 일시적 표면적의 감소는 기대할 수 있으나, 주 목적인 하부 조직과의 유착을 기대할 수 없어 저교정 및 재발을 흔히 경험할 수 있습니다.

■ 참고문헌

1. Zhang X, Li Q, Zou H, Peng J, Shi C, Zhou H, Zhang G, Xiang M, Li Y. Assessing the severity of conjunctivochalasis in a senile population: a community-based epidemiology study in Shanghai, China. *BMC Public Health* 2011 Mar 31;11:198.

2. Mimura T, Yamagami S, Usui T, Funatsu H, Mimura Y, Noma H, Honda N, Amano S. Changes of conjunctivochalasis with age in a hospital-based study. *Am J Ophthalmol* 2009 Jan;147(1):171-177.

3. Priyanka C, Abigail A, Allison L. McClellan et al. The impact of conjunctivochalasis on dry eye symptoms and signs. *Invest Ophthalmol Vis Sci* 2015 May; 56(5): 2867 – 2871.

4. Watanabe A, Yokoi N, Kinoshita S, Hino Y, Tsuchihashi Y. Clinicopathologic study of conjunctivochalasis. *Cornea* 2004 Apr;23(3):294-298.

5. Haefliger IO, Vysniauskiene I, Figueiredo AR, Piffaretti JM. Superficial conjunctiva cauterization to reduce moderate conjunctivochalasis. *Klin Monbl Augenheilkd.* 2007 Apr;224(4):237-9.

6. Gumus K, Crockett CH, Pflugfelder SC. Anterior segment optical coherence tomography: a diagnostic instrument for conjunctivochalasis. *Am J Ophthalmol.* 2010 Dec;150(6): 798-806. doi: 10.1016/j.ajo.2010.06.014. 7.

7. Kashima T, Akiyama H, Miura F, Kishi S. Improved subjective symptoms of conjunctivochalasis using bipolar diathermy method for conjunctival shrinkage *Clin Ophthalmol.* 2011;5:1391-6. doi: 10.2147/OPTH.S24475. Epub 2011 Sep 23.

8. Nakasato S, Uemoto R, Mizuki N. Thermocautery for inferior conjunctivochalasis. *Cornea.* 2012 May;31(5):514-9. doi: 10.1097/ICO.0b013e3181dc81d2.

9. Braunschweig P. [On the development of pleats of the bulbar conjunctiva]. *Klin Monatsbl Augenheilkd.* 1921;66: 123 – 4.

10. Jordan DR, Pelletier CR. Conjunctivochalasis. *Can J Anaesth.* 1996;31:192 – 3.

11. Pinkerton OD. Bulbar conjunctivo-chalasis. *Arch Ophthalmol.* 1972;88:532

12. Serrano F, Mora LM. Conjunctivochalasis: a surgical technique. *Ophthalmic Surg.* 1989;20:883 – 4

13. Yokoi N, Komuro A, Sugita J, et al. Surgical reconstruction of the tear meniscus at the lower lid margin for treatment of conjunctivochalasis. *Adv Exp Med Biol.* 2002;506:1263 – 8

14. Georgiadis NS, Terzidou CD. Epiphora caused by conjunctivochalasis: treatment with transplantation of preserved human amniotic membrane. *Cornea.* 2001;20:619 – 21

15. Brodbaker E, Bahar I, Slomovic AR. Novel use of fibrin glue in the treatment of conjunctivochalasis. *Cornea.* 2008; 27:950 – 2.

16. Acera A, Vecino E, Duran JA. Tear MMP-9 levels as a marker of ocular surface inflammation in conjunctivochalasis. *Invest Ophthalmol Vis Sci.* 2013 Dec 23;54(13):8285-91. doi: 10.1167/iovs.13-12235.

17. Doss LR, Doss EL, Doss RP. Paste-pinch-cut conjunctivoplasty: subconjunctival fibrin sealant injection in the repair of conjunctivochalasis. *Cornea.* 2012;31:959 – 62 doi: 10.1097/ICO.0b013e3182400100.

18. Otaka I, Kyu N. A new surgical technique for management of conjunctivochalasis. *Am J Ophthalmol.* 2000;129:385 – 7.

19. Shin KH, Hwang JH, Kwon JW. New approach for conjunctivochalasis with argon laser photocoagulation. *Can J Ophthalmol.* 2012;47:380-2. doi:10.1016/j.jcjo.2012.03.035. Epub 2012 Jun 5.

20. Yang HS, Choi S. New approach for conjunctivochalasis using an argon green laser. *Cornea.* 2013;32:574-8. doi: 10.1097/ICO.0b013e318255eaaa

21. Kashima T1, Akiyama H, Miura F, Kishi S Improved subjective symptoms of conjunctivochalasis using bipolar diathermy method for conjunctival shrinkage. *Clin Ophthalmol.* 2011;5:1391-6.

22. Arenas E, Muñoz D A New Surgical Approach for the Treatment of Conjunctivochalasis: Reduction of the Conjunctival Fold with Bipolar Electrocautery Forceps.ScientificWorldJournal. 2016:6589751

23. Otaka I, Kyu N. A New Surgical Technique for Management of Conjunctivochalasis Am J Ophthalmol 2000;129: 385 – 387.

재발성 각막미란

: 저번에 재발한 재발성 각막미란
  이제 제발 재발금지

Key Point

• 환자를 진료할 때에는 각막이 정상처럼 보일 수 있다. 병력과 특징적인 증상을 잘 파악하자!
• 단계적인 치료와 더불어 먹는 약이 도움이 될 수 있다는 사실도 잊지 말자

1. 서론

재발성 각막미란은 흔한 질환이다. 다수의 환자에서 외상력과 이에 따른 각막 재상피화에 문제가 있는 경우를 볼 수 있다. 때로는 상피기저막이상증(epithelial basement membrane dystrophy)에서 상피 결손과 함께 재발성 각막미란을 보이는 경우도 있다. 병의 양상은 비교적 전형적이지만 이름에서도 알 수 있듯이 자꾸 재발하여 환자와 의사를 곤란하게 하는 경우가 많다. 환자는 자꾸만 재발하는 통증과 시력저하로 상심하고 의사는 의사대로 완치가 안 되는 것 때문에 상심한다. 한동안 안 보이던 재발성 각막미란 환자를 대기환자 리스트에서 발견하게 되면 가슴이 두근거린다.

2. 진단

특징적인 증상은 반복하여 발생하는 눈의 통증 및 눈물흘림이다. 주로 새벽에 눈이 아파서 깬다고 호소하는 경우가 많다. 각막을 형광염색하여 관찰하면 각막상피가 벗겨진 부분이 염색되어 상피 결손을 보이기도 하지만, 상피결손은 없이 완전히 덮인 채로 들떠 있으면 음성형광염색소견(negative stain)으로 보인다(그림 16-1). 들떠 있는 상피는 면봉으로 살짝 밀면 접히듯이 밀리는 형태가 확인되기도 한다(그림 16-2). 때로는 아예 정상처럼 보이는 경우도 더러 있고 병이 여러 번 반복되는 경우 의심되는 부위에서 회색상피 병변이 관찰되기도 한다.

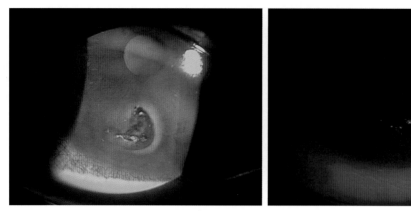

그림 16-1. 각막이 들떠서 나타나는 음성형광염색소견(negative stain)

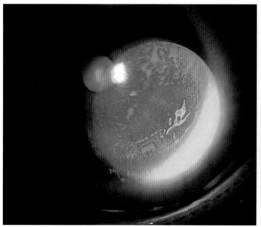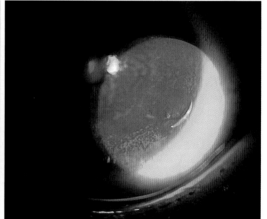

그림 16-2. 들뜬 각막상피가 면봉에 밀려서 모양이 바뀐 소견

기상 시 통증을 동반하는지를 묻고 각막을 면밀히 관찰해서 일반적인 건성안에 의한 각막통증과 감별하여 진단하는 노력이 필요하다.

3. 치료

병이 쉽게 재발하는 경향을 보여서 여러 가지 치료방침이 시도된다. 내과적/외과적 치료빙법을 동원하여 환자별로 증상에 따라 개별화된 치료를 시도해야 한다.

1) 내과적 치료

(1) 윤활

건성안이 동반되어 있는 경우 검결막과 각막상피가 유착되어 병이 재발하도록 유도될 수 있다. 따라서 일차적으로는 일회용 눈물약을 자주 점안하고 수면 시에서는 윤활용 연고를 점안하도록 한다. 만성적인 환자의 경우 고삼투압제제인 5% NaCl (Muro 128, Bausch & Lomb)을 자기 전에 사용하도록 한다. 고삼투압 제제는 불규칙한 각막상피의 부종을 감소시켜주는 데에 도움이 된다.

(2) 항생제 및 진통제

급성기 환자이고 상피결손이 동반되어 있으면 항생제 연고 등을 사용하여 감염을 예방한다. 통증 관리를 위해 경구용 비스테로이드성 소염제를 사용한다. 필요에 따라 만성환자에서도 처방한다.

(3) 눈물점마개

만성적인 건성안을 동반한 재발성 각막미란 환자에서는 인공누액만으로는 윤활이 부족할 수 있다. 이때 눈물점마개를 사용하여 안구표면에 눈물을 유지해주면 상피회복을 돕고 재발도 예방할 수 있다.

(4) 치료용 콘택트렌즈

윤활만으로 부족하거나 상피미란이 큰 경우에는 치료용 소프트콘택트렌즈를 사용하도록 한다. 예방적 항생제를 점안하면서 2~8주간 교체하며 착용시킨다. 특히, 마이봄샘 기능장애나 안주사(ocular rosacea)가 동반되지 않은 환자에서 콘택트렌즈 착용이 도움이 될 수 있다.

(5) 복합치료

마이봄샘 기능장애나 안주사가 동반된 환자인 경우에는 인공누액, 경구 테트라사이클린, 스테로이드 점안의 복합치료를 시도한다. 후향적 연구에서 50 mg 독시사이클린(doxycycline)을 하루 2번 복용하고 1% 메틸프레드니솔론(methyl-prednisolone)을 2회 이상 점안하도록 하였다. 3주 이상 치료했을 때 통증, 시력, 재발방지 등에서 약 2년간 개선효과를 보였다. 독시사이클린과 메틸프레드니솔론은 모두 금속단백분해효소 matrix metalloproteinase-9 (MMP-9)을 억제하기 때문일 것이다.[1] MMP-9은 각막상피 바닥막의 단백질을 쪼갠다고 알려져 있다. 낮에 인공누액을 자주 점안하도록 하고 자기 전에는 고삼투압제제를 점안하도록 한다.

2) 외과적 치료

이상의 내과적인 방법으로 치료에 실패할 때에는 외과적인 방법을 고려한다. 보통 초기치료로 바로 외과적 치료를 시도하지는 않는다.

(1) 앞기질천자(anterior stromal puncture)

외래에서 세극등현미경하에서 비교적 간단하게 시행할 수 있다. 병변이 시축을 벗어난 경우에 시도한다. 25~27G의 바늘을 구부려서 각막상피, 보우만층, 전방기질에 다수의 천자를 실시한다. 미세천자는 섬유성 반응과 바닥막이 빠르게 생산되도록 해서 각막상피를 고정시키는 역할을 한다. 하지만, 흉터, 빛번짐, 재발 등이 발생할 수 있는 단점이 있다(그림 16-3).[2]

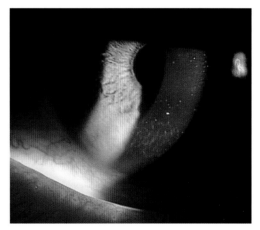

그림 16-3. 앞기질천자를 시행하고 생긴 흉터

One Point

- 앞기질천자 시행 전에 플루오레신 염색을 시행하면 천자가 시행된 지점을 알아보기 쉽다. 천자가 시행된 상피 주변에 작은 공기방울이 확인되기도 한다.
- 앞기질천자를 각막미란이 일어난 부위 전체에 시행하고 주변 정상으로 보이는 경계 부분도 1~2 mm 포함하는 영역에 시행한다.

(2) 데브리망과 표층각막절제술(debridement and superficial keratectomy)

병변이 시축에 걸쳐 있는 경우에는 15번 메스 혹은 다이아몬드 갈개(diamond burr)를 이용하여 데브리망과 표층각막절제술을 시행한다. 점안 마취 후, 멸균 집게나 안과 스폰지를 이용하여 느슨한 각막상피를 제거한다. 주변 각막상피도 제거한 후 재상피화를 위한 상피 가장자리를 남겨둔다. 각막절제술의 깊이는 보우만층까지 이르러야 한다. 시술 후에는 상피화가 완료될 때까지 치료

용 콘택트렌즈를 착용하고 점안항생제를 사용하도록 한다.

(3) 치료레이저각막절제(phototherapeutic keratectomy, PTK)

모든 치료시도가 실패한 경우에 고려한다. 각막상피를 기계적으로 제거한 뒤 PTK를 통해 5~10 μm의 보우만 층을 절제한다. PTK 후에는 표층각막절제술처럼 각막상피는 바닥막에 더 강하게 부착하면 재상피화된다. 시술 후에는 치료용 콘택트렌즈를 착용하고 점안 항생제와 점안 스테로이드를 사용하도록 한다. PTK를 사용하여 재발성각막미란을 치료한 76안에 대한 후향적 연구에서 재발률은 11%였다.[3]

증상이 개선되거나 해소되면 재발 방지를 위해서 예방적으로 윤활 치료를 한다. 증상이 재발하면 경구 독시사이클린과 점안 스테로이드를 하루 2번씩 점안하는 치료를 시작한다.

현문현답

Q. 혹시 '바늘로 각막을 찌르다가 천공되지는 않을까?' 걱정해본 적 없으세요?

A. 설마 뚫릴까라고 생각하면서도 혹시나하고 생각해본 적이 있어요. 하지만, 바늘 bevel 부위에서 꺾어서 천자하면 주변부 각막에서 각막천공이 생길 가능성은 거의 없을 것 같아요.

Q. 왜죠?

A. 외래에서 주로 사용하는 1 cc 주사기에 붙어있는 바늘은 25G인데요. 25G 바늘의 외경은 약 0.51 mm에요. Bevel angle이 종류에 따라 다를 수 있지만 우리 병원에서 사용하는 신창메디칼제품은 21.5°에요. tangent 21.5°=(0.51 (OD))/L=0.394이니까 bevel length 는 약 1.29 mm이겠죠.

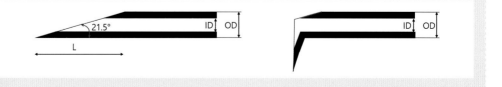

Bevel length의 절반 정도를 꺾는다면 약 0.65 mm이니까 주변부 각막기질천자에서 각막천공이 생길 우려는 적을 것이라고 생각해요. 특히 재발각막미란 부위는 약간 부어 있기도하고 들떠 있으니까 천공가능성은 더 떨어지죠. 단, 중심쪽 기질천자를 한다거나 각막이 얇은 경우, 혹은 bevel length 전부를 꺾는다면 각막천공의 가능성이 커지게 되겠죠. 참고로, 신창메디칼의 27G 바늘의 bevel angle 도 21.5°이고 외경은 0.41 mm이어서 마찬가지로 계산하면 bevel length는 1.04 mm이 됩니다.

Q. Bevel angle은 어떻게 알았죠? 재보셨나요?

A. 네, needle을 생산하는 담당 업체의 기술부에 전화해 봤어요.

G	Internal diameter (ID)		Outer diameter (OD)	
	Inch	mm	Inch	mm
25	0.010	0.25	0.020	0.51
27	0.008	0.020	0.016	0.41
30	0.006	0.15	0.012	0.30

■■■■ 참고문헌

1. Dursun D, Kim MC, Solomon A, Pflugfelder SC. Treatment of recalcitrant recurrent corneal erosions with inhibitors of matrix metalloproteinase-9, doxycycline and corticosteroids. *Am J Ophthalmol* 2001 Jul;132(1):8-13.

2. Das S, Seitz B. Recurrent corneal erosion syndrome. *Surv Ophthalmol* 2008 Jan-Feb;53(1):3-15.

3. Maini R, Loughnan MS. Phototherapeutic keratectomy retreatment for recurrent corneal erosion syndrome. *Br J Ophthalmol* 2002 Mar;86(3):270-272.

앞기질천자
: 각막상피를 강화하는 방법

17

> **Key Point**
>
> • 각막상피의 정상적인 창상치유과정을 알아야 한다.
> • 반복각막진무름의 증상과 소견을 알아야 한다.

1. 서론

McLean 등[1]이 1986년에 반복각막진무름(recurrent corneal erosion) 치료로 앞기질천자(anterior stromal puncture)를 소개하였는데, 이는 획기적인 치료법으로 현재까지도 활용되고 있다. 앞기질천자를 상피유착강화술(epithelial reinforcement) 또는 각막 미세천자술(corneal micropuncture)이라고 부르기도 한다. 당시에는 20G 곧은 주사바늘을 각막에 수직으로 느슨한 상피와 보우만층을 관통해서 기질의 앞쪽 절반까지 찌른다고 보고하였다. 0.5~1.0 mm 간격으로 대략 15~25개를 찔러 작은 흉터를 만들어 상피를 부착시키는 방법이었다. 이 치료법은 굉장히 효과적이고, 외래에서도 할 수 있는 유용한 방법으로 마치 점용접(spot welding)의 금속가공기술과 같다. 그러나 곧은 주사바늘로 인한 각막천공의 가능성을 우려하는 사람들이 많았으며, 실제로 20G 주사바늘로 인한 각막천공의 증례가 여러 차례 보고되었다.[2] 이처럼 의사들의 세심한 주의에도 불구하고 각막천공이 발생하는 원인은 환자들이 앞기질천자를 시행받을 때 세극등에서 머리를 천천히 뒤로 빼는 경향이 있으며, 자신의 머리위치가 잘못되었다는 것을 알고 갑자기 머리를 앞으로 들이밀기 때문이다. 최근에는 25~27G 주사바늘을 이용하고 있다. 시술 중 각막천공의 위험성을 줄이고, 일정한 깊이의 puncture를 만들고, scar를 줄이고 결과의 재연성을 높이기 위해 앞기질천자를 위한 저렴한 1회용 needle이 개발되었다. 사체의 조직병리연구에서 1회용 needle은 기존의 needle과 비교하여 동등한 수술 성공률을 보이면서 천공의 위험을 피할 수 있을 것으로 평가되었다.[3]

2. 기전

비록 앞기질천자의 효과가 입증되었지만, 그 기전에 대해서는 완전히 알려져 있지는 않다. 상피의 여러 플러그가 천자 부위를 채워서 마치 점용접이라는 금속가공기술처럼 느슨한 각막상피층을 아래쪽 부종이 있는 기질층에 국소적으로 유착시킴으로써 유착복합체가 형성되고 다른 초미세구조 성분이 최대한의 상피유착을 형성하도록 한다고 보고되었다.[4] Katsev 등[5]은 0.1 mm 깊이의 천자가 섬유화(fibrotic reaction)를 유발하고 새로운 기저막을 형성시킨다고 주장하였다. 그리고 Hsu 등[6]은 수포각막병증(bullous keratopathy) 환자에서 앞기질천자 부위를 전자현미경과 면역조직화학검사를 하였더니 fibronetin, IV형 콜라겐, 그리고 라미닌(laminin) 등을 천자부위와 근처의 반응성 상피밑 피판(reactive subepithelial pannus)에서 발견하였다. 저자들은 이들 세포외기질 단백질의 생성을 촉진하는 것이 상피층을 밑에 있는 결체조직(connective tissue)에 부착시키는 데 중요한 기전이라고 주장하였다. 또한 상피하 섬유증(subepithelial fibrosis)의 발생과정에서 상피-기질 반응이 상피의 재부착에 중요한 역할을 할 수 있다고 하였다.

3. 적응증

앞기질천자는 반복각막진무름 환자 치료에 일정한 천자의 깊이, 적은 반흔 형성, 그리고 일관된 결과의 재연성을 보이는 치료법으로 특수한 장비를 사용하지 않기 때문에 의료비용이 저렴하고 시술시간이 짧은 장점이 있다.

반복각막진무름 치료에 대한 앞기질천자가 성공률이 높은 시술로 인지되면서 수포각막병증 환자의 각막미란 치료에도 사용되고 있다. 각막미란을 동반한 수포각막병증 환자 중 시력예후가 나쁘거나 의료적인 문제로 전층각막이식을 시행받기 어려운 경우에는 앞기질천자가 유용한 치료법이 될 수 있다. 또한 각막이식을 대기 중인 수포각막병증 환자에게 앞기질천자를 시행할 수 있다. 수포각막병증 환자 중 앞기질천자의 최적의 대상자는 수포가 각막전체에 전반적으로 분포되어 있는 경우보다는 국소적인 분포를 보이는 경우이다.

이외에도 강 등[7]은 상피밑 결절반흔으로 산소투과경성콘택트렌즈(RGP contact lens) 착용이 어려운 원추각막 환자들에게 앞기질천자로 좋은 효과를 보았다고 보고하였다.

One Point

각막기질천자의 적응증
- 반복각막진무름
- 수포각막병증
- 상피밑 결절반흔으로 RGP contact lens 착용이 어려운 원추각막 환자

4. 시술 방법

1) 주사바늘을 이용한 앞기질천자

앞기질천자는 점안마취하에서 세극등현미경을 보면서 편하게 시행하는 외래 시술이다. 환자와 이 시술에 대해 얘기할 때에는 '앞기질천자'라는 단어보다는 '상피유착강화술'라는 용어를 사용하는 것이 환자의 근심을 덜어줄 것이다. 이 시술을 시행하기 전에 반드시 외래 차트를 검토해서 이전 각막진무름의 위치를 확인하고 치료범위를 결정해야 한다(그림 17-1). 시술 전 세심한 세극등현미경 검사가 이루어져야 하며 여기에는 역반사조명(retroillumination) 검사가 포함되어야 한다. 시술은 에피소드와 에피소드 사이 또는 급성기에 죽은조직제거술 없이도 언제든 가능하다.

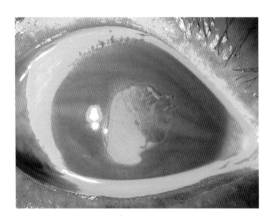

그림 17-1. 각막진무름 환자

McLean이 1986년에 앞기질천자를 처음 보고할 때에는 20G 주사바늘을 사용하여 각막에 수직으로 느슨한 상피층, 보우만층 그리고 앞기질 1/2 깊이까지 천자하였다.[1] 이후 Rubinfeld 등은 좀 더 작고 구부러진 27 또는 30G 주사바늘로 앞기질을 0.1 mm 깊이로 천자해도 충분한 섬유화

반응을 유발할 수 있다고 보고하였다.[3]

> **One Point**
>
> 각막기질천자의 시술방법
> • 25~27G straight needle 혹은 bent 25G needle
> • Multiple punctures through loosened epithelium or healed epithelium at old site of the erosion
>   – anterior 1/5~1/4 stroma (0.1 mm stroma penetration)
>   – 0.5~1 mm apart
>   – include 1~2 mm of normal margins

Ketorolac, diclofenac 또는 bromfenac 등 비스테로이드성 소염제제 안약을 시술 30분에서 1시간 전부터 10~15분 간격으로 점안하여 시술 후 생기는 통증을 완화시킨다. 이외에도 플루오로퀴놀론(fluoroquinolone) 제제나 광범위 항생제를 감염 방지를 위하여 시술 전 사용해야 한다. 그러나 다행히 앞기질천자 후 감염은 극히 드물다.

점안마취 시 형광물질(fluorescein)을 같이 점안하면 천자 자국을 잘 볼 수 있다(그림 17-2). 환자에게 점안마취를 시행했기 때문에 시술 자체는 전혀 통증을 느끼지 않는다는 것을 인지시켜야

그림 17-2. 형광물질을 점안하여 앞기질천자 자리를 확인

하고, 의사의 지시가 없는 한 움직이거나 눈을 감으면 안 된다고 알려주어야 한다. 반대 눈에도 점안마취제를 넣어주면 시술 중 갑작스럽게 눈을 감는 것을 예방할 수 있다. 협조가 잘 안 되는 환자인 경우에는 개검기를 사용할 수도 있다. 그림 17-3과 같이 주사바늘을 구부려서 tuberculin 주사기에 끼워서 사용한다. 주사바늘의 구부러진 끝이 각막표면과 수직이 되고, 깊이가 짧고 일정한 천자를 만든다. 환자가 이 시술이 통증이 없는지에 대한 의구심을 갖는다면 잠시 멈추고 확신을 시켜주어야 환자의 협조를 잘 얻을 수 있다. 주사바늘의 디자인이 시술 중에 환자가 직접 바늘을 눈으로 볼 수 없어 환자를 안정시키는 데 도움이 된다.

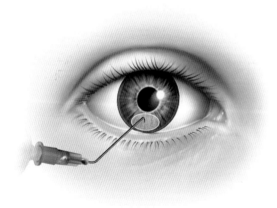

그림 17-3. 표준화된 앞기질천자용 주사바늘로 천자를 시행하는 모습

시술자는 주사기를 잡고 주사바늘이 각막표면에 90도가 되게 한 후 병변부위를 가볍게 천자하여 주사바늘이 수식으로 들이기기에 일정한 작은 각막천자가 만들어지도록 한다.

앞기질천자를 시행할 때 길고 두꺼운 20G 주사바늘은 구부리기도 어렵고 천공 발생 위험이

있으며, 작고 얇은 30G 주사바늘 또한 너무 유연해서 다루기 어렵고 천공 발생 위험이 증가한다. 따라서 Zauberman 등[8]은 25G의 짧고 구부러진 주사바늘이 천자를 하기에 적당하고 반흔도 적게 남기며 천공의 위험도 최소화할 수 있다고 주장하였다(그림 17-4).

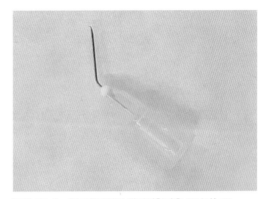

그림 17-4. 새로 디자인된 앞기질천자용 주사바늘로 바늘 끝과 hub 쪽에 두 번의 굴곡이 있다.

천자는 상피미란(epithelial erosion)이 있는 부위에 각각의 천자가 합류하지 않을 정도로 촘촘히 시행하는데, 보통 0.5~1 mm 간격을 둔다. 또한 상피미란 영역뿐 아니라 주변의 1~2 mm 정상각막까지 시행을 해야 한다. 일반적으로 느슨한 각막상피가 눈으로 보이는 미란의 영역을 넘어서까지 확장되어 있기 때문에 정상으로 보이는 영역까지 천자를 시행해야 한다. 간혹 역반사조명을 통해 정상으로 보이는 조직에 느슨한 각막상피가 덮여있는 것을 확인할 수 있다. 동공부위에 천자를 시행하였을 때, 주관적 그리고 객관적 눈부심 증상에 대한 검사에서 큰 문제가 없다고 하더라도 동공부위에 시행하는 것은 최소로 하는 것이 좋다.

시술 후에는 점안 항생제, 스테로이드제, 비스

테로이드 소염제, 그리고 조절마비제를 점안해 준다. 점안 비스테로이드 소염제는 통증 완화 목적으로 시술 후 2~3일간 하루 3번 점안할 수 있다.

치료용 콘택트렌즈(bandage contact lens)를 시술 후 6주간 착용시킨다. 이로써 상피와 기저막의 치유를 돕고 상피가 보우만층에 단단하게 부착되도록 한다. 그러나 일부에서는 시술 후 콘택트렌즈 착용이 감염의 위험성을 증가시키고 시술 후 쾌적함을 증가시키지 않는다고 1~2일만 착용하는 것이 좋다고 주장한다. 콘택트렌즈 대용으로 점안 비스테로이드 소염제, 항생제 또는 연고를 점안하면서 안대를 할 수 있다. 전신 비스테로이드 소염제도 처방해 주어야 한다. 상피화가 일어나면 고삼투압(hyperosmotic) 제제를 시

술 후 수 주간 하루 3~4회 점안하여 윤활작용을 도와 미세한 상피세포의 치유를 유도해 준다. 또한 고삼투압 제제는 시술 후 6~12개월간 자기 전에 지속적으로 점안하여 유착복합체(adhesion complex)나 다른 초미세구조 성분이 최대한의 상피유착을 형성하도록 도와 주어야 한다.

시술 후 환자가 아침에 일어날 때나 간혹 건조증이 심할 때 이물감이나 모호한 불편감을 호소하게 되면 추가적인 앞기질천자를 시행해 주어야 한다. 많은 수의 반복각막진무름 환자들이 각막미란이 치유된 후에도 수 개월 동안 바람이나 건조한 공기에 노출되면 눈의 불편감을 호소할 수 있다.

One Point

각막천공을 피하려면?
- 세심한 주의에도 불구하고 각막천공이 발생하는 원인은 환자들이 앞기질천자를 시행 받을 때 세극등에서 머리를 천천히 뒤로 빼는 경향이 있으며, 자신의 머리 위치가 잘못되었다는 것을 알고 갑자기 머리를 앞으로 들이밀기 때문에 천공이 발생할 수 있다.
- 환자가 이 시술에 대한 의구심을 갖는다면 잠시 멈추고 환자에게 확신을 시켜주어야 협조를 잘 얻을 수 있다.
- 주사바늘을 두 번 구부려 그림 17-5와 같이 환자가 직접 바늘을 눈으로 볼 수 없게 하여 안정시킨다.

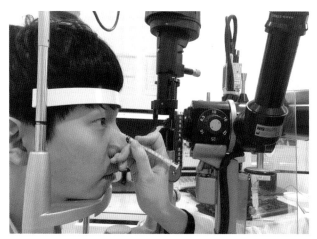

그림 17-5. 1 ㎖ 주사기에 붙어있는 짧은 25G 주사바늘(5/8 inch)을 구부려 앞기질천자를 시행하는 모습

2) 야그레이저(Nd: YAG laser)를 이용한 앞기질천자

여러 연구자들에 의해 잘 낫지 않는 각막미란의 치료로 야그레이저를 이용한 처치가 시도되었다. Geggle이 처음에 느슨한 각막상피층을 제거하고 야그레이저를 시행하여 앞기질에 광파괴(photo-disruption)를 유발한 방법을 제안하였다.[9] Katz 등[10]은 느슨한 각막상피를 제거하지 않는 수정된 방법을 보고하였다. 저자들은 이 방법을 'Nd: YAG laser photo-induced adhesion'이라 명명하였다. 이 방법에 대해서는 아직까지 많은 경험이 부족하고 장기간에 걸친 경과에 대한 보고가 없다. 또한 기질천자에 비해 좀더 비용이 많이 드는 단점이 있다. 그러나 이 방법은 특히 느슨한 상피층을 제거하지 않아도 되는 장점이 있고, 잘 낫지 않는 각막미란 환자 치료에 일부 역할을 할 수 있다.

각막상피층을 제거하지 않고 느슨한 각막상피층 또는 미란이 있는 부위에 Nd:YAG 레이저를 이용하여 다음과 같은 방법으로 앞기질천자를 시행할 수 있다. 우선 0.5% proparacaine을 점안하여 마취를 한다. Nd:YAG 레이저의 에너지 설정은 0.3 to 0.6 mJ per shot으로 하고, 포커스는 각막상피밑이나 기질의 표층, 즉 보우만층으

로 한다. 레이저를 발사하였을 때 상피 밑에서 작은 기포가 발생하는지 확인한다. 레이저는 200 to 500 μm 간격으로 시행하며, 주변에 정상으로 보이는 느슨한 상피층 0.5~1.0 mm까지 확대 시행하는 것이 좋다(그림 17-6).

시술 후 스테로이드 안약, 항생제 안약을 하루 4회 점안하도록 하고, 잠자기 전에는 항생제 연고를 점안하고 인공누액도 수시로 점안하도록 한다. 경우에 따라서는 경구 진통제를 복용할 수 있으나, 대부분의 경우에 약간의 이물감 정도를 느낄 수 있어 필요하지 않다.

5. 결과

앞기질천자의 성공률은 80% 정도로 효과적인 시술로 보고되고 있다.[11] 치료실패의 경우로 병변 부위보다 작은 영역을 시술했을 때에 치료부위 밖으로 재발되는 것이 관찰된다. 이럴 경우에는 이차적으로 보다 넓은 부위에 시술을 하면 치유될 수 있다. 앞기질천자에 가장 적합한 환자로는 이전 외상 또는 작은 상피기저막이상증(Epithelial basement membrane dystrophy)에 의한 단일 각막미란이 지속되는 경우이다. 중등도의 앞바닥이상증 환자가 여러 곳의 각막미란 소견과 함께 시력감소를 보인다면 앞기질천자보다는 표면각막절제술(superficial keratectomy)을 시행하는 것이 좋다.

Avni Zauberman 등[12]은 30명의 반복각막진무름 환자들을 대상으로 짧고 구부린 25G 주사바늘{a bent short (5/8 inch) 25G needle}을 이용하여 앞기질천자를 시행하고 평균 14개월 경과 관찰하였을 때 62.9%에서는 재발이 없었고 37.1%에서 가벼운 증상의 재발이 발생하였다고

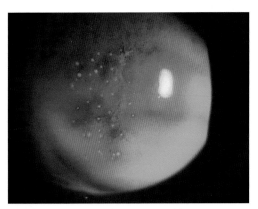

그림 17-6. 야그레이저를 이용한 앞기질천자

하였다. 재발된 경우에는 17%에서 추가적인 치료가 필요했고, 이중 16.6%에서는 표층각막절제(superficial keratectomy), 66%에서는 반복적인 앞기질천자, 그리고 16.7%에서는 PTK를 시행하였다.

Sridhar 등[13]은 28명의 수포각막병증 환자를 대상으로 앞기질천자를 시행하였다. 평균 9.5±7.5년 경과에서 71.4%에서 완전한 증상 호전을 보였고, 28.6%에서 경미한 눈물흘림, 간헐적인 통증을 호소하였다. 대상환자는 유수정체안 환자가 11명(39.3%), 무수정체안 환자가 11명(39.3%), 푹스이상증 환자가 4명(14.3%), 그리고 각막실패 환자가 1명(3.6%)였다. 앞기질천자 시행 후 시력 향상이 7명(25%), 시력감소가 12명(42.8%)이었다. 모든 환자에서 객관적인 반흔이 관찰되었으며, 상피층 물집과 부종의 소실이 10명(35.7%) 그리고 부분적인 감소가 18명(62.8%)에서 있었다.

6. 합병증

앞기질천자 시술은 굉장히 효과적이고, 외래에서도 할 수 있는 유용한 방법이나, 20G 주사바늘로 인한 각막천공의 증례가 여러 차례 보고되었다. 앞기질천자 시행 후 각막천공뿐 아니라 과도한 반흔이 발생하기도 한다. 이러한 이유에서 동공부위에 천자를 시행하는 것은 최소로 하는 것이 좋다. 그러나 동공부위에 천자를 시행했다 하더라도 주관적 그리고 객관적 눈부심 증상에 대한 검사에서 큰 문제가 없다고 보고되고 있다.

현문현답

Q. 앞기질천자가 매우 효과적인 방법으로 알고 있는데 바로 시술을 안하는 이유가 있나요?

A. 앞기질 천자를 하게 되면 필연적으로 각막반흔이 남는데요. 이게 각막앞기질까지의 반흔이라 생각보다 시력저하를 일으키지는 않지만 아무래도 각막고위수차를 증가시킬 수 있어요. 더구나 동공 앞에 반흔이 생긴다면 시력의 질에 영향을 주겠죠. 각막진무름이 반복되는 것이 환자들에게 공포스러울 수 있지만, 특히 외상에 의한 경우라면 시간이 지나면서 재발의 횟수가 줄어들면서 자연스럽게 증상이 없어지는 경우도 있으니 영구적인 각막고위수차 증가 상태를 굳이 만들 필요가 없다는 생각이에요. 하지만 보존적 치료에 반응하지 않는 반복된 각막진무름 환자에게는 매우 효과적인 치료임에 틀림 없습니다.

■■■ 참고문헌

1. McLean EN, MacRae SM, Rich LF. Recurrent erosion. Treatment by anterior stromal puncture. Ophthalmology 1986 Jun;93(6):784-788.

2. Laibson PR. Recurrent erosion: treatment by anterior stromal puncture: discussion. Ophthalmology 1986;93:787-788.

3. Rubinfeld RS, Laibson PR, Cohen EJ, Arentsen JJ, Eagle RC Jr. Anterior stromal puncture for recurrent erosion: further experience and new instrumentation. Ophthalmic Surg 1990 Apr;9(2):152-160.

4. Judge D, Payant J, Frase S, Wood TO. Anterior stromal micropuncture electron microscopic changes in the rabbit cornea. Cornea 1990 Apr;9(2):152-160.

5. Katsev DA, Kincaid MC, Fouraker BD, Dresner MS, Schanzlin DJ. Recurrent corneal erosion: pathology of corneal puncture. Cornea 1991 Sep;10(5):418-423.

6. Hsu JK, Rubinfeld RS, Barry P, Jester JV. Anterior stromal puncture. Immunohistochemical studies in human corneas. Arch Ophthalmol 1993 Aug;111(8):1057-1063.

7. Kang SY, Park YK, Song JS, Kim HM. Anterior stromal puncture for treatment of contact lens-intolerant keratoconus patients. Graefes Arch Clin Exp Ophthalmol 2011 Jan;249(1):89-92.

8. Avni Zauberman N, Artornsombudh P, Elbaz U, Goldich Y, Rootman DS, Chan CC. Anterior stromal puncture for the treatment of recurrent corneal erosion syndrome: patient clinical features and outcomes. Am J Ophthalmol 2014 Feb;157(2):273-279.

9. Geggel HS. Successful treatment of recurrent corneal erosion with Nd:YAG anterior stromal puncture. Am J Ophthalmol 1990 Oct 15;110(4):404-407.

10. Katz HR, Snyder ME, Green WR, Kaplan HJ, Abrams DA. Nd:YAG laser photo-induced adhesion of the corneal epithelium. Am J Ophthalmol 1994 Nov 15;118(5):612-622.

11. Rubinfeld RS. Recurrent corneal erosion. In: Roy FH, ed. Master techniques in ophthalmic surgery. Baltimore: Williams & Wilkins; 1995.

12. Avni Zauberman N, Artornsombudh P, Elbaz U, Goldich Y, Rootman DS, Chan CC. Anterior stromal puncture for the treatment of recurrent corneal erosion syndrome: patient clinical features and outcomes. Am J Ophthalmol 2014 Feb;157(2):273-279.

13. Sridhar MS, Vemuganti GK, Bansal AK, Rao GN. Anterior stromal puncture in bullous keratopathy: a clinicopathologic study. Cornea 2001 Aug;20(6):573-579.

각막이물과 필라멘트, 결막결석

18

→Key
Point

- 각막이물의 경우 깊이를 먼저 파악하자
- 병력이 치료 방향을 결정하는 데 중요!
- 시축에 가까운 병변은 시력에 영향을 끼칠 수 있음을 잊지 말자!

1. 적을 알아야 정복할 수 있다

각막이물, 필라멘트(실모양체)의 주된 증상은 이물감과 통증이다. 각막은 그야말로 바람만 불어도 아플 수 있는 우리 몸에서 가장 예민한 부분이므로 통증과 불편감이 심할 수 있다.

각막이물의 경우 이물이 각막에 접촉하면서 증상이 발생되는 경우가 많지만, 필라멘트의 경우에는 증상이 급성으로 발생되지는 않는다.

급성으로 발생한 각막이물의 경우 심한 통증으로 인하여 의원이나 응급실에서 처치가 이루어지는 경우가 많다. 이물의 종류로는 금속, 유리, 나무, 플라스틱, 모래 등이 있다. 작은 플라스틱 조각같이 얇고 가벼운 이물의 경우 각막표면에 붙어 있을 수도 있고 강한 운동량을 가지고 각막에 충돌한 경우 상피를 뚫고 각막 조직 내에 박힐 수 있다.

각막이물이 세극등현미경으로 관찰되면 optical sectioning을 시행하여 이물의 깊이를 파악하는 것이 중요하다.

가을에는 밤을 따다가 밤송이가 눈에 떨어지면서 가시가 각막에 박히는 경우가 있을 수 있으며, 회전하는 부분을 가진 기구나 공구를 사용하다가 일부분이 분리되어 빠른 속도로 눈에 충돌하는 경우 각막을 뚫고 전방에 들어가거나 더 깊이 들어가서 안구내 이물이 될 수 있다. 못질과 같이 강한 충격을 주는 작업도 위험하며, 보호장구를 착용해야 한다. 안구내 이물의 경우 합병증

의 빈도가 높으므로 상급병원에 의뢰하도록 한
다. 치료계획을 세우고 전원여부를 결정하는 데
병력청취가 중요하다. 밤가시의 경우 즉시 제거
되지 않으면 진균 각막염과 같은 심각한 합병증
이 생길 수 있고, 눈 속 이물도 CT를 이용해서
위치를 파악하고 주변조직의 손상을 확인하여 적
절한 제거 계획을 세워야 한다. 역설적으로 2차
세계대전 중 전투기 덮개(canopy) 조각이 눈 속
이물이 되면서 인공수정체 개발에 영감을 준 사
건도 있었다.

외부에서 온 각막이물과는 달리 각막 필라멘트
는 눈 표면의 각막상피가 변성되고 점액과 함께
실처럼 각막표면에 매달려 있는 형태의 병변이다
(mucoepithelioid strand). 길이는 0.5 mm에서
수 mm되는 것까지 다양하며, 필라멘트의 기저
부에 상피하 혼탁이 동반될 수 있다. 눈을 깜빡일
때마다 필라멘트가 잡아당겨지면서 견디기 힘든

통증을 유발한다. 수성눈물 부족이 대표적인 위
험인자이다. 발생기전의 이해에 다음 그림이 도
움이 된다(그림 18-1).[1]

> **One Point**
>
> **금속성 안구내 이물**
> MRI는 강한 자기장을 이용하므로 안구내 이물
> 을 움직여 눈 조직을 심각하게 손상시킬 수 있
> 으므로 금기이다. MRI 작동 중에 내부에 다리
> 미를 집어던지면 다리미가 날아다니면서 기계
> 내부에 정신없이 부딪히는 마술(?)을 볼 수 있
> 다. 그러므로, 금속성 이물이 확실하거나 의심
> 되는 경우에는 CT를 찍어야 한다.

결막결석은 1~2 mm 크기의 좁쌀알 같은 황백
색의 결막병변으로 흔하지만 많은 경우 증상이
없다. 노화와 만성염증이 원인이며, 결막에서 분
비된 단백질이 변성된 상피세포와 함께 결막하
공간에서 석회화가 되면서 형성된다. 만성적인

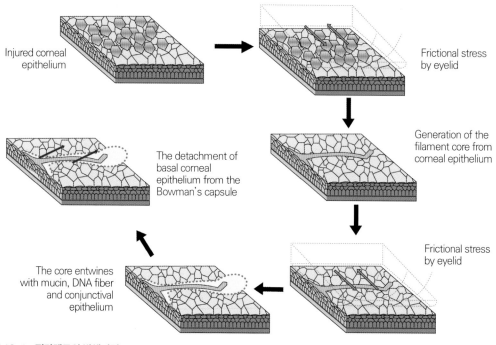

그림 18-1. 필라멘트의 발생기전

이물감 및 통증을 주소로 내원하는 경우가 많은데 결막의 충혈, 각막의 superficial punctate epitheliopathy (SPE)가 linear하게 나타나는 경우, 결석에 의한 증상으로 봐도 무방하다. 상피에 덮여있지 않거나 염증을 유발하는 경우 제거한다. 결석의 제거 시에는 형광염색을 실시하여 염색된 결석만 제거하는 것이 좋다. 안에 박힌 결석을 무리하게 제거하면 결국 결막의 섬유화로 인하여 이물감 및 안구건조증이 악화되고 각막에 만성적으로 상처가 생길 수 있다.

2. 각막이물과 필라멘트의 제거

이물의 위치가 깊지 않으면 세극등현미경에서 점안마취를 하고 이물을 제거할 수 있다. Jeweler's forceps나 26G 또는 30G 같은 fine needle로 제거한다. 머리 고정을 잘 해야 하는데, 협조가 잘 안되는 어린아이의 경우 진정마취하에서 수술현미경을 이용하는 등 다른 방법을 고려하도록 한다.

1) Bent needle의 유용성
흔히 각막 이물을 제거하거나 stitch out을 할때 26G 또는 30G needle을 이용하는데 그냥 사용하기보다는 CCC cystome을 만들 때와 같이 구부리면 유용하다.

2) 깊이 박힌 각막 이물
이물의 위치가 깊고 입구가 좁으면 각막실질에 다소 절개를 가해야 할 수도 있다. 이럴 경우 수술현미경하에서 제거를 시도하게 되는데, 세극등현미경에서 보이던 미세한 구조들이 잘 보이지 않는 경우도 있어서 미리 세극등현미경에서 제거 경로 등을 3차원적으로 파악하는 것이 좋다.

각막에 1/2 이상 깊이 박혀 있는 경우 꺼내기가 만만치 않다. 이런 경우 제거하려고 조작을 많이 하면 오히려 더 깊어지는 경우도 있고 각막에 손상을 많이 가져올 수 있다. 이런 경우 11번 blade를 이용하여 이물 끝 부위에 incision을 가하고 bent needle을 이용하여 scoop하는 느낌으로 제거하면 용이하게 나오는 경우가 많다(그림 18-2).

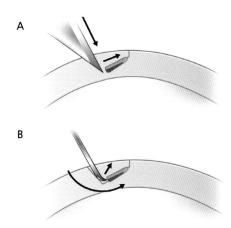

그림 18-2. 깊이 박힌 각막 이물 제거 방법
A. Knife를 이용하여 각막에 절개창을 만든다.
B. 끝을 구부린 바늘로 scoop 하듯이 제거한다.

금속이 눈 표면에 수 시간 이상 머물렀을 경우 rust ring이 동반될 수 있는데 이물만 제거하고 rust ring을 남기게 되면 stain된 채로 남게 되므로 가능한 이물과 함께 제거하도록 한다. Rust ring 제거에 corneal burr drill을 이용할 수도 있다(그림 18-3).

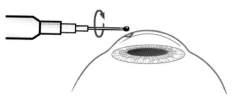

그림 18-3. 안과용 드릴의 사용

3) 얕게 박힌 각막 이물

각막표면에 이물이 있는 경우는 각막 조직에 손상이 가해지지 않게 조심해서 이물을 숟가락으로 밥을 퍼먹는 느낌으로 조심해서 제거한다. 이물이 금속인 경우 이물 제거 후 남는 녹(rust)이 문제이다. 녹의 제거 시 부정 난시가 생길 가능성이 있어 무리하지 않은 것이 좋다(그림 18-4). Rust 제거에는 rust ring removal이 많이 사용되나 시술 후 irregular astigmatism 발생으로 시력 저하가 발생할 수 있음을 숙지하여야 한다.

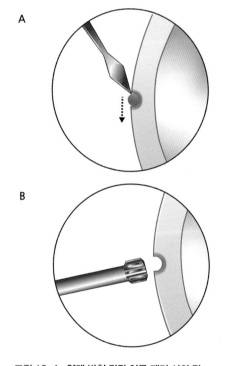

그림 18-4. 얕게 박힌 각막 이물 제거 시의 팁
A. 바늘을 이용하여 이물을 파내듯 제거하며 needle은 각막의 접선 방향으로 향한다.
B. Rust ring removal 이용 시에는 drill을 누르는 느낌으로 제거한다.

각막중심부에 있었던 이물의 경우 혼탁을 남겨서 시력저하의 원인이 될 수 있다. 시축을 빗겨간 이물이라고 하더라도 제거 과정에서 또는 혼탁에 의해서 표면의 불규칙함이 생겨서 시력저하의 원인이 될 수 있다. 부분층 각막열상이 동반된 경우 상피가 열상부위로 자라 들어가면서 미세하게 표면이 거상되고 시력저하를 일으킬 수 있다(그림 18-5).

그림 18-5. 각막 중심부 이물의 제거 후 발생한 혼탁

상피가 자라 들어간 열상면은 stromal healing이 일어나지 않는다. 과거에 각막을 flattening 시켜 근시를 교정하기 위해서 시행했던 radial keratotomy후에 난시가 심하게 생기거나 굴절값이 심하게 변동하는 경우가 있었는데 각막절개면에 상피가 들어가서 일어난 일들이었다. 부분층 열상면에서 상피를 제거하고 stromal healing을 유도하도록 한다.

4) 필라멘트 제거

필라멘트 역시 Jeweler's forceps나 fine needle로 제거하는데 주변 상피를 손상시키지 않도록 주의한다. 점안마취 후 적신 면봉이나 forceps를 이용하여 필라멘트 부착 부위까지 확실하게 제거하는 것이 중요하다. 제거 후 부착부에 작은 상피 결손이 생기면 적절하게 제거되었음을 의미한다.

아무리 필라멘트를 다 제거하였다 하더라도 수성눈물 부족 등 근본원인이 해결되지 않으면 재발이 매우 흔하다. 발생기전을 보면 눈꺼풀과의 마찰이 중요한 역할을 하므로 마찰을 줄이기 위해서 치료용 콘택트렌즈를 사용하기도 하며, 증상 완화에 도움이 된다. 치료용 콘택트렌즈는 24시간 착용하게 되므로 감염예방을 위하여 항생제 안약을 함께 사용하도록 한다. 원인이 치료되지 않으면 콘택트렌즈를 중단한 후에 재발이 흔하다. 심한 수성눈물 부족을 쉬르머 검사 등으로 확인하였다면 눈물점폐쇄(punctal occlu-sion)가 도움이 된다.

3. 결막결석의 치료

점안 마취하에서 fine needle로 비교적 쉽게 제거가 된다. 피부에 발생하는 비립종도 마찬가지이지만, marsupialization해서 병변을 노출시키듯이 병변 경계에 원호모양으로 결막이나 피부에 절개를 가하고 내용물을 빼내는 방법으로 주변 조직 손상을 최소화할 수 있다(그림 18-6). Tarso-conjunctival crypt의 경우 probe로 형태와 위치를 확인하고 적절한 절개를 통하여 crypt를 완전하게 절제하여야 한다.

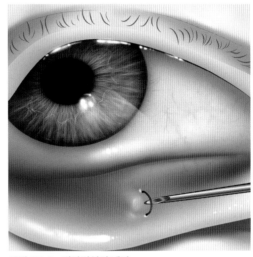

그림 18-6. **결막결석의 제거**

One Point

filament의 유용한 치료

• **Punctal cauterization**

Ocular GVHD나 Sjögren's syndrome 같이 수성눈물결핍이 심한 경우 눈물점마개(punctal plug)보다는 punctal cauterization이 효과를 보는 경우가 종종 있으므로 적극적으로 시도해 볼 수 있다.

• **Anterior stromal puncture and N-acetylcysteine**

Anterior stromal puncture는 recurrent corneal erosion의 치료에 사용되는 방법으로 상피를 바닥막에 단단하게 달라붙도록 해준다. 한 부위에서 재발하는 필라멘트의 경우 시축에 있지 않은 경우 fine needle로 필라멘트를 제거하고 anterior stromal puncture를 시행하면 재발을 막는 데 효과가 있을 수 있다. 점액용해제로 사용되는 N-acetylcysteine의 경우 필라멘트의 치료에 효과가 있으나, 안과용 점안제로 나와 있지는 않다. 주사용제를 희석해서 점안하여 효과를 보기도 한다.

10% N-acetylcysteine 점안액은 20% N-acetylcysteine 원액을 생리식염수로 희석하여 사용한다. 점안액은 냉장 보관하도록 지시하며 안전성의 문제로 1개월이 지나면 폐기하도록 한다.

현문현답

Q. 각막에 이물이 발견되었을 때 어느 정도까지 제거해야 한다고 생각하세요?

A. 이물이 뭐냐에 따라 좀 다른 것 같아요…. 예를 들어 유리 조각이나 플라스틱인 경우 깨끗하게 제거할 수 있지만, 연필심에 찔린 경우 미세한 흑연 가루가 각막실질 내에 퍼져 있고 현실적으로 다 제거할 수는 없죠. Rust ring도 다 제거해야 한다고 하지만, 현실적으로 모두 제거할 수 없는 경우가 많아요. 간혹 일차 병원에서 충분히 제거를 했는데 남아 있는 rust ring을 모두 제거해야 한다고 상급기관에 의뢰되는 경우 좀 난감한 경우가 있죠.

Q. 밤송이 가시의 경우는 어떤가요? 가을철에 특히 환자가 많이 오잖아요?

A. 밤송이 가시와 같이 식물의 일부분이 각막 내에 남아있다면 진균각막염의 원인이 될 수 있으므로 이물을 전부 제거하는 것을 목표로 해야 하죠. 그런데 말처럼 완전히 제거가 되던가요? 응급실에 내원한 경우 어느 정도 제거하고 저한테 넘어올 때는 너무 깊게 위치해서 힘들던데…. 밤송이 가시는 제거하려고 건드리다 보면 오히려 더 안으로 파고 들어가는 경우가 많잖아요, 그 이유가 밤송이 가시의 구조에 있거든요. 가시에 잔털이 있어요.

Q. 털이요?

A. 네. 이 털 때문에 건드릴수록 가시가 안으로 밀려 들어가는 경우가 많아요. 밤송이 가시가 들어간 환자들은 주로 휴일에 응급실을 통해 내원하는 경우가 많기 때문에 처음에 얼마나 잘 제거하느냐가 관건인 것 같아요. Forceps나 needle로 빠지지 않으면 Spatula type의 10-0 nylon needle을 이용하여 각막 표면 밑에 있는 밤 가시 끝이 노출되게 만들어 forceps로 제거하던지 정 안 되면 가시가 들어간 자리에 절개를 가해서 제거하는 것도 생각해야죠.

Q. 경험이 많아야 하겠네요.

A. 밤송이 가시 같은 식물은 잘 제거된 후에도 관통부위에 세균이나 진균 감염이 생길 수 있기 때문에 경과관찰이 중요한 것 같아요. 환자한테 반드시 감염 가능성에 대해 알려줘야 하구요.

A. 밤송이 가시 하니깐 생각나는건데, 얼마 전 일요일에 좀 일하다가 집에 가려고 나서는데 어떤 남자 둘이 한 명을 부축하고 들어오는데 눈에 뭔가 달랑달랑 매달려 있는거에요. '뭐지?' 하고 보니깐(그림 18-7). 낚시 바늘이 눈에 찔려서 왔는데 의사도 아닌데 경험이 많은지 자기 생각 같아서는 건드리면 안 될 것 같아서 낚시줄만 끊고 바로 왔다는거에요.

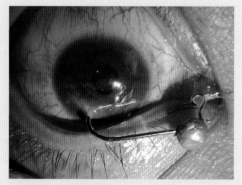

그림 18-7. 낚시바늘이 눈에 튄 전안부사진

Q. 세극등현미경으로 보면서 빼셨어요?

A. 아니요. 큰일나요! 낚시를 좋아하는 제 친구에게 상황을 설명하고 의견을 물었더니, 낚시 바늘은 끝이 갈고리 모양이어서 박히는 건 쉽지만 빼는 것은 만만치 않아 만일 잡아 빼면 엄청난 손상이 있을 거라고 하더라구요. 차라리 빼지 말고 집어넣으라고 해서……

참고로 친구는 의료인이 아닌데요. 어쨌든 바로 수술방으로 가서 먼저 각막 밖으로 나와 있는 부분은 니퍼를 이용하여 끊어냈어요. 그리고, 전방에 점탄물질을 채우고 바늘을 밀어 넣은 다음, 2 mm 투명각막절개를 만들어 바늘을 쉽게 제거했죠. 점안마취로 10분만에 제거가 되었죠. 역시 한곳을 향해 달려가는 것도 필요하지만 때로는 뒷걸음치는 것도 필요한 것 같아요(그림 18-8).

그림 18-8. 제거한 낚시 바늘
잘린 끝에 갈고리가 보인다.

Q. 이물을 주소로 내원하는 환자 엄청 많잖아요. 실상 이물이 없지만 이물감을 호소하는 경우 어떻게 하세요?

A. 그런 이물감을 호소하시는 경우 대부분이 안구건조증인 경우가 많아요. 하지만, 단순히 안구건조증으로만 생각하고 유심히 살펴보지 않으면 큰 실수를 하는 경우가 생기게 됩니다. 각막 미란이 위아래로 길게 긁힌 형태라든지, 이물감이 호전과 악화의 반복없이 항상 지속되는 등 일반적인 안구건조증과 다소 양상이 다르다면, 결막구석(conjunctival fornix)과 위아래 눈꺼풀을 뒤집어 세심히 관찰해야 하죠.

A. 저는 눈꺼풀성형술을 한 환자인 경우 늘 knot exposure를 염두에 둡니다. 눈꺼풀을 뒤집은 상태에서 환자로 하여금 최대한 아래, 아래 왼쪽, 아래 오른쪽 보게 하는 게 팁입니다(그림 18-9).

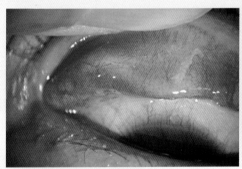 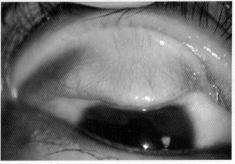

그림 18-9. 상안검 fornix 깊숙이 있었던 노출된 suture knot
위눈꺼풀을 eversion 후 환자에게 최대한 아래, 아래 왼쪽, 아래 오른쪽을 보게 하면 눈의 움직임에 따라 숨어있던 knot가 발견이 되는 경우가 많다.

A. 드문 일인데, 이런 일도 있었어요. 제가 3개월 전에 라섹을 했던 환자인데 수술 후 2달 지나면서 한쪽 눈에 눈곱이 끼고 이물감이 심하다고 하시더라구요. 세극등현미경으로 보니까 충혈도 거의 없고 큰 문제는 없어 보여서요. 인공눈물을 주고 경과관찰을 해보았는데 2주 후 진짜 눈곱이 더 많이 껴서 온 거예요. 그런데 한쪽 눈만 그렇고, 결막 충혈도 없어서 이상하다 생각이 들어 자세히 뒤져봤거든요. 상당

히 sunken eye인데다 윗눈꺼풀이 tight한 분이셨는데, 어렵게 눈꺼풀을 뒤집어보니 뭔가 나오는거에요(그림 18-10).

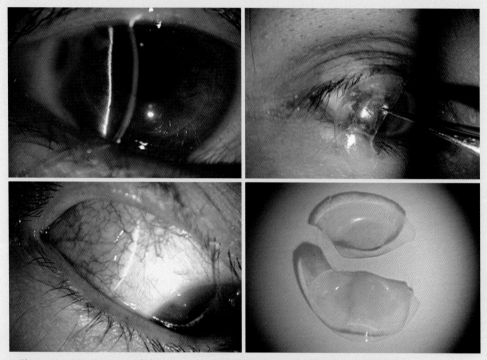

그림 18-10. deep-set eyes에서 superior fornix에 3개월간 큰 문제 없이 있었던 소프트렌즈

글쎄, 3개월 전에 수술 후 꼈던 치료용 소프트렌즈였던거죠. 환자분께 이런 일이 보통 없다고, 렌즈가 뒤로 넘어가지는 않은데 환자분 윗눈꺼풀이 움푹 들어간 타입이라 안쪽으로 렌즈가 접혀서 들어가 있는 걸 모르고 지나친 것 같다고 죄송하다고 말씀을 드렸어요. 환자분이 말씀하시기를 제가 렌즈가 빠져있다라고 얘기했다고 하시더라구요. 그 일 이후로 저는 소프트렌즈는 눈 뒤로 넘어가지는 않지만, 결막구석 공간으로 이탈할 수 있다고 환자들한테 얘기한답니다.

Q. 결막결석도 이물감을 많이 유발하잖아요? 다들 어떻게 제거하세요?

A. 저는 염색되는 것, 즉 튀어나온 것만 제거합니다.

A. 튀어나올 것 같은 것도 많잖아요? 저는 그것도 제거하긴 하는데 너무 제거하면 결막반흔을 남길 수 있어 증상이 지속될 수 있다고 환자에게 설명을 꼭 합니다.

A. 눈이 자주 충혈되는 환자인데 concretion이 같이 있으면 주의가 필요합니다. 한 환자가 눈곱도 자주 끼고 충혈만 생기는 경우도 있고, 이렇게 2, 3년을 고생했던 환자가 있었는데요. 처음 봤을 때 세균성 결막염을 의심할 정도로 양안에 짙은 눈곱이 낀 환자였거든요. 도말배양검사를 해보니 녹농균종이 나왔고 항생제 감수성 검사에서 현재 사용하고 있는 안약에 감수성이 있어서 약을 계속 사용하였는데 도통 좋아지지 않는 거에요. 결석이 꽤 있었던 환자여서 이미 튀어나온 건 다 제거한 상태라서 그냥 항생

제 안약을 유지하며 보고 있었거든요. 한번은 환자가 너무 힘들어해서 다시 한번 눈을 잘 살펴보는데 아마 그동안 결석을 제거하고 생긴 반흔처럼 보이는 조직을 면봉으로 만지작거리니 움직임이 다르더라구요. 그래서 반흔화된 결막을 needle로 들어 올리고 뒤지니 안쪽으로 다량의 결석이 있었어요. 깊이 숨어 있는 결석을 제거한 후 환자의 증상이 사라졌어요(그림 18-11). 결막결석이 감염원이 되었던거죠. 결석에 동반된 만성 결막염이 치료에 잘 반응하지 않고 재발을 반복할 경우, 결막의 반흔화를 찾아보고, 드물지만 한번쯤은 tarsoconjunctival crypt를 의심해 볼 필요가 있습니다.[2]

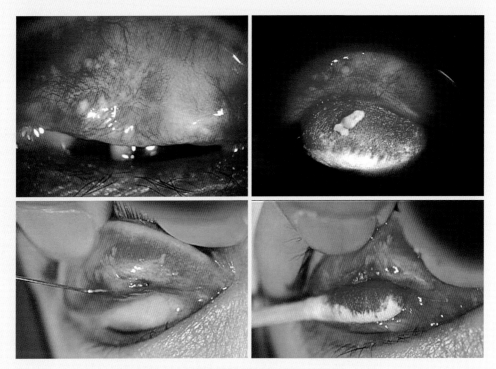

그림 18-11. **결막에서 섬유성 반흔 조직 아래 뭉쳐 있는 결석을 발견하고 제거하는 모습**

A. 이물감은 눈에 보이든 안보이든 진단과 치료가 어렵긴 마찬가지인 것 같습니다. 예전에는 동양안충이라고 눈에 기생충도 드물지 않게 발견됐었는데요. 항상 모든 가능성을 염두에 두고 환자의 진료에 임해야 할 것 같습니다.

■■■ 참고문헌

1. Tanioka H, Yokoi N, Komuro A, Shimamoto T, Kawasaki S, Matsuda A, Kinoshita S. Investigation of the corneal filament in filamentary keratitis. *Invest Ophthalmol Vis Sci.* 2009 Aug;50(8): 3696-702

2. Tse BC, Shriver EM, Tse DT. Tarsoconjunctival crypts: unrecognized cause of chronic mucopurulent conjunctivitis. *American Journal of Ophthalmology* 2012 Sep;154(3):527-533.

안구표면의 화학손상

19

Key Point

- 안구화학손상 치료에서 가장 중요한 것은 즉각적인 안구세척이다.
- 화학물질의 종류, 손상정도를 파악하는 것이 치료 방향과 예후를 결정하는 데 중요하다.
- 화학손상 초기와 중, 후기에 적절한 수술방법이 각각 다름을 알아야 한다.

안구화학손상에서 중요한 것은 화학물질을 파악하는 일이다. 염산, 황산과 같은 산(acid)이나 시멘트, 가성소다, 암모니아와 같은 알칼리(alkali)가 있는데 acid인 경우 노출된 후 불용성 단백질을 형성하기 때문에 비교적 각결막의 얕은 부위에 손상을 주나 alkali와 같은 경우는 가용성 단백질을 형성하기 때문에 심부조직까지 손상되는 경우가 많다. 각막화상 환자의 손상정도를 파악하는 것은 매우 중요하다. 치료 목적은 되도록 빨리 노출된 약물을 제거하여 조직손상을 가능한 한 적게 하는 것이다. 제거 방법으로 과거에는 결막낭의 세척(irrigation)이 중요하다고 알려져 있는데 역시나 현재까지도 세척이 가장 중요하다.

우선 화학손상 환자가 내원하였을 때 처치를 어떻게 해야하는지 원칙에 대하여 논하고자 한다.

1. 초기 치료(Immediate, Emergency treatment)

우선 화학손상을 주소로 내원한 환자에서 다음과 같은 순서로 approach한다.

① 약제가 무엇인지 충분히 물어본다.
② 세극등 현미경 상 각막상피, 윤부, 결막 상태를 보고 중증도를 파악하고 결막낭의 pH를 확인한다.
③ 결막낭을 세척한다. 세척 중간에 pH를 측정하여 중성이 될 때까지 세척한다. 세척을 할때는 line을 달아서 BSS로 irrigation 하는 것이

가장 좋으나 없으면 생리식염수로 시행한다(그림 19-1). 산성과 같이 조직 침투성이 강하지 않은 경우 보통 500~1,000 ml 정도의 세척으로 중성에 가깝게 되는 경우가 많으나 조직침투력이 강한 경우 수천 ml의 세척이 필요한 경우도 많다.

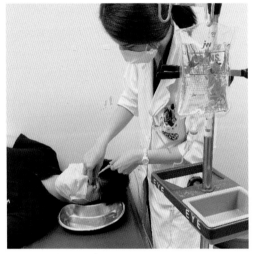

그림 19-1. 결막낭 세척

④ 각결막에 이물이 있는 경우 어느 정도 세척 후 제거한다. 시멘트 등이 각결막에 남아 있는 경우 이것이 pH의 변화를 야기하여 손상을 줄 수 있기 때문에 만일 결막에 붙어서 제거가 되지 않은 경우 주변 결막을 포함해서 제거한다.

진찰 후 처치의 speed가 예후에 큰 영향을 미침을 명심하고 신속히 대처한다.

2. 약물치료

알칼리 손상을 입은 환자들의 상피회복과 시력회복을 비교 분석한 후향적 연구에서 스테로이드 안약, 항생제 안약, 경구 아스코르브산 및 구연산염 사용, 아트로핀안약 등의 약물치료는 Roper-Hall 분류 III에 해당하는 손상군에서 가장 효과적인 치료방법이었다고 알려져 있다.[1] Roper-Hall 분류 I, II에 해당하는 경우 약물을 이용한 집중치료로 인한 약제 독성과 스테로이드로 인한 각막상피재생의 저하를 유발할 수도 있다(표 19-1).

1) 무보존제 항생제 안약

각막상피결손이 있는 경우 예방적 항생제 안약 사용이 필요하다. 항생제 선택은 화학손상 당시 가능성 있는 균을 고려하여 선택하되 보존제, 약제독성 등으로 인한 각막상피세포 재생지연의 가능성을 고려하여 선택하여야 한다. 이러한 면에서 무보존제 항생제 안약은 각막상피세포 독성을 줄일 수 있는 장점이 있다. 오염된 환경에 노출된 창상의 경우 필요에 따라 강화 항생제 안약(fortified antibiotics)을 사용할 수 있으나 반드시 치

표 19-1 Roper-Hall Classification system

Grade	Prognosis	Limbal ischemia	Corneal involvement
I	good	None	Epithelial damage
II	good	<1/3	Haze, but iris details visible
III	guarded	1/3~1/2	Total epithelial loss with haze that obscures iris detail
IV	poor	>1/2	Cornea opaque with iris and pupil obscured

Roper-Hall MJ. Thermal and chemical burns. Trans Ophthalmol Soc UK, 1965;85:631-53.

료효과와 독성을 고려하여 신중하게 사용하여야
한다.

2) 스테로이드 안약

화학손상에 있어 스테로이드 안약 사용의 시기는
이견이 있다. 스테로이드 안약은 염증세포의 조
절 및 콜라겐 분해효소의 억제 면에 있어 이점이
있으나 스테로이드 안약은 또한 각막세포의 이주
와 콜라겐 합성을 저해하여 각막 얇아짐(thin-
ning)을 유발하기도 한다. 무균성 각막궤양은 콜
라겐합성과 단백질분해작용 사이의 불균형으로
부터 야기된다. 그 결과 무균성 각막궤양은 화학
손상 후 첫 1주 동안에는 스테로이드 사용으로 인
해 발생할 가능성이 높지 않다. 그러나 스테로이
드 안약 사용으로 인해 각막의 회복과정이 완성
되는 수상 후 14일경에는 무균성 각막궤양이 발
생할 가능성이 높아진다. 최근의 연구결과에 따
르면 무균성 각막궤양은 장기간의 스테로이드 사
용에 의한 것이라기 보다는 화학손상에 의한 아
스코르브산 고갈상태에 의해 발생하는 것으로 보
고되었다. 이 연구에서 아스코르브산 안약과 함
께 스테로이드 안약을 사용하는 경우 각공막녹음
(corneoscleral melting)은 발생하지 않았다고 하
였다.[1,2]

3) 아스코르브산

화학손상 후 방수내의 아스코르브산 농도는 감소
하게 되는데, 이는 모양체상피세포의 손상으로
인해 발생한다. 아스코르브산 고갈상태는 각막기
질의 회복과정에 영향을 주는데, 이는 아스코르
브산이 콜라겐합성의 보조인자이기 때문이다. 안
약 또는 전신적 아스코르브산의 투약, 투여는 각
막 얇아짐, 무균성 각막궤양의 빈도를 줄인다고

알려져 있다.[3] 초기에 투여하는 것이 매우 중요하
며, 궤양이 형성되어 진행할 경우 아스코르브산
을 투여하는 것이 효과가 없기 때문이다.[4] 아스코
르브산의 투여는 10% 아스코르브산 ascorbic
acid 안약의 점안 또는 1,000 mg 경구 아스코르
브산을 1일에 4회 처방하는 것으로 가능하다. 심
한 화학손상의 경우 경구 투여보다 안약으로 투
여하는 것이 방수의 아스코르브산 농도 유지면에
있어 더 효과적이다.[3]

4) 구연산(citrate)

구연산은 각막궤양의 진행과 발생을 모두 억제하
는데 효과적이다. 구연산은 세포외(extracellu-
lar)칼슘을 킬레이트화 시켜 세포내 칼슘의 농도
를 낮춤으로써 다형핵백혈구의 활동을 줄이는 역
할을 한다.[4] 또한 수상 초기 다형핵백혈구의 침윤
을 63%까지 감소시키고 후기에는 92%까지 활동
을 감소시켜 콜라겐분해효소의 기능을 저하시키
는 역할을 한다. 아스코르브산의 경우와 마찬가
지로 안약을 통한 점안이 경구 또는 전신적 투여
에 비해 효과가 우수하고, 10% 농도의 구연산 안
약을 1시간마다 점안하도록 한다. 구연산과 아스
코르브산이 각막궤양 발생을 억제하는 경로가 다
르므로 구연산 단독사용보다는 구연산과 아스코
르브산을 함께 사용하는 것이 치료적 측면에서
도움이 된다. 구연산은 염증반응을 억제하기 때
문에 심한 화학손상에 있어서 아스코르브산 보다
더 효과적이다.

5) 조절마비제

아트로핀과 같은 조절마비제 사용은 통증을 줄이
고 홍채뒤유착과 같은 위험을 줄이는데 도움이
된다.

6) 무보존제 인공누액제

화학손상은 결막의 술잔세포에 손상을 주고, 이로 인한 눈물막의 이상과 심한 건성안을 유발한다. 또한 심한 화학손상은 눈물기관(lacrimal system)의 직접적 손상을 유발한다. 인공누액제의 사용은 염증세포의 제거를 통해 각막 재상피화를 돕고, 안구표면의 수화를 돕는다. 일시적 또는 영구적 눈물점폐쇄술은 이와 같은 인공누액제 사용의 효과를 증진시킬 수 있다.

7) 테트라사이클린계 항생제 사용

테트라사이클린계 항생제는 콜라겐분해효소의 활동을 줄이고 각막궤양의 발생을 줄인다고 알려져 있다.[1,5] 이는 테트라사이클린계 항생제의 항균효과와 무관하게 중성구 콜라겐분해효소의 억제, alpha1 antitrypsin 억제, 활성산소의 포집(scavenging)을 통해 얻어지는 효과이다. 또다른 기전으로는 기질금속단백질분해효소(matrix metalloprotease)의 활동에 필수적인 아연을 킬레이트화 시킨다. 경구 테트라사이클린 250 mg을 1일 4회 투여 또는 독시사이클린 100 mg을 1일 2회, 미노사이클린 100 mg을 1일 2회 투여할 수 있으며 테트라사이클린 안약(1% 안약, 3% 안연고)을 함께 사용할 수 있다.

8) 혈관내피성장인자 억제제

동물을 이용한 연구에서 베바시주맙(bevacizumab) 주사는 신생혈관의 억제와 항염증역할을 보였다고 보고된 바 있다.[6,7] 동물모델에서는 베바시주맙을 이용한 결과 각막신생혈관 형성을 막고 각막상피바닥막의 재생을 가속화시켰다.[6] 그러나 사람의 눈에서 화학손상 후 혈관내피성장인자 억제제의 사용이 각막 신생혈관을 억제한다는 연구는 아직 평가된 바 없다. 화학손상 후 6시간 이내에 혈관내피성장인자 농도가 증가되었다는 것을 통해 초기 혈관내피성장인자 억제제를 사용함으로써 신생혈관 발생을 줄일 수도 있을 것으로 보인다.[7] 그러나 이론적으로는 혈관내피성장인자 억제제로 인해 공막의 허혈, 공막괴사 등이 발생할 수 있으므로 급성 화학손상을 입은 눈에서의 사용은 주의를 요한다.

9) 자가혈청안약

말초혈액의 혈청과 제대혈을 이용한 혈청 모두 여러 성장인자들을 포함하고 있기에 안구표면질환에 사용되고 있다. 중등도 또는 심한 화학손상을 입은 안구에서 제대혈을 이용한 혈청치료가 자가혈청치료 또는 약물치료에 비해 효과가 있음이 알려져 있고, 양막이식술과 동등한 효과를 보인다고 알려져 있다.[8,9] 이는 높은 농도의 성장인자가 제대혈에 포함되어 있기 때문인 것으로 사료된다.

3. 초기 수술치료

결막을 침범한 모든 화학손상에서 검구유착을 예방하는 것을 반드시 고려하여야 한다. 결막구석을 보존하기 위한 수술적 치료로서 검구유착해리술 및 검구유착방지용 고리(symblepharon ring), 양막이식 등을 시행할 수 있다. 그러나 심한 화학화상의 경우 이와 같은 수술기법도 완전한 검구유착 방지를 보장하지 못한다.

1) 양막이식술

양막이식술은 초기 또는 중기의 화학화상 치료의 방법으로 상피화를 촉진시키고, 염증을 줄이고, 반흔을 감소시키기 위한 술식이다.[10] 양막이식술은 transforming growth factor, hepato-cyte growth factor, epidermal growth factor 등과 같은 여러 성장인자가 풍부한 양막이 상피 바닥막으로 작용함으로써 상피회복을 촉진하도록 한다.[9,11] 양막이식술은 항염증 사이토카인을 발현하여 각막의 반흔화를 줄이고 염증세포들을 기계적으로 포획하여 세포자멸사를 유도한다.[12-14] 기존의 치료방법 단독과 양막이식술을 같이 시행한 치료방법을 비교한 무작위 대조연구결과 Roper-Hall 분류 II-III 안구화상에서 양막이식술을 같이 시행한 치료군이 상피세포결손으로부터 빠른 회복을 보였다고 하였다. 그러나 최종시력, 검구유착의 발생, 각막투명도, 신생혈관의

발생면에 있어서는 양막이식술의 유무가 유의한 차이를 보이지 않았다고 하였다.[15,16] 급성기 심한 화학화상을 입은 안구에서 양막이식술은 궁극적으로 윤부줄기세포결핍의 발생을 예방하지는 못한다.[10] 전체 윤부줄기세포결핍이 발생한 눈에서는 양막이식술 단독으로는 효과적이지 않으며 윤부줄기세포이식술이 반드시 필요하다. 양막이식술은 화학화상으로 인한 각막윤부줄기세포 결핍증에서 안구표면재건을 위한 각막윤부줄기세포 이식술 시 사용할 수 있는 보조적 치료법이다. 너무 성급하게 급성기에 양막이식술을 시행하는 경우 염증반응에 의해 양막이 녹아 사라질 수 있고, 이로 인해 여러 차례 수술이 필요할 수도 있다(그림 19-2).

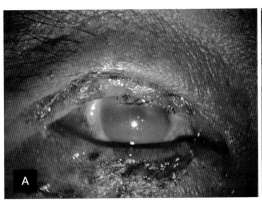
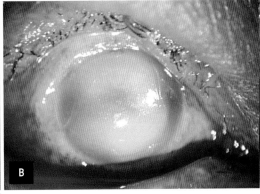
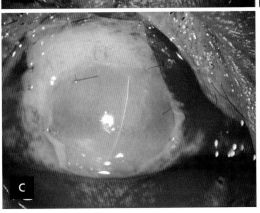

그림 19-2. 알칼리 화학손상을 받은 환자
A. 각막, 결막 및 검구에 알칼리물질이 노출되었고, 눈썹 소실이 관찰되고 안검 부속기 손상이 예상된다.
B. 윤부손상이 360도 방향 모두에서 관찰되며 각막혼탁이 전체에서 관찰된다. Roper-Hall 분류상 IV, Dua 분류상 VI에 해당하는 화학손상으로 불량한 예후가 예상된다.
C. 각결막의 상피재생을 도모하기 위해 시행한 일시적 양막이식 후 상태. 양막이식술은 각막뿐만 아니라 결막, 윤부 허혈이 동반되어 있는 곳까지 광범위하게 시행하였다. 그러나 이와 같이 심한 화학손상이 있었고, 염증이 조절되지 않는 안구에서는 양막이 쉽게 녹아 떨어지고, 여러 차례의 수술적 치료가 필요한 경우가 많다.

양막이식술

- Graft (epithelial side up): graft로서 양막을 사용할 경우 상피세포 또는 기질층의 결손이 있는 경우 모두에서 사용할 수 있다. 양막은 소실된 기질층을 대체하고 상피바닥막을 제공하여 세포들이 자랄 수 있도록 하는 역할을 한다. 상피화는 양막이 놓인 위를 통해 진행되며 남겨진 양막은 상피화된 층과 기질층 사이에 놓이면서 흡수될 때까지 남아 있게 된다. 흡수되지 않는 양막은 영구적으로 남아 혼탁이 생길 수 있다.

- Patch (epithelial side down): 양막은 기질층의 소실이 없는 상피결손이 있는 부위를 덮게 되며 양막의 고정은 윤부근처의 상공막에 시행한다. 일시적 양막은 제거되거나 흡수되며 저절로 떨어져 소실되기도 한다. Patch로서의 일시적 양막은 외부의 자극으로부터 안구표면을 보호하고 안구표면의 염증을 줄이고, 양막이식층 아래 상피의 재생을 돕는다.

- Combined approach: 가장 안쪽의 양막은 graft로서 epithelial side up으로 단속봉합한다. 첫 번째 양막층보다 더 큰 크기로 Patch 목적의 양막을 stromal side up (epithelial side down)으로 연속봉합하여 고정한다.

2) 테논낭 전위술(Tenon's advancement)

심한 화학손상 후 윤부주위 혈관조직의 완전소실이 발생하는 경우 즉각적인 전안부 허혈 및 괴사가 발생할 수 있다. 테논낭 전위술은 윤부의 혈류순환을 재활성화하고 허혈, 괴사로의 진행을 억제할 수 있고, 비감염성 각막궤양의 발생, 공막천공 등의 위험을 줄일 수 있다.[17]

이 수술기법은 생존해 있고 혈류공급을 받고 있는 테논낭조직을 당겨 허혈성 괴사성 공막부위를 덮어 혈류공급을 받을 수 있는 환경으로 괴사와 천공의 위험을 줄이는 수술법이다.

4. 중기 및 후기 수술치료

1) 테논낭성형 피판술(Tenonplasty flaps)

테논낭성형 피판술은 각막상피세포화를 촉진시킬 수 있고, 각막궤양을 억제하는 수술적 기법이다. 혈관화된 테논낭 피판을 회전시켜 각막 위에 올려놓음으로써 2차적 각막신생혈관화를 유발한다. 단점으로는 각막의 투명성을 잃게 되는 수술기법으로 심하지 않은 손상에는 이용하기 어렵다.

2) 결막피판술(Conjunctival flap)

일반적으로 결막피판술은 향후 시력회복의 예후 면에서는 가급적 피하는 것이 좋다. 그림 19-3에서 광범위 화학손상 후 지속되는 상피결손으로 여러차례 양막이식술 후에도 조절되지 않는 각막 융해로 인해 결막피판술을 시행하여 안구 천공을 방지할 수 있었지만 각막의 혈관화로 인해 미용적 측면에서 단점이 있고, 무엇보다 안구표면 재건술을 계획하는 경우 혈관들로 인해 심한 후유증이 생길 수 있다.

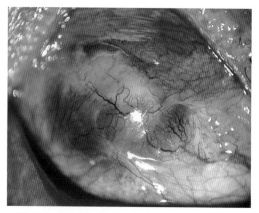

그림 19-3. 광범위 화학손상 후 결막피판술을 시행한 환자의 전안부 사진

3) 경구점막상피세포 이식술(Oral mucosal epithelial cell transplantation)

배양된 경구점막상피세포 이식술(cultivated oral mucosal epithelial cell transplantation, COMET)은 열, 화학화상을 입은 안구에서 재상피화를 촉진시키고 안구표면을 안정화시키기 위한 수술적 치료방법이다.[18,19] 경구점막을 생검하여 양막 위에 배양 후 안구표면으로 이식하는 자가세포를 이용하는 방식이므로 장기적인 면역억제가 필요하지 않은 장점이 있다. 각막표면의 신생혈관이 대게 발생하며 궁극적으로는 각막윤부이식술이 필요하다.[18]

4) 조직접착제(Tissue glue)

급박한 각막천공 또는 각막천공 시에 조직접착제를 이용한 기법은 안구의 온전함을 보존하는 점에서 좋은 수술기법이다. 조직접착제 사용 후 연성 콘택트렌즈를 덮어 각막표면의 불규칙성으로부터 유발되는 이물감을 줄이고 조직접착제의 소실을 막을 수 있도록 한다. 조직접착제는 염증세포 및 염증세포에서 분비되는 매개물질로부터 조직을 보호할 수 있는 장점이 있을 뿐 아니라 각막의 구조를 지지하는 효과를 같이 가지고 있다. 그러나 큰 크기의 천공이 생긴 경우 궁극적으로는 각막이식술이 필요하다.

5) 윤부줄기세포이식(그림 19-4)

윤부줄기세포 결핍의 특징은 각막의 결막화 및 신생혈관화이며 이는 결과적으로 각막의 혼탁과 시력의 저하를 유발한다. 각막의 결막화, 각막신생혈관의 형성은 안구표면의 안정성을 떨어뜨리고 만성염증반응, 상피결손, 각막 융해를 유발한다. 윤부줄기세포이식은 각막상피의 표현형인 각막상피화로의 회복을 위한 유일한 치료방법이다. 윤부조직은 화학손상이 한쪽 눈인 경우 반대쪽 정상 눈에서 혹은 화학손상이 양안인 경우 동종 각막 윤부를 사용한다. 자가윤부줄기세포이식을 하는 경우 이식거부반응의 위험도 없다. 그러나 자가윤부줄기세포이식은 반대측의 안구가 건강하고 윤부의 손상이 없어야 한다.

자가윤부줄기세포이식술은 일반적으로 2개의 60~90도 만큼의 부분 각결막 및 윤부를 공여안구부터 채취하여 이식한다. 공여안구의 윤부줄기세포결핍을 유발하지 않기 위해서 공여안구로부터의 채취는 180도를 넘어서는 안 된다. 수여각막의 각막상피를 제거하고 공여안으로부터 채취한 두 부분의 윤부줄기세포편을 수여안구의 위, 아래 윤부에 고정을 시행한다. 자가윤부줄기세포이식 후 일시적 양막이식술, 치료목적의 연성콘택트렌즈의 적용, 일시적 검판 봉합술은 각막윤부세포를 보호하는 데 도움이 될 수 있다. 자가윤부줄기세포이식술은 허혈성 윤부가 적절한 윤부혈관화가 이루어지고 안구표면의 염증이 조절된 이후 시행하여야 한다. 양측성 윤부줄기세포 결핍의 경우 동종각막윤부줄기세포이식술을 시행하여야 한다. 동종각막윤부줄기세포이식술은 거부반응의 위험이 있고, 장기간의 면역억제요법이 반드시 필요하다.

성공적인 동종각막윤부줄기세포이식술을 위해서는 이식편 윤부 조직 두께가 최대한 얇아야 하며, 수여 각막측과 공여자의 이식편 봉합 시 층이 지지 않아야 한다. 공여자의 이식편을 제작시에는 내피세포측으로 부터 1/2 두께 정도를 제거하고 vannas scissors를 이용하여 최대한 얇게 제작한다(그림 19-5).

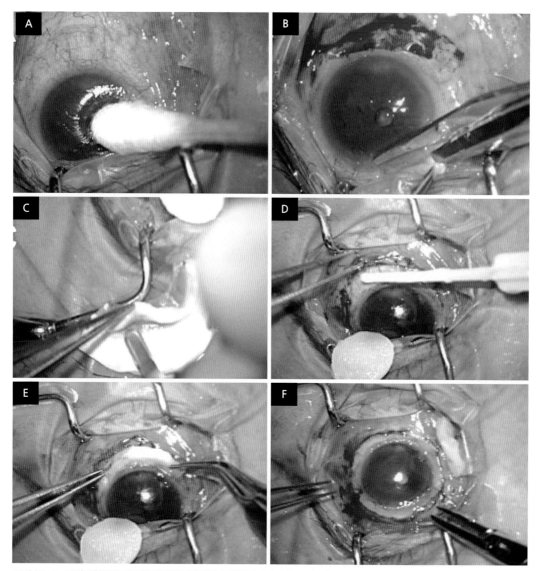

그림 19-4. 조직접착제를 이용한 각막윤부줄기세포 결핍증에서의 동종각막윤부줄기세포이식술

A. 비정상적 각막상피세포 및 섬유혈관성 판누스 조직을 면봉 또는 Bard-Parker No.15 blade 등을 사용하여 각막상피를 제거한다
(superficial keratectomy).

B. 결막윤부를 따라 360도로 절개(conjunctival peritomy)하여 후전시키고 유착된 결막조직들을 해리시킨다.

C. 반원형의 이식할 윤부각막조직을 각공막조직으로부터 부분층 박리를 시행한다(lamellar dissection).

D. 이식할 공여윤부각막조직이 준비되면 조직접착제를 수여각공막부위에 도포한다.

E. 이식할 공여윤부각막조직을 조직접착제 위에 올려 고정한다.

F. 180도 떨어진 윤부줄기세포를 이식할 부분에 A~E 과정을 반복한다.

A

B

그림 19-5. 성공적인 동종각막윤부줄기세포이식술을 위한 팁
A. 이식편을 최대한 얇게 만들어서 이식
B. 수여자의 손상 된 윤부를 일부 제거하고 끼워맞추는 형태로
　이식

One Point

윤부줄기세포이식술
• 윤부이식술 전 완전한 유착박리 및 윤부결막
절개술(conjunctival peritomy)이 필요하다.
화학손상으로 인해 결막유착이 심하므로 세
심하고 완전한 윤부결막절개술 및 각막의 결
막상피제거술을 시행하도록 한다.
• 자가 또는 동종각막윤부이식편의 고정은 봉
합사 외에 fibrin glue를 이용하여 고정할 수
있으며 수술시간을 줄이는 데 도움이 될 수
있으나 최근 상피세포의 이주를 늦춘다는 보
고가 있어 신중한 선택이 필요하다.

6) 전층각막이식술

각막이식술 전 반드시 안구표면의 재건이 이루어
져야 하는데, 전층각막이식술 후 장기간의 각막
투명성을 유지하기 위해 안구표면의 안정화가 반
드시 필요하기 때문이다. 화학손상 후 전층각막
이식의 결정은 각막윤부의 상태를 고려하여 시행

하여야 한다. 심한 화학손상 후에는 11~12 mm
크기의 큰 크기의 공여각막을 이용한 전층각막이
식수술이 필요하다. 그러나 큰 직경의 공여각막
을 이용한 각막이식술은 거부반응의 위험성이 높
다. 따라서 심한 윤부줄기세포의 손상이 동반되
는 경우 8 mm 이하의 일반적 크기의 공여각막과
함께 동시에 또는 윤부줄기세포이식술 후 일반적
직경의 각막이식술을 시행하는 것이 선호된다.
또한 동시에 각막이식과 윤부줄기세포이식을 하
기보다는 윤부줄기세포이식 후 각막이식술을 시
행하는 것이 결과가 좋아 선호된다.[20,21] 화학손
상 후 시행되는 각막이식술의 경우 거부반응면에
있어 고위험군에 속하며 이는 각막신생혈관에 의
해 발생한다. 화학손상 후 각막이식술의 예후는
첫 화학손상의 정도에 비례하고, 특히 녹내장, 저
안압, 전방내 심한 염증반응, 망막박리가 있었던
경우 예후가 불량하다.[4]

　화학손상의 각막이식술에 있어서 전층 각막이
식술보다 심부각막이식수술이 예후가 좋다는 보
고도 있다.

7) 녹내장 수술

화학손상 후 녹내장의 발생은 심한 화학손상을
받은 안구에서 흔하고, 수상 후 1주 내에 안압이
높았던 안구에서 위험성이 높다.[22] 수술적 녹내장
치료가 필요한 경우는 안약 및 경구약을 사용하
여 최대한의 안압하강을 위한 치료를 시행하였음
에도 조절이 되지 않는 경우 필요하다. 그러나 녹
내장 여과수술의 경우 결막의 심한 손상이 동반
되어 있기에 어렵고, 유출기구를 이용한 수술도
높은 합병증 빈도를 보인다고 알려져 있다.[22]

현문현답

Q. Chemical burn은 각막 파트에서 아마 제일 힘든 질환이 아닐까 싶습니다.

A. 맞습니다. Acid burn은 시력회복을 꾀할 수 있지만 alkali burn은 결국 안구형태를 유지하는 게 최종 목적이 아닐까 싶어요. 시력회복을 위한 수술적인 요법은 역시 눈상태가 안정된 이후에 해야겠지요.

A. 그런데 그 '안정'이라는 게 좀 모호한 것 같습니다. 몇 년이 지난 후에 ocular surface가 조용하다 싶어도 PKP를 하게 되면 inflammation이 장난이 아닌 경우가 많아요.

Q. 우선 conjunctiva에 대해 이야기 해볼까요?

A. Conjunctival scarring이나 Symblepharon은 결국 각막과 마찰을 일으키기 때문에 이것을 제대로 해결하지 않으면 결국 각막이식을 하더라도 실패하는 원인이 되지 않을까 싶습니다. 결막이 손상되면 결막의 술잔세포도 줄어들게 되고 눈물의 점액성분이 부족하게 됩니다. 눈물 구성성분이 변화된 눈물은 눈 표면을 효과적으로 보호할 수 없습니다. 결막손상이 동반되었을 때 각막이식의 실패 확률이 높아지는 원인이 됩니다.

Q. Conjunctiva 어떻게 치료하세요?

A. 정말 어렵죠. Conjunctival scarring이 있으면 결국 graft failure 가능성이 많기 때문에 scar tissue는 제거하고 AMT나 드물게 buccal mucosa transplantation을 하는 경우도 있었는데 scar tissue 제거 자체가 inflammation을 엄청 야기해서 제 case들은 썩 좋지가 않았어요. 암만해도 아무것도 하지 않는 게 inflammation을 야기하지 않는다는 점에서는 맞는 것 같긴 한데 dilemma에 빠집니다.

Q. 그럼 주제를 limbal transplantation으로 넘어 가겠습니다.

A. 우선 cornea의 fibrotic tissue를 제거해야 하는데 여기서 중요한 것은 욕심을 버려야 합니다. Cornea 구조 자체가 lamellar structure이기 때문에 한번에 fibrotic tissue를 제거하더라도 양파를 까는 것과 비슷하게 제거가 잘 되는데 수술을 하다 보면 조금 더 제거하면 환자의 시력이 나올 것 같은 착각에 빠지거든요. 잘못하다가 너무 많이 제거해서 cornea가 지나치게 얇아지거나 micro-perforation이 생깁니다. 그리고 recipient limbus는 어쨌든 diseased limbus이기 때문에 제거하는 것을 원칙으로 합니다. Trephine을 이용해서 제거하는데요. Pachymeter로 두께를 재고 1/4 바퀴가 25 μm이기 때문에 200~250 μm 정도 limbal tissue를 제거합니다.

A. 성공적인 윤부이식을 위해서는 donor와 recipient 간에 gap이 없어야 하고 graft는 최대한 얇게 만들어야 해요. 수술 자체는 어렵지 않은데 시간이 너무 걸립니다.

A. 저는 굳이 recipient limbus는 제거하지 않습니다. Ring 형태의 limbus는 suture하기가 어려워서 저는 반으로 잘라서 180도 limbus를 두 개 사용합니다.

Q. 만일 unilateral burn이면 반대쪽 자기 limbus 일부를 사용하는 것은 어떨까요?

A. 제 환자는 unilateral인 경우가 없어서 choice는 없었는데 좀 부담이 되어 반대쪽에서 떼기는 좀 그런 것 같습니다.

Q. 시력회복 목적의 각막이식은 동시에 하는 경우와 staged operation 중 어떤 경우가 나은 것 같습니까? 저는 limbal transplantation의 효과가 좀 의심스러워요, 사실 그렇게 좋은 결과가 없었거든요.

A. 그건 선생님 case들이 너무 severe한 것이 아니었을까요? Alkali burn은 잘 모르겠지만 acid burn은 확실히 좋습니다. Epithelial up으로 AMT하고 윤부이식을 하면 상당히 안정적으로 됩니다. 저는 6개

월 정도 지난 후에 DALK를 시도합니다.

Q. DALK 성공률이 어떻게 되세요?

A. 별로 좋지 않습니다. 60% 정도요?

A. 우와! 대단하시네요. 저는 30% 정도인 것 같아요.

A. 저는 좀 생각을 고쳐먹었어요. 군이 Descemet membrane을 완전히 exposure 시킬 필요가 없지 않을까 하는 게 제 생각입니다. Rejection risk를 안고 PKP를 하느니 visual quality가 떨어지더라도 DALK가 나을 것 같아서 semi-DALK를 선호합니다.

Q. Semi-DALK가 뭐죠?

A. 데스메막을 완전히 exposure 시키는 것이 아니고, 가능한 데스메막 level까지 제거합니다.

Q. Interface opacity가 만만치 않을텐데요.

A. 네. 그렇지만 시간이 지나고 점차 옅어지긴 하더라구요. 제가 과거에는 alkali burn 환자에게 ocular surface reconstruction을 열심히 했는데요, 결국은 썩 결과가 좋지 않더라구요. 물론 수술 결과도 그렇고 환자가 너무 오랫동안 고생하다 보니 follow-up loss되는 경우도 있고요.

Q. Chemical burn은 정말 치료하기 어렵지만 각막 전공하는 사람 입장에서는 꼭 해결하고 싶은 질환이죠. 아무튼 좋은 수술법에 대한 정보 공유해주셔서 감사합니다.

■ 참고문헌

1. Brodovsky SC, McCarty CA, Snibson G, Loughnan M, Sullivan L, Daniell M, Taylor HR. Management of alkali burns: an 11-year retrospective review. *Ophthalmology* 2000 Oct;107(10):1829-1835.

2. Davis AR, Ali QK, Aclimandos WA, Hunter PA. Topical steroid use in the treatment ocular alkali burns. *Br J Ophthalmol* 1997 Sep;81(9):732-734.

3. Pfister RR, Paterson CA, Spiers JW, Hayes SA. The efficacy of ascorbate treatment after severe experimental alkali burns depends upon the route of administration. *Invest Ophthalmol Vis Sci* 1980 Dec;19(12):1526-1529.

4. Wagoner MD. Chemical injuries of the eye: current concepts in pathophysiology and therapy. *Surv Ophthalmol* 1997 Jan-Feb;41(4):275-313.

5. Schrage NF, Langefeld S, Zschocke J, Kuckelkorn R, Redbrake C, Reim M. Eye burns: an emergency and continuing problem. *Burns* 2000 Dec;26(8):689-699.

6. Lee SH, Leem HS, Jeong SM, Lee K. Bevacizumab accelerates corneal wound healing by inhibiting TGF-beta2 expression in alkali-burned mouse cornea. *BMB Rep* 2009 Dec 31;42(12):800-805.

7. Hosseini H, Nowroozzadeh MH, Salouti R, Nejabat M. Anti-VEGF therapy with bevacizumab for anterior segment eye disease. *Cornea* 2012 Mar;31(3):322-334

8. Sharma N, Goel M, Velpandian T, Titiyal JS, Tandon R, Vajpayee RB. Evaluation of umbilical cord serum therapy in acute ocular chemical burns. *Invest Ophthalmol Vis Sci* 2011 Feb 25;52(2):1087-1092.

9. Sharma N, Lathi SS, Sehra SV, Agarwal T, Sinha R, Titiyal JS, Velpandian T, Tandon R, Vajpayee RB. Comparison of umbilical cord serum and amniotic membrane transplantation in acute ocular chemical burns. *Br J Ophthalmol* 2015 May;99(5):669-673.

10. Meller D, Pires RT, Mack RJ, Figueiredo F, Heiligenhaus A, Park WC, Prabhasawat P, John T, McLeod SD, Steuhl KP, Tseng SC. Amniotic membrane transplantation for acute chemical or thermal burns. *Ophthalmology* 2000 May; 107(5):980-989.

11. Koizumi NJ, Inatomi TJ, Sotozono CJ, Fullwood NJ, Quantock AJ, Kinoshita S. Growth factor mRNA and protein in preserved human amniotic membrane. *Curr Eye Res* 2000 Mar;20(3):173-177.

12. Tseng SC, LiDQ, Ma X. Supression of transforming growth

factor-beta isoforms, TGF-beta receptor type II, and myofibroblast differentiation in cultured human corneal and limbal fibroblasts by amniotic membrane matrix. *J Cell Physiol* 1999 Jun;179(3):325-335.

13. Hao Y, Ma DH, Hwang DG, Kim WS, Zhang F. Identification of antiangiogenic and anti-inflammatory proteins in human amniotic membrane. *Cornea* 2000 May;19(3):348-352.

14. Shimmura S, Shimazaki J, Ohashi Y, Tsubota K. Antiinflammatory effects of amniotic membrane transplantation in ocular surface disorders. *Cornea* 2001 May;20(4):408-413.

15. Tamhane A, Vajpayee RB, Biswas NR, Pandey RM, Sharma N, Titiyal JS, Tandon R. Evaluation of amniotic membrane transplantation as an adjunct to medical therapy as compared with medical therapy alone in acute ocular burns. *Ophthalmology* 2005 Nov;112(11):1963-1969.

16. Tandon R, Gupta N, Kalaivani M, Sharma N, Titiyal JS, Vajpayee RB. Amniotic membrane transplantation as an adjunct to medical therapy in acute ocular burns. *Br J Ophthalmol* 2011 Feb;95(2):199-204.

17. Gicquel JJ. Management of ocular surface chemical burns. *Br J Ophthalmol* 2011 Feb;95(2):159-161.

18. Ma DH, Kuo MT, Tsai YJ, Chen HC, Chen XL, Wang SF, Li L, Hsiao CH, Lin KK. Transplantation of cultivated oral mucosal epithelial cells for severe corneal burn. *Eye* 2009 Jun;23(6):1442-1450.

19. Nakamura T, Inatomi T, Sotozono C, Amemiya T, Kanamura N, Kinoshita S. Transplantation of cultivated autologous oral mucosal epithelial cells in patients with severe ocular surface disorders. *Br J Ophthalmol* 2004 Oct;88(10):1280-1284.

20. Basu S, Mohamed A, Chaurasia S, Sejpal K, Vemuganti GK, Sangwan VS. Clinical outcomes of penetrating keratoplasty after autologous cultivated limbal epithelial transplantation for ocular surface burns. *Am J Ophthalmol* 2011 Dec;152(6):917-924.

21. Shimazaki J, Shimmura S, Tsubota K. Donor source affects the outcome of ocular surface reconstruction in chemical or thermal burns of the cornea. *Ophthalmology* 2004 Jan; 111(1):38-44.

22. Lin MP, Ekşioğlu Ü, Mudumbai RC, Slabaugh MA, Chen PP. Glaucoma in patients with ocular chemical burns. *Am J Ophthalmol* 2012 Sep;154(3):481-485.

띠각막병증 완전정복

20

> Key
> Point

- 띠각막병증의 EDTA를 이용한 제거 방법에 대해서 알아본다.
- 띠각막병증의 PTK를 이용한 제거 방법에 대해서 알아본다.

1. 서론

띠각막병증은 각막의 보우만층에 칼슘이 침착되는 각막변성이다. 대부분 3시, 9시 위치의 주변부 각막에서 시작되고 진행되면 중심부까지 침범하게 된다. 각막윤부와 연한 각막주변부분에는 보우만층이 없고, 각막윤부혈관의 완충능력 때문에 상대적으로 칼슘침착이 방지되어서 투명한 부분으로 경계 지어지는 것이 특징이다. 띠각막병증은 여러 원인에 의해서 발생할 수 있는데, 소아 류마티스관절염, 만성포도막염, 실리콘기름 주입안, 안구로와 같은 안과질환에 의한 경우가 흔하고, 신부전 혹은 부갑상선항진증과 같이 혈중 칼슘이 상승하는 경우에도 종종 동반되는 것으로

알려져 있다.[1] 대부분 하얗게 침착되는 상태로 미용적으로 문제가 되는 경우가 많지만, 심한 이물감, 눈물흘림, 광과민증 혹은 시력저하로 치료를 하게 된다. 증상이 심하지 않은 경우에는 비수술적인 방법으로 인공눈물, 안연고, 치료용 콘택트렌즈 등을 사용하면 되지만, 심한 경우에는 수술적인 방법으로 제거하게 된다.

2. 본론

수술적인 방법으로는 EDTA를 이용한 제거, 수술적 제거, 치료레이저각막절제술(PTK) 등이 있다.

1) EDTA를 이용한 방법[2]

(1) 세극등현미경 혹은 수술현미경하에서 점안마취를 하고 개검기로 눈을 벌린다.

(2) 알코올 혹은 브러쉬를 이용해서 각막상피를 제거한다. 알코올을 사용하는 경우 LASEK에서 사용하는 well을 이용하면 쉽게 각막상피를 제거할 수 있다. 블레이드를 이용해서 각막상피를 완전히 제거한다.

(3) 3% EDTA를 치료가 필요한 각막에 3분간 적용한다. 이 경우 동그랗게 만든 filter paper 혹은 셀룰로오스 스폰지(Weck-Cel®)를 이용하면 쉽게 적용할 수 있다.

(4) BSS를 이용해서 남은 EDTA를 세척한다.

(5) 칼슘의 침착 정도에 따라서 3~4번 과정을 반복한다. 칼슘 침착 정도가 심하지 않으면 10~15분 정도면 각막이 투명해지지만, 심한 경우에는 30~40분 정도 소요될 수도 있다.

(6) 마른 셀룰로오스 스폰지(Weck-Cel®)를 이용해서 녹지 않은 칼슘을 조심스럽게 제거하는 것도 도움이 된다.

(7) 치료한 각막표면이 많이 거칠면 추가적으로 diamond burr를 이용해서 매끄럽게 치료할 수도 있다.

(8) 각막상피 재생이 더딜 것으로 예상되는 경우에는 추가적으로 양막이식술을 시행할 수도 있다.

(9) 치료가 끝나면 치료용 콘택트렌즈를 착용시키고, 점안항생제, 점안스테로이드를 처방한다.

One Point

- EDTA가 안구표면에 독성이 있으므로 가능하면 수술현미경하에 실시하는 것이 좋다.
- EDTA는 상피를 통과하지 못하므로 상피를 완전히 제거하는 것이 중요하다.
- 블레이드를 이용하여 상피를 제거하면서 무리해서 칼슘침착물을 제거하면 각막에 혼탁이 생길 수 있으므로 주의가 필요하다.
- 칼슘은 EDTA로 녹일 수 있으므로 충분한 시간동안 EDTA 적용을 하면 추가적으로 블레이드를 사용하지 않아도 깨끗하게 띠각막병증을 치료할 수 있다.
- 문헌상 EDTA의 권장농도는 0.5~1.5%이지만 필자는 3%농도를 사용하는 것이 더 효과적으로 생각한다.

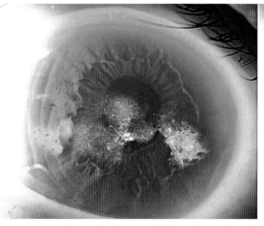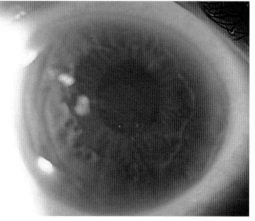

그림 20-1. 띠각막병증 환자의 술전 사진과 EDTA를 이용한 치료 3개월 후 사진

2) PTK를 이용한 방법[3]

(1) PTK도 앞선 치료와 마찬가지로 상피를 제거하고 칼슘이 침착된 각막을 엑시머레이저로 절삭하게 된다.

(2) 이 경우 굴절이상이 발생할 수 있고, 또 반복적으로 PTK를 할 가능성을 염두에 두고 최소한으로 절삭하는 것이 좋다.

(3) 각막이 비교적 매끈하면 큰 문제가 없지만, 울퉁불퉁할 경우에는 masking fluid를 사용해서 표면이 매끄럽게 될 수 있도록 해야 한다.

> **One Point**
>
> • PTK를 이용한 제거는 굴절이상이 발생할 수 있고, 제거할수록 각막이 얇아지므로 최소한으로 절삭하는 것이 추천된다.

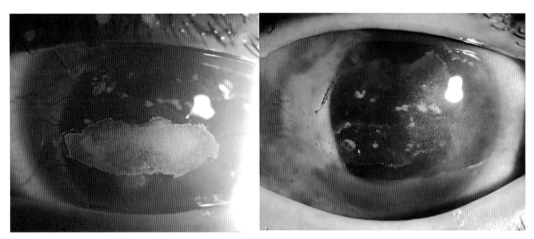

그림 20-2. 띠각막병증 환자의 술 전 사진과 PTK를 이용한 치료 4개월 후 사진

현문현답

Q. EDTA를 이용한 칼슘의 제거에 있어 유용한 tip같은 것을 알려주시겠어요?

A. 침착된 칼슘을 무리하게 블레이드를 이용해서 수술적으로 제거하게 되면 보우만층에 혼탁이 남을 수 있으므로, 주의해야 합니다. 블레이드를 사용할 때는 조심스럽게 긁어내는 듯이 수평방향으로 움직여야만 하고 보우만층에 칼집을 내어 흉터를 만들지 않도록 조심해야 해요.

A. EDTA를 아끼지 말고 반복적으로 이용해서 녹여내면서 제거하는 것도 좋은 방법입니다.

Q. PTK를 사용하는 경우도 있지요?

A. EDTA를 이용해서 비교적 쉽게 침착된 칼슘을 제거할 수 있지만, 비칼슘성 물질이 침착된 경우에는 EDTA로는 제거가 안 될 수 있어요. 이 경우에는 PTK를 이용한 방법이 보다 더 도움이 될 수 있습니다.

Q. PTK를 시행할 때 주의해야 할 점이 있을까요?

A. 각막주변부의 침착물까지 PTK를 이용해서 완전히 제거하기 위해서는 많은 양의 중심각막을 절삭해

야 하므로 바람직하지 않아요. 이 경우 주변부 침착물은 EDTA를 이용하여 추가적으로 제거할 수 있습니다. 각막 표면이 많이 울퉁불퉁할 경우 masking fluid를 사용해도 각막이 불규칙해질 수 있으므로 EDTA를 이용한 제거가 우선적으로 추천됩니다.

A. 최근에는 flying spot를 이용한 엑시머레이저를 많이 사용하고 있으므로 PTK를 이용할 경우, masking fluid 없이도 쉽게 침착물을 제거할 수 있습니다.

Q. EDTA peeling이 잘 안 된다면 어떻게 해야 하나요?

A. 일반적으로 사용하던 EDTA보다 농도를 올려보세요. EDTA 사용 시 Na-EDTA보다 K-EDTA가 보다 효과적이고, EDTA 용액을 따뜻하게 사용하면 더 효과가 좋다는 의견들도 있으므로 한번 적용해 보시기 바랍니다.

■■■ 참고문헌

1. Jhanji V, Rapuano CJ, Vajpayee RB. Corneal calcific band keratopathy. *Curr Opin Ophthalmol* 2011 Jul;22(4):283-289.

2. Najjar DM, Cohen EJ, Rapuano CJ, Laibson PR. EDTA chelation for calcific band keratopathy: results and long-term follow-up. *Am J Ophthalmol* 2004 Jun;137(6):1056-1064.

3. Rapuano CJ. Phototherapeutic keratectomy: who are the best candidates and how do you treat them? *Curr Opin Ophthalmol* 2010 Jul;21(4):280-282.

수포각막병증

21

> Key
> Point

• 수포각막병증의 증상을 조절하기 위해 앞기질천자, 치료레이저각막절제, 양막이식, 또는 결막피판술을 단독 또는 병합하여 사용할 수 있다.
• 근본적인 치료는 전체층 또는 내피층 각막이식이며 최근 배양된 각막내피세포를 전방에 주입하는 치료가 연구되고 있다.
• 콜라겐교차결합은 수포각막병증 치료로는 그 효과가 단기간만 유지된다.

1. 서론

수포각막병증은 각막내피부전에 의해 수분이 축적되어 각막부종과 각막 상피에 소수포나 물집이 생긴다. 백내장 또는 각막이식을 포함한 안구 수술 후, 안압상승, 녹내장, 외상, 푹스각막내피이상증, Chandler 증후군(홍채각막내피증후군) 등이 원인이며 시력감소, 통증, 눈물흘림을 동반한다.[1] 약물치료 이외에 수술적 치료로 앞기질천자(anterior stromal puncture), 치료레이저각막절제(phototherapeutic keratectomy), 양막이식(amniotic membrane transplantation), 결막피판술(conjunctival flap), 치료용 콘택트렌즈(bandage contact lens), 콜라겐 교차결합(collagen cross linking) 등이 있는데 단독 또는 동시에 사용할 수 있으며 증상완화 목적으로 사용된다. 안구 내 다른 이상을 동반하지 않아 시력 호전의 가능성이 있는 경우 전체층 또는 내피각막이식이 유일한 근본적인 치료 방법이다.

2. 본론

1) 앞기질천자

앞기질천자는 type Ⅳ collagen, fibronectin, laminin과 같은 세포바깥단백질을 증가시켜 상피세포의 각막기질 부착을 유도한다.[2] 각막천공을 피하기 위해 20G 바늘 끝을 구부려 사용하는 데 이외에도 25G, 26G 크기의 바늘도 사용이 가능하다(그림 21-1).[3-4] 20G 바늘을 사용할 때 반흔이 더 크게 생기므로 각막미란을 예방하는 데는 더 효과적이다.

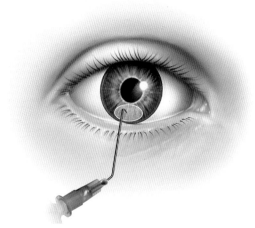

그림 21-1. 앞기질천자
바늘의 자루와 끝부분 두 군데를 구부리면 시술이 간편하며 환자가 바늘을 직접 관찰할 수 없어 공포심을 줄일 수 있다.

각막이식을 계획 중인 환자는 시술 후 발생하는 흉터를 피하기 위해 각막가장자리 1 mm 이내는 시술을 피하는 것이 좋다.[5] 앞기질천자는 빠르고 간편하며 반복적으로 외래에서 시행 가능한 장점이 있지만 수포각막병증 초기에 부분적으로 발생한 각막부종에는 효과가 제한적이며 각막기질에 흉터를 남기고 신생혈관을 유도하므로 시술에 제한이 따른다. 자세한 시술방법은 제17장 '앞기질천자: 각막상피를 강화하는 방법'을 참조하기 바란다.

2) 치료레이저각막절제

치료레이저각막절제는 엑시머레이저를 사용하는데 물리적 특성상 관통이 초점부위를 선택적으로

치료할 수 있어 주변조직에 손상을 최소화할 수 있다는 장점이 있다.[5-6]

치료레이저각막절제의 치료 기전은 비정상적인 바닥막을 제거해 상피치유를 도모하며 기질의 두께 감소로 삼투성 부하를 줄여 상피부종을 감소시켜 결과적으로 남아있는 각막내피세포의 탈수효과를 증대시킬 수 있다.[6-7]

각막절제의 깊이는 죽은조직제거(debridement) 후 표면(8~25 μm), 중간(50~100 μm), 심부(기질의 25%)로 나눌 수 있는데 통증 조절의 측면에 있어서는 각막신경다발(corneal nerve plexus)을 절삭하고 보다 많은 흉터를 유발해 상피의 안정성을 유도하는 심부절삭이 보다 효과적이라는 보고가 있다.[7] 자세한 시술방법은 제33장 '치료레이저각막절제술의 적응증과 술기'를 참조하기 바란다.

3) 양막이식

양막은 각막상피재생 또는 세포성장을 위한 안대 또는 세포성장을 위한 발판으로 작용해 치료로 사용될 수 있다.[8] 양막이식과 앞기질천자를 비교한 연구에 의하면 수술 후 3개월째 두 그룹 모두 통증 감소에 있어서 효과적이었으며 시술방법에 따른 차이는 없다고 보고했다.[9] 양막이식과 치료레이저각막절제를 비교한 연구에서는 두 가지 치료 모두 7~8개월째 통증 감소에 효과적이었는데 각막재상피화는 치료레이저각막절제가 더 빠르다고 보고하고 있다.[10] 양막이식은 특히 오래된 수포각막병증에서 상피화가 지연되는 경우에 효과적이며 또한 치료레이저각막절제, 앞기질천자, 결막피판술과 동시에 시행할 수 있다는 장점이 있다.[11-13] 자세한 시술방법은 제26장 '양막이식술'을 참조하기 바란다.

4) 결막피판술

각막의 죽은조직제거술 후 테논낭으로부터 결막을 분리하여 판을 만들어 봉합한다. 결막판은 각막신경말단이 노출된 부위에 새롭고 온전한 표면을 제공함으로써 통증을 줄이고 더불어 결막상피는 눈물과 각막 사이에 삼투장벽으로 작용한다.[11] 시술 후 결막판이 얇아지고 더불어 각막부종이 감소하면 시력 호전도 가능하다. 자세한 시술방법은 제27장 '결막피판술: 난치성 각막질환의 치료 옵션'을 참조하기 바란다.

5) 콜라겐교차결합

콜라겐교차결합은 앞각막기질의 아교질을 구조적으로 치밀하게 만들어 기질의 흡수팽윤압력(imbibition pressure)을 감소시키고 내피세포를 통한 수분 유입을 막아 각막의 투명도를 유지하는 데 도움이 된다.[14-15]

콜라겐교차결합은 증상을 경감시키고 시력개선 효과가 있으며 각막이식을 늦출 수 있는 치료방법으로 기대를 모았지만 그 효과가 부종의 정도와 원인질환에 따라 1~3개월 정도 유지되다가 통증과 부종 그리고 수포가 다시 재발하는 결과를 보여 제한적으로 사용이 가능하며 추가적인 연구가 필요하다.[16-18] 자세한 시술방법은 제35장 '각막 콜라겐 교차결합술'을 참조하기 바란다.

3. 결론

다양한 수포각막병증의 수술적 치료는 통증감소에 효과적인 결과를 보인다. 치료별로 효과가 지속되는 기간이 다르고 현실적으로 시술에 필요한 특수 장비나 시약 그리고 의료보험 적용 여부에 따른 비용적인 문제를 고려하지 않을 수 없는 실정이다. 질병의 자연 경과에 대한 설명을 충분히 하고 환자에게 접근 가능한 방법을 선택하면 성공적인 치료가 가능할 것으로 생각된다.

현문현답

Q. 각막혼탁을 동반하지 않은 경우라면 각막이식 중에서도 내피세포를 포함하는 DMEK, DSEAK을 시행하게 되는데요, 숙련된 술자가 아니라면 부종이 심한 경우 염색된 DMEK 공여 조직이 잘 보이지 않을 수 있어 주의가 필요할 것 입니다. 내피층판이식술을 시행하는 데 주의하여야 할 경험 같은 것이 있으면 알려주시겠어요?

A. 유리체절제술을 받거나 수정체 홍채 diaphragm이 온전하지 않은 경우 re-bubbling 가능성이 높고 공여조직 이탈 시 reposition이 어려울 수 있어 주의가 필요합니다.

A. 저는 아메드벨브와 같이 방수유출장치가 삽입되어 있는 눈에서 특히 수술 시 주의가 필요하다고 생각하는데요. 저의 경우 일시적으로 밸브의 tip을 막고 이후 각막이 생착된 후에 제거하는 방법으로 내피세포 이식술을 시행하고 있습니다.

A. 최근 발표된 Rho kinase inhibitor를 이용한 배양된 각막내피세포 전방주사 결과를 보면 치료 6개월 후 수포각막병증 환자 11안 중 10안에서 각막내피세포가 $1,000/mm^2$가 유지되고 11안 중 9안에서 최대교정시력이 2줄 이상 호전되는 것으로 보고되어 세포치료에 대한 기대를 해보게 되네요, 그러나 아직 임상 현장에서의 이용은 요원한 분위기입니다.

Q. 뮤로, 즉 염화나트륨 고삼투압 점안제의 사용은 어떻게 생각하세요?

A. 수포각막병증 환자의 경우 흔히 처방하는 안약이 염화나트륨 성분의 고삼투압 점안제인데요. 개인적으로는 연고도 같이 처방하고 있습니다. 고삼투압 점안제의 경우 점안감이 좋지 않은 단점이 있기에 저는 겔 타입의 연고를 자기 전에 넣고 바로 고삼투압 점안제를 넣어 연고와 섞이게 함으로써 점안감을 좋게 할 뿐만 아니라 약제의 효과를 높이기도 하므로 유용한 방법이라고 생각합니다.

■■■■ 참고문헌

1. Shimazaki J, Amano S, Uno T, Maeda N, Yokoi N, Japan Bullous Keratopathy Study G. National survey on bullous keratopathy in Japan. *Cornea* 2007 Apr;26(3):274-278.

2. Hsu JK, Rubinfeld RS, Barry P, Jester JV. Anterior stromal puncture. Immunohistochemical studies in human corneas. *Arch Ophthalmol* 1993 Aug;111(8):1057-1063.

3. Gomes JA, Haraguchi DK, Zambrano DU, Izquierdo Junior L, Cunha MC, de Freitas D. Anterior stromal puncture in the treatment of bullous keratopathy: six-month follow-up. *Cornea* 2001 Aug;20(6):570-572.

4. Sridhar MS, Vemuganti GK, Bansal AK, Rao GN. Anterior stromal puncture in bullous keratopathy: a clinicopathologic study. *Cornea* 2001 Aug;20(6):573-579.

5. Kerr-Muir MG, Trokel SL, Marshall J, Rothery S. Ultrastructural comparison of conventional surgical and argon fluoride excimer laser keratectomy. *Am J Ophthalmol* 1987 Mar 15;103(3 Pt 2):448-453.

6. Wu WC, Stark WJ, Green WR. Corneal wound healing after 193-nm excimer laser keratectomy. *Arch Ophthalmol* 1991 Oct;109(10):1426-1432.

7. Maini R, Sullivan L, Snibson GR, Taylor HR, Loughnan MS. A comparison of different depth ablations in the treatment of painful bullous keratopathy with phototherapeutic keratectomy. *Br J Ophthalmol* 2001 Aug;85(8):912-915.

8. Shimmura S, Tsubota K. Ocular surface reconstruction update. *Curr Opin Ophthalmol* 2002 Aug;13(4):213-219.

9. Paris Fdos S, Goncalves ED, Campos MS, Sato EH, Dua HS, Gomes JA. Amniotic membrane transplantation versus anterior stromal puncture in bullous keratopathy: a comparative study. *Br J Ophthalmol* 2013 Aug;97(8):980-984.

10. Chawla B, Sharma N, Tandon R, Kalaivani M, Titiyal JS, Vajpayee RB. Comparative evaluation of phototherapeutic keratectomy and amniotic membrane transplantation for management of symptomatic chronic bullous keratopathy. *Cornea* 2010 Sep;29(9):976-979.

11. Guell JL, Morral M, Gris O, Elies D, Manero F. Treatment of symptomatic bullous keratopathy with poor visual prognosis using a modified Gundersen conjunctival flap and amniotic membrane. *Ophthalmic Surg Lasers Imaging* 2012 Nov-Dec;43(6):508-512.

12. Gregory ME, Spiteri-Cornish K, Hegarty B, Mantry S, Ramaesh K. Combined amniotic membrane transplant and anterior stromal puncture in painful bullous keratopathy: clinical outcome and confocal microscopy. *Can J Ophthalmol* 2011 Apr;46(2):169-174.

13. Vyas S, Rathi V. Combined phototherapeutic keratectomy and amniotic membrane grafts for symptomatic bullous keratopathy. *Cornea* 2009 Oct;28(9):1028-1031.

14. Bottós KM, Hofling-Lima AL, Barbosa MC, Barbosa JB Jr, Dreyfuss JL, Schor P, Nader HB. Effect of collagen cross-linking in stromal fibril organization in edematous human corneas. *Cornea* 2010 Jul;29(7):789-793.

15. Ehlers N, Hjortdal J. Riboflavin-ultraviolet light induced cross-linking in endothelial decompensation. *Acta Ophthalmol* 2008 Aug;86(5):549-551.

16. Arora R, Manudhane A, Saran RK, Goyal J, Goyal G, Gupta D. Role of corneal collagen cross-linking in pseudophakic bullous keratopathy: a clinicopathological study. *Ophthalmology* 2013 Dec;120(12):2413-2418.

17. Sharma N, Roy S, Maharana PK, Sehra SV, Sinha R, Tandon R, Titiyal JS, Vajpayee RB. Outcomes of corneal collagen crosslinking in pseudophakic bullous keratopathy. *Cornea* 2014 Mar;33(3):243-246.

18. Ghanem RC, Santhiago MR, Berti TB, Thomaz S, Netto MV. Collagen crosslinking with riboflavin and ultraviolet-A in eyes with pseudophakic bullous keratopathy. *J Cataract Refract Surg* 2010 Feb;36(2):273-276.

공막연화증의 수술적 치료

22

Key Point

• 공막연화증의 수술적 치료에 대해서 알아본다.
• 약해진 공막을 보충할 수 있는 다양한 대체물에 대해서 알아본다.

1. 서론

공막연화증(scleromalacia)은 과거에는 공막염의 심한 형태 혹은 그 후유증으로 알려져 있었지만, 최근에는 군날개 수술의 합병증으로 비교적 드물지 않게 관찰할 수 있는 질환이다. 특히 군날개의 재발을 낮추기 위해서 많이 사용하는 마이토마이신 C를 사용하거나 군날개가 제거된 공막부위를 결막 등으로 덮지 않는 경우(bare sclera technique)에 더 빈번하게 생길 수 있는 것으로 알려져 있다. 요즘은 시행되고 있지 않지만, 눈미백수술이라는 이름의 광범위결막절제술이 널리 시행된 이후 공막연화증이 더 증가해서 최근에는 공막연화증의 수술적 치료에 대한 관심이 더욱 더

커진 상태이다. 이 경우 단순한 공막연화증이 아닌 칼슘플라크(calcium plaque, calcified plaque)를 동반한 경우가 있는데(그림 22-1), 이런 경우에는 이차 세균감염의 우려가 높아서 적절한 수술적인 치료가 필요한 경우가 많다. 공막은 주

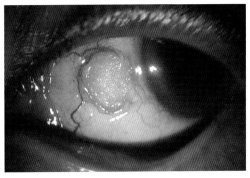

그림 22-1. 칼슘플라크

변의 테논낭, 상공막의 혈관 및 맥락막으로부터 혈관공급을 받는 것으로 알려져 있고, 어떠한 형태로든 공막의 허혈이 발생하면 칼슘플라크를 동반한 공막연화증이 발생하는 것으로 알려져 있다.[1,2] 본 장에서는 성공적인 공막연화증의 수술적 치료를 위한 다양한 방법과 팁에 관해서 기술하고자 한다.

2. 본론

결막에 의해서 안정적으로 보호가 되고 있는 공막연화증은 급한 수술적인 치료가 필요하지 않지만, 결막상피결손이 동반되었거나 칼슘플라크가 동반된 공막연화증은 이차 세균감염의 우려가 있어서 수술적인 치료가 필요하다. 공막연화증 수술을 계획함에 있어서 우선적으로 고민해 볼 사항은 첫째는 상피재생을 어떻게 시킬지, 둘째는 약화된 공막을 어떤 충전물로 채울지 정도로 요약할 수 있겠다. 상피재생을 촉진시키기 위해서 자가결막이식술을 고려해 볼 수 있겠지만, 공막허혈로 혈관생성이 매우 제한된 공막에 자가결막이식술은 충분한 혈관공급이 어렵다. 결과적으로 혈관이 자라 들어가지 못해서 이식한 결막이 녹는 경우가 흔하다. 양막을 이용해서 주변의 결막세포들의 재생을 촉진시킬 수도 있겠지만, 저자의 경우는 이 역시도 실패하는 경우를 종종 경험했다. 개인적으로 가장 선호하는 수술방법은 결막피판술(conjunctival flap)이다.[3] 결막피판술은 혈관조직을 보존할 수 있어서 공막허혈을 치료할 수 있는 가장 이상적인 수술 방법이라고 생각한다. 결막피판술은 회전피판(rotational flap)과 전진피판(advancement flap) 등 다양한 방법을 사용할 수 있다. 자세한 사항은 제27장 '결막피판술'을 참조하길 바란다. 일반적으로 병변으로부터 떨어져 있는 상부 혹은 하부결막을 활용하는데, 상부결막이 더 범위가 넓어서 사용이 용이하다. 다만, 녹내장환자의 경우 추후 섬유주절제술과 같은 녹내장 수술을 위해서 상부결막을 보존할 필요가 있어서, 개인적으로는 할 수 있으면 하부결막을 활용하고자 한다. 경우에 따라서는 수술 전에 안저사진 등을 통해서 녹내장의 위험이 없는지 확인하고 상부결막을 이용하는 경우도 있다. 하부결막을 활용할 경우 충분한 결막을 얻지 못하거나, 중력에 의해서 봉합한 결막이 벌어질 수 있으므로 주의가 필요하다. 조직결손이 큰 경우에는 상부 및 하부 결막을 모두 이용할 수 있다. 최근에는 봉합사를 사용한 경우보다 fibrin glue를 사용할 경우 술 후 염증이 더 적었다는 보고가 있어서 이를 활용할 수도 있다. 결막피판을 만들 때는 아래에 있는 테논낭과 분리하고 장력(tension)이 가해지지 않게 봉합하거나 fibrin glue를 이용해서 고정해야 한다. 장력이 가해지는 경우 창상이 벌어지거나 안구운동장애가 발생할 수 있으므로 유의해야 한다.

공막연화증의 범위가 작은 경우(2~3 mm 이내)에는 결막피판술과 공막이식술만으로도 어느 정도 해부학적인 안정성과 미용적인 성공을 얻을 수 있다. 하지만 크기가 큰 경우에는 충분한 지지가 되지 않을 수 있고, 아울러 아래의 맥락막이 비쳐 보여서 미용적으로도 좋지 않을 수 있다. 이와 같은 경우 조직 결손을 메우기 위해서 과거부터 많이 사용했던 충전재가 보존공막이다(그림 22-2, 3). 보존공막은 항상 구할 수 있는 조직이 아니라는 단점도 있고, 혈관이 없는 조직이어서 이식 후 녹는 경우도 종종 있다. 이 경우는 자가결막이식술보다는 특히 결막피판술이 꼭 필요한 경우라고 할 수 있다. 하지만 보존공막은 상대적으로 두껍고 흡수되는 데 어느 정도 시간이 걸리므로 이식한 부위가 볼록하게 솟게 되고, 색깔 역시 기존의 공막과 달라서 미용적으로도 충분히 만족하지 못하는 경우가 있으므로 이점을 술전에 충분히 설명해야 한다. 하지만 6개월 이상 관찰하면 이식

한 공막이 일부 흡수되면서 미용적으로도 좋은 결과를 얻을 수 있다. 다만 더 오래 관찰하면 오히려 공막이 흡수되면서 아래의 맥락막이 비쳐 보일 수 있어서 이에 대한 설명 역시 필요하다. 공막이 여의치 않을 경우 양막을 이용하거나 자가테논낭을 이용하는 방법도 있다(그림 22-4).[4,5]

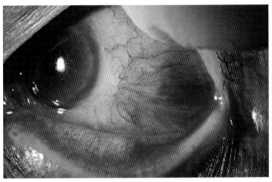
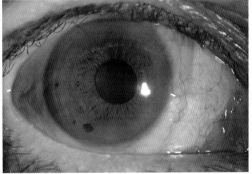

그림 22-2. 공막연화증 환자에서 보존공막을 사용한 후 사진

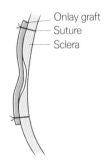

Onlay graft
Suture
Sclera

그림 22-3. 공막연화증 환자에서 공막이식술의 모식도

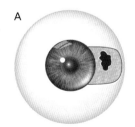
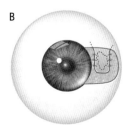
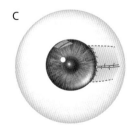

A　　　　　　　B　　　　　　　C

그림 22-4. 자가테논을 이용한 공막연화증 치료의 모식도
A. 얇아진 공막 부위를 확인한다.
B. Tenon flap을 advanced 시켜 얇아진 공막과 공막연화증 경계부위를 완전히 덮는다.
C. Tenon graft 부위에 sliding conjunctival flap을 만들어 결막과 공막에 고정봉합을 시행한다.

이는 특히 범위가 넓은 경우 유용하게 사용할 수 있지만, 상대적으로 공막에 비해서는 빨리 흡수

그림 22-5. Ologen implant

되는 경향이 있어서 이에 대한 주의가 필요하다. 최근에는 Ologen (Aeon Astron Europe B.V., Leiden, the Netherlands)을 이용한 방법이 보고되고 있는데,[6] Ologen은 돼지의 콜라겐을 이용해서 생체분해되도록 만든 다공성 삽입물이다(그림 22-5). 구멍을 통해서 섬유세포와 혈관들이 자라 들어갈 수 있도록 설계되어 있어서 창상치유를 촉진하고, 반흔을 적게 만드는 장점이 있는 것으로 알려져 있다. 또한 3개월 정도 지나면 녹아서 생체에 남지 않아서 더욱더 안전하게 사용할 수 있다(그림 22-6).

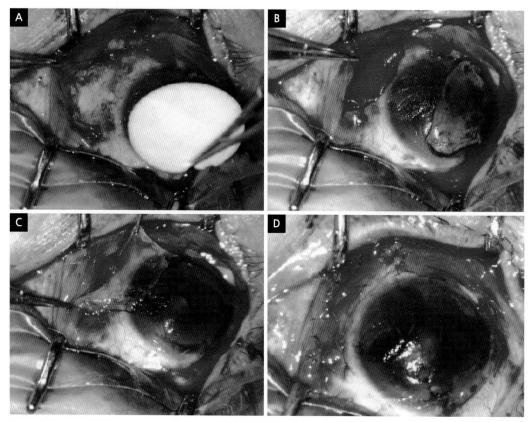

그림 22-6. 재발된 군날개 수술 후 발생한 scleomalacia 환자에서 시행한 ologen implant와 자가결막이식술
A. Ologen은 disc shape으로 BSS나 혈액과 접촉하면 솜이 물에 젖듯이 곧바로 흐물거리기 때문에 주의를 요한다.
B. Ologen을 결막 아래와 노출된 공막 위에 올려 놓는다.
C. 자가 결막을 ologen 위에 올려 놓는다.
D. 10-0 nylon을 이용하여 봉합한다.

결론적으로 최근에 군날개 수술 및 눈미백수술과 같은 공막허혈을 유발하는 수술을 시행하면서 칼슘플라크가 동반된 공막연화증이 늘고 있고, 이를 수술적으로 치료하기 위해서는 상피재생에 도움이 되는 결막피판술이 추천된다. 공막연화증의 범위가 적을 경우에는 결막피판술만으로도 해부학적인 미용적인 성공을 얻을 수 있지만, 범위가 클 경우, 보존공막, 자가테논낭, 양막, Ologen과 같은 충전물을 이용하는 것이 추천된다.

One Point

- 칼슘플라크는 겉에서 보는 것보다 수술장에서 직접 박리하고 보면 더 클 수 있으므로 이에 대한 대비가 필요하다. 드물지만 수술 과정에서 유리체가 탈출되어 망막박리에 이른 증례도 있다.
- 공막허혈을 치료하고 상피재생을 촉진시키기 위해서 결막피판술이 가장 추천된다.
- 크기가 2~3 mm 정도로 작은 경우는 결막피판술 만으로도 충분한 미용적인 해부학적인 안정을 얻을 수 있다.

현문현답

Q. 결막피판술을 시행하실 때, 상부 결막을 쓰세요? 아니면 하부 결막을 쓰세요?

A. 결막피판술을 디자인할 때, 상부결막이 범위도 넓고 사용하기 용이하지만, 녹내장 수술을 위해서 보존할 필요가 있다면 가능하면 하부결막을 활용합니다. 다만 부득이하게 상부결막을 사용해야 하는 경우에는 안저를 확인하고 녹내장이 없는지를 확인하는 것이 필요합니다.

A. 최근에는 녹내장의 수술적 치료는 섬유주절제술, 밸브 수술, 그리고 MIGS (minimally invasive glaucoma surgery) 등 다양한 것 같습니다. 그만큼 상부 결막을 써도 문제가 크지 않을 것으로 생각합니다.

Q. 결막 피판으로 덮을 때 pedicle flap이 좋을까요, 아니면 autograft가 좋을까요?

A. 공막연화증의 경우 염증이 동반된 경우가 많고 때로는 감염이 수반된 경우도 있기 때문에 혈관을 끌어다가 사용하는 pedicle flap이 보다 유용하지 않을까요? 그러나 pedicle flap의 시행이 어려울 경우에는 autograft도 무방하다고 생각합니다. 즉, 어떠한 방법이건 간에 결막은 꼭 덮어주는 것이 좋을 것 같아요.

Q. 결손 부위가 깊고 클 경우 가장 많이 사용하는 것은 공막입니다. 그러나 기증 공막 확보가 어려울 경우에 어떠한 재료를 사용하시는지 경험을 공유해주실 수 있으실까요?

A. 약화된 공막을 보강할 충전재로 가장 많이 사용되고 있는 것은 역시 말씀 해주신 것처럼 기증 공막이 가장 유용합니다. 하지만, 자가 테논낭을 끌어다 쓰는 것도 좋은 방법이고요, 최근에는 양막이나 Ologen과 같은 생체분해되는 다공성 합성체 등 다양한 충전재가 사용되고 있기 때문에 이를 고려하시는 것도 좋겠습니다.

Q. 충전재로 기증 각막은 어떨까요?

A. 결손 범위가 작은 경우는 기증 각막을 사용하여도 무방할 것으로 생각합니다. 그러나 결손 범위가 큰 경우에는 저는 각막을 사용하는 것은 올바르지 않다고 생각합니다.

Q. 어떤 이유에서 그런지 알려주실 수 있을까요?

A. 네, 아시는 것처럼 창상 치유를 위해서는 병변 부위에 혈관이 자라 들어오는 것이 매우 중요한 과정입니다. 그러나 각막을 사용하는 것은 결손 부위에 혈관 형성을 억제할 수 있으므로 장기 효과는 좋지 않을 것이라고 생각합니다. 이런 경우 상품화된 pericardium을 쓰는 것도 하나의 방법이라고 생각합니다.

A. 저는 보존 각막을 사용하는 경우가 꽤 있습니다. 말씀하신대로 결손부위가 큰 경우 장기예후가 걱정이 되지만 의외로 잘 버티는 경우가 있습니다. 공막연화로 sclera perforation이 되어 vitreous가 나온 case 였는데 남아있는 결막도 많지 않았더라구요.. 양막이식술 및 공막이식술을 했는데 바로 fail하여 난감하던 차에 마침 보존각막이 있어 결막이 그나마 남은 medial canthal area에 걸쳐 lamellar kerato-plasty를 시행했는데 graft는 얇아졌지만 5년이 지난 현재까지 안정적인 환자입니다. 다만 맥락막이 많이 비쳐보여 미용적인 문제는 해결이 안됐지만 환자는 만족해서 비교적 좋은 결과를 얻을 수 있었습니다(그림 22-7).

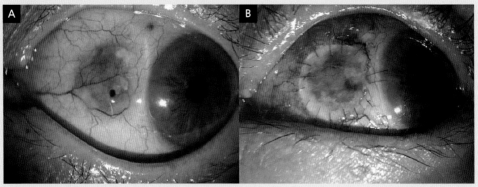

그림 22-7. 보존 각막의 이용
군날개 수술 후 발생한 공막연화증으로 안구천공(A)이 된 환자에서 preserved cornea를 이용한 lamellar keratoplaty를 시행하였다(B).

▬▬▬ 참고문헌

1. Rhiu S, Shim J, Kim EK, Chung SK, Lee JS, Lee JB, Seo KY. Complications of cosmetic wide conjunctivectomy combined with postsurgical mitomycin C application. *Cornea* 2012 Mar;31(3):245-252.

2. Watson PG, Young RD. Scleral structure, organisation and disease. A review. *Exp Eye Res* 2004 Mar;78(3):609-623.

3. Jung JW, Kwon KY, Choi DL, Kim TI, Kim EK, Seo KY. Long-term clinical outcomes of conjunctival flap surgery for calcified scleromalacia after periocular surgery. *Cornea* 2015 Mar;34(3):308-312.

4. Oh JH, Kim JC. Repair of scleromalacia using preserved scleral graft with amniotic membrane transplantation. *Cornea* 2003 May;22(4):288-293.

5. Lee JS, Shin MK, Park JH, Park YM, Song M. Autologous advanced tenon grafting combined with conjunctival flap in scleromalacia after pterygium excision. *J Ophthalmol* 2015;2015:547276.

6. Han KE, Yoon S, Jun RM, Kim TI, Kim EK, Seo KY. Conjunctival flap with biodegradable collagen matrix implantation for the treatment of scleromalacia after periocular surgery. *Ocul Immunol Inflamm* 2018 Feb 8:1-8.(Epub ahead of print)

검열반도 수술하나요?

23

Key
Point

- 검열반은 어떠한 경우에 수술을 하게 되는지 알아보자.
- 군날개 만큼이나 다양한 검열반의 수술법
- 검열반 잘못 건드리면 군날개된다?

1. 군날개보다는 착한 동생 검열반

검열반은 윤부에 인접하여 결막에 발생하는 비교적 흔한 질환으로 노란색에서 갈색의 결절 형태를 띠며 조직학적으로 결막 상피의 이상 분화와 결막결체조직의 증식이 나타난다. 양성 결절로 무증상인 경우가 대부분이나 안구건조증, 검열반염 등을 일으키기도 하며 충혈과 크기 증가에 따른 미용적 문제를 호소하는 경우도 많다. 검열반은 군날개와 더불어 가장 흔한 연령관련 안구표면 질환 중 하나로 연령이 증가할수록 검열반의 유병률, 중증도가 증가한다고 보고되고 있다. 검열반 조직에서 p53 유전자 등의 발현은 군날개와 병리학적인 유사성이 있음을 시사하며, 윤부를 지나 각막까지 침투하였으면 군날개로 진단하고, 각막까지 침투하지 않았으면 검열반으로 진단하는 경우가 많다.[1]

검열반의 감별법

검열반은 검열반염이 생기기 전에는 통증이 거의 없는 국소적 충혈과 결절을 주소로 내원하게 되며, 통증이 거의 없다는 것이 다른 질환과 감별하는 데 유용하고, 검열반의 호발 위치는 윤부 바로 옆의 3시, 9시 방향이다.

2. 검열반이 일으키는 문제점들

검열반이 일으키는 문제는 크게 나누어 눈의 불편감과 미용상의 문제이다. 미용상 문제를 크게 신경 쓰지 않는 환자의 경우도 검열반염, 안구건조증, 충혈 등으로 눈의 이물감이나 통증 등의 불편감을 호소하는 경우가 많고, 증상은 전혀 없는데, 눈에 보기 싫은 것이 생겼으니 없앴으면 좋겠다고 병원에 오는 환자도 많다. 이 두 가지 모두 치료의 이유가 되는데, 수술 후 깔끔하게 증상을 없애거나, 예쁜 눈으로 만들어 줄 수 있다고 자신 있게 말할 수 있는 안과 의사는 많지 않을 것이다. 그렇다 보니 염증이 생겼을 때 윤활제, 스테로이드 점안약 또는 NSAID 안약으로 단순히 염증치료만을 하다가, 다시 염증이 재발하거나, 매일같이 거울을 보며 못마땅해 하는 환자에게 특별한 치료방법이 없다고 설명하고 집으로 돌려보내면 환자는 불만족스러워 하는 경우가 많다.

One Point

검열반을 가진 환자의 마음 이해하기
검열반이 의사가 보기엔 별 것 아닌 질환이어도 환자에게는 크나큰 스트레스일 수 있으므로 이에 공감해 주는 의사의 마음가짐 또한 필요하다.

3. 검열반의 다양한 수술법

군날개의 수술 방법이 다양하게 있는 것처럼 검열반의 수술도 여러 가지 방법이 있다. 가장 많이 사용하는 수술 방법에는 단순절제와 자가결막이식법이 있다. 중요한 것은 군날개가 수술 후 재발률이 높은 것처럼 검열반 또한 재발률이 높고, 심지어는 검열반을 건드렸다가 군날개가 되어 의사에게 복수하는 경우도 있다. 군날개야 원래 흉측하게 생겨서 재발해도 원래 그런 놈이니 이해하라고 환자에게 말할 수 있지만, 비교적 덜 흉측하던 검열반을 건드렸다가 흉측한 군날개가 되어 돌아온다면 환자에게 여간 곤란하지 않을 수 없다. 따라서 한번 수술할 때 확실히 해 주어서 재발률을 낮추는 것이 중요하겠다.[2-5]

1) 단순 절제술(그림 23-1)

검열반이 비측에 있다면 환자에게 이측으로 보게 한다(그림 23-1A). 리도카인 국소마취제를 1 cc 주사기를 이용하여 검열반 주위 결막하에 주사한다(그림 23-1B). 스프링안과가위(Westcott scissors)를 이용하여 검열반과 주변부의 비정상적인 섬유혈관조직을 제거한다. 이 때 군날개 수술할 때처럼 넓게 제거할 필요는 없다(그림 23-1C). 결막하 섬유혈관 조직을 깨끗하게 제거한다(그림 23-1D). 출혈이 많은 경우 혈관전기소작으로 지혈할 수 있다(그림 23-1E). 상내측 또는 하내측 결막을 윤부까지 잡아당겨서 8-0 Vicryl 봉합사를 이용하여 봉합한다(그림 23-1F). 이때 윤부쪽에는 반드시 바늘이 공막을 뚫게 해서 당겨져온 결막이 윤부쪽 공막에 부착하도록 해야 한다.

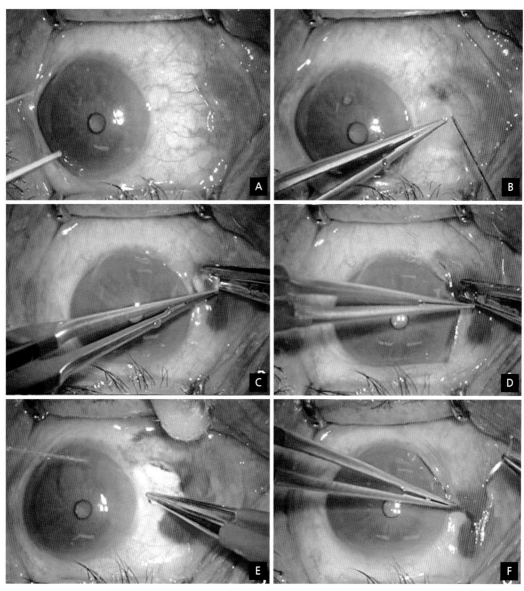

그림 23-1. **검열반의 단순 절제술**

2) 자가결막이식술(그림 23-2)

스프링안과가위를 이용하여 검열반과 주변부의 비정상적인 섬유혈관조직을 제거한다. 이 때, 자가결막편을 이용한 군날개 수술 시에는 광범위한 결막을 제거하게 되는데, 검열반 수술 시에는 최소한의 절제만으로 충분하다(그림 23-2A). 결막하 섬유혈관 조직을 깨끗하게 제거하고, 출혈이 많은 경우 혈관전기소작을 통하여 지혈할 수 있다(그림 23-2B). 0.02%의 마이토마이신을 스펀지에 적셔 수술 부위에 2분 동안 적용한 후 충분히 세척한다(그림 23-2C). 검열반이 제거된 결막의 크기와 같은 크기로 테논낭이 없는 얇은 자가결막이식편을 채취한다. 이때 수술 전에 녹내장 검사를 시행하여 녹내장이 없다면 상측 자가결막이식편을, 녹내장이 있거나 의심된다면 하측 자가결막이식편을 이용한다. 맥퍼슨포셉(McPherson tying forceps)을 이용하여 자가결막이식편을 넓게 잡고 스프링가위를 이용하여 잘라낸다(그림 23-2D). 조직접착제(fibrin tissue adhesive)를 노출

된 공막위에 얇게 뿌린다(그림 23-2E). 맥퍼슨포셉을 이용하여 자가결막이식편을 노출된 공막위에 붙인다. 이 때 자가결막이식편의 윤부쪽 부분이 이식받는 눈의 윤부쪽으로 오게 한다. 두 개의 맥퍼슨 포셉을 이용하여 자가결막이식편을 잘 펴주고 붙여준다(그림 23-2F).

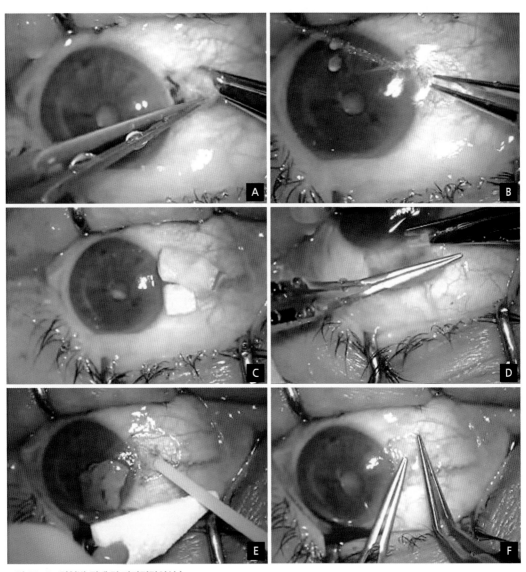

그림 23-2. 검열반 절제 및 자가결막이식술

3) 조직접착제에 대하여

조직접착제(tissue adhesive)는 현재 안과 수술 분야에서 다양한 용도로 사용되고 있다.[6-8] 백내장 그리고 녹내장뿐만 아니라 군날개, 상윤부각결막염, 윤부종양, 결막이완증, 수포각막병증, 윤부줄기세포결핍증 등의 수술에 널리 사용되고 있다. 검열반 또는 군날개의 수술 시에 조직접착제를 사용하게 되면 수술시간을 단축시키고 환자의 불편감을 감소시킬 수 있다. 또한, 안구표면의 염증이 섬유혈관 조직의 발달과 군날개 재발에 중요한 역할을 하는 것으로 Kheirkhah et al[9]의 연구에서 나타남을 토대로 수술 후의 봉합사는 기본적으로 이물질로 인식이 되며 그로 인한 염증반응이 재발에 영향을 줄 수 있으므로 수술 시 조직접착제를 이용하는 것이 봉합사로 인한 염증의 감소를 통해 재발률을 낮출 수 있다는 주장도 있다. 조직접착제는 피브리노겐(fibrinogen)과 트롬빈(thrombin)을 각각 주요 성분으로 하는 2개의 구별된 용액으로 이루어져 있는데, 대표적인 것이 Tisseel (Baxter International Inc., Deerfield, IL, USA)과 Greenplast-Q (Greencross, Yongin, Korea) 등이다. Fibrinogen과 thrombin을 각각 이식하고자 하는 결막과, 이식받는 공막에 적용 후 접합시키는 방법이 있고, 두 가지가 섞여져서 나오게 하는 주사기를 사용하여 공막에만 적용 후 이식결막편을 덮어주는 주는 방법이 있다. Fibrinogen과 thrombin이 섞이게 되면 빨리 굳게 되므로 공막에 적용 후 빠른 시간 안에 이식결막편을 덮어 주어야 한다. 실제 사용해 보면 Tisseel과 Greenplast-Q는 특성이 많이 다르다는 것을 알 수 있다. 본 저자는 개인적으로 Tisseel이 좀 더 부드럽게 굳는 특징이 있어 결막과 같은 작은 조직을 접착시킬 때에는 더 좋은 것 같아서 Tisseel을 사용하고 있다. 충분한 중합반응(polymerization)을 일으키기 위해서는 최소한 2분간 놔두고 기다려야 한다. 그리고 접합이 만족스럽지 않다면 이전에 도포한 조직접착제 성분을 모두 제거 후 다시 도포하여야 한다. 왜냐하면 이미 중합반응이 일어난 조직접착제 위에서는 충분한 접착력을 얻을 수 없기 때문이다. 수술시간 단축 및 수술 후 불편감의 감소에도 불구하고 봉합사 사용에 비해 월등히 비싼 가격으로 인해 사용 전 환자에게 생체 접착제 사용의 충분한 설명 또한 필요하다.

현문현답

Q. 검열반 수술 많이 하세요?

A. 솔직히 저는 군날개 수술도 별로 하기 싫던데, 검열반까지 손대기는…….

A. 저 같은 경우는 검열반이 너무 커서 환자분이 미용상 너무 스트레스를 받거나 염증이 자주 생기고 안약으로는 도저히 치료가 안 될 때 하게 되는 것 같아요.

A. 저는 군날개 수술에 자신감이 생기고 나니까 검열반도 좀 더 편하게 수술하게 되었습니다. 그렇다고 모든 검열반을 다 떼어내는 건 아니고요. 환자분이 원할 때는 예전보다는 좀 더 수술하는 편입니다. 특히 저는 조직접착제를 이용한 자가결막이식법을 주로 사용하는데, 봉합사를 이용하여 봉합을 하지 않아도 이식편이 떨어지는 경우가 거의 없고, 회복속도 빠르고 이물감 등의 불편감도 아주 적습니다.

Q. 조직접착제는 어떤걸 사용하세요?

A. 아마 우리가 주로 사용할 수 있는 것이 Tisseel과 Greenplast-Q 일겁니다. 써 보셔서 아시겠지만 두 가지 특성이 많이 다릅니다. 저는 개인적으로 Tisseel이 좀 더 부드럽게 굳어서 결막이식에는 더 좋은 것 같습니다. Greenplast-Q는 다른 용도에 더 장점이 있겠지요. 예전에는 fibrinogen과 thrombin을 각각 이식하고자 하는 결막과, 이식받는 공막에 따로 뿌린 후 결막을 공막에 덮어주었는데, 요즈음에는 두 가지가 섞여져서 나오게 하는 바늘(needle)을 사용하여 공막에만 뿌린 후 이식결막편을 덮어주는 것이 더 편하고 별 문제가 없어서 그렇게 하고 있습니다.

Q. 이식 결막편은 상측 것을 사용하세요 하측 것을 사용하세요?

A. 수술 전 검사에서 시신경모양의 이상이나 녹내장 가족력 등의 녹내장의 위험이 있으면 하측에서 떼어 내고 녹내장의 위험이 보이지 않으면 상측에서 떼어냅니다. 아무래도 상측 결막이 좀 더 크고 위 눈꺼 풀로 덮고 있으니까 떼어낸 자리에 별 문제가 생기지 않을 것 같아 마음이 편합니다. 예전에 환자분 중 한분에서 결막이식을 위해 상측결막을 떼어냈었는데, 육아조직(granulation tissue)이 생기더라고요. 그런데 항생제 안약(levofloxacin)과 스테로이드 안약(fluorometholone)만 주고 경과 관찰하니까 그 냥 사라졌던 경우도 있었습니다.

A. 모든 수술이 마찬가지이겠지만 검열반 수술 시에도 수술 전에 환자분께 충분한 설명을 통해 질환에 대 해서 잘 이해시켜드리는 것이 중요할 것 같습니다. 그리고 수술 후에 재발 시 각막을 침범하여 군날개 라는 더 독한 놈으로 변해서 나타날 수 있다는 점을 반드시 설명해야 합니다.

■ 참고문헌

1. Dushku N, Reid TW. P53 expression in altered limbal basal cells of pingueculae, pterygia, and limbal tumors. *Curr Eye Res* 1997 Dec;16(12):1179-1192.

2. Jung S, Kwon JW, Hwang HS, Chuck RS. Vascular Regression After Pinguecula Excision and Conjunctival Autograft Using Fibrin Glue. *Eye Contact Lens* 2017 May;43(3):199-202.

3. Dong N, Li W, Lin H, Wu H, Li C, Chen W, Qin W, Quyang L, Wang H, Liu Z. Abnormal epithelial differentiation and tear film alteration in pinguecula. *Invest Ophthalmol Vis Sci* 2009 Jun;50(6):2710-2715.

4. Frucht-Pery J, Solomon A, Siganos CS, Shvartzenberg T, Richard C, Trinquand C. Treatment of inflamed pterygium and pinguecula with topical indomethacin 0.1% solution. *Cornea* 1997 Jan;16(1):42-47.

5. Frucht-Pery J, Siganos CS, Solomon A, Shvartzenberg T, Richard C, Trinquand C. Topical indomethacin solution versus dexamethasone solution for treatment of inflamed pterygium and pinguecula: a prospective randomized clinical study. *Am J Ophthalmol* 1999 Feb;127(2):148-152.

6. Nassiri N, Pandya HK, Djalilian AR. Limbal allograft transplantation using fibrin glue. *Arch Ophthalmol* 2011 Feb;129(2):218-222.

7. Welder JD, Pandya HK, Nassiri N, Djalilian AR. Conjunctival limbal autograft and allograft transplantation using fibrin glue. *Ophthalmic Surg Lasers Imaging* 2012 Jul 1;43(4):323-327.

8. Por YM, Tan DT. Assessment of fibrin glue in pterygium surgery. *Cornea* 2010 Jan;29(1):1-4.

9. Kheirkhah A, Casas V, Sheha H, Raju VK, Tseng SC. Role of conjunctival inflammation in surgical outcome after amniotic membrane transplantation with or without fibrin glue for pterygium. *Cornea* 2008 Jan;27(1):56-63.

군날개 수술 part 1
: Flap and autograft

24

> **Key Point**
>
> • 군날개의 원인과 수술방법들을 알아본다.
> • Rotational flap, sliding flap, mini flap 그리고 Conjunctival-limbal autograft의 구체적인 술기에 대하여 알아본다.

1. 서론

군날개는 안구결막조직의 섬유혈관 조직이 각막 쪽으로 증식하는 질환이다. 원인은 정확히 밝혀져 있지 않으나 자외선, 국소적인 염증, 건조한 기후, 퇴행성 변화, 면역체계의 변화 등 다양한 병인에 의한 질환으로 생각되고 있다. 일반적으로 퇴행성질환으로 알려져 있으나 최근에는 변화된 창상치유과정과 유사한 하나의 증식성 질환으로 설명되기도 한다. 군날개로 진단된 조직에서 결막상피내종양이 발견되는 등 악성으로의 변화가 보고되고 있기에 진단 및 치료에 있어서 신중을 기해야 한다.

2. 조직병리학

조직병리적으로 상피는 정상이거나 극세포증식 (acanthotic), 과각질(hyperkeratotic), 또는 이형성(dysplastic)일 수 있다. 결막고유질(substantia propria)은 탄력소이형성증(elastodysplasia), 탄력소이상증(elastodystrophy)에서처럼 콜라겐의 탄력소 변성을 보여준다.[1-4] 군날개는 세 부분으로 나뉜다. 전두부 또는 최전단부는 각막 위의 납작한 회색병변이며 주로 섬유모세포로 이루어져 있다. 전두부 바로 뒷부분에서는 하얗게 비후된 혈관섬유 조직이 각막에 단단하게 붙어 있으며 이것을 두부(head)라고 부른다(그림 24-1). 몸체 또는 꼬리는 구결막의 다육질의 유동

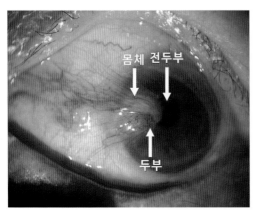

그림 24-1. 군날개의 구조

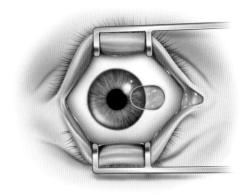

그림 24-2. 공막노출 수술법

성이 있는 혈관성 조직이며 분명한 가장자리를 가지고 있어 수술 시 중요한 지표가 된다.

3. 원인

군날개는 귀쪽보다 코쪽에서 더 많으며 그 원인에 대하여 이론이 많으나 자외선 조사가 가장 주요한 인자로 생각된다. 자외선조사에 의한 윤부의 손상으로 결막이 각막의 표면으로 자라나는 것으로 생각된다. 이러한 특징으로 절제 후 재발이 흔하다. 군날개는 각막윤부를 가로질러 자라고 보우만층을 파괴한다.

4. 수술적 치료

군날개 치료를 위한 여러 방법들이 주장되어 왔다. 초기에는 공막노출 수술법이 시행되었으나(그림 24-2) 재발이 많고 공막연화증으로 인한 합병증으로 많이 시행되고 있지는 않다. 최근에는 공막을 모두 결막으로 덮어주든지 노출된 공막이 있다면 양막으로 덮어주는 시술이 많이 행해진다.[5]

결막을 덮어주는 시술은 결막을 단순히 당겨주는 direct closure(그림 24-3)과 결막을 미끄러지듯이 덮어주는 sliding flap(그림 24-4A)과 회전시켜 덮어주는 rotational flap(그림 24-4B)이 시행되고 있으나 결막의 인장력으로 인하여 수술 후 공막노출이 생길 가능성이 있다.[6-8]

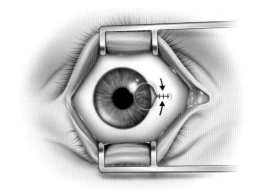

그림 24-3. direct closure

이를 보완하기 위하여 정상결막에 절개를 더 가하여 인장력을 줄여주면서 결막을 당겨 덮어주

A

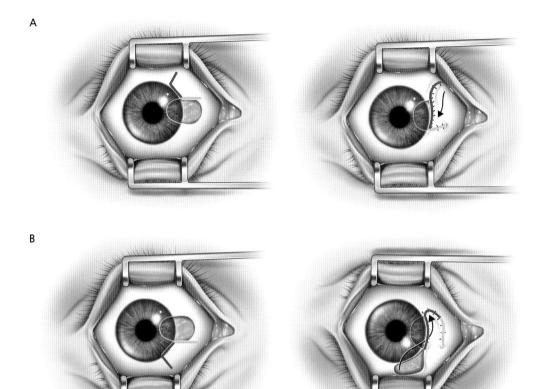

B

그림 24-4. sliding flap & rotational flap
A. sliding flap: Conjunctival flap이 제자리에 위치할 수 있도록 L자형 절개를 군날개 제거 후 노출된 공막 부위에 인접하게 만든 후
   interrupted suture를 시행한다.
B. rotational flap: Conjunctiva에 U자형 절개를 시행하여 conjunctiva flap을 rotation 시켜 군날개 제거 후 노출된 공막 부위에
   위치시킨 후 interrupted suture를 시행한다.

는 mini-flap이라는 수술법과 손상된 윤부조직을 수복해주기 위해 상부의 정상윤부결막 조직을 이식해주는 윤부결막이식법이 재발률도 낮고 수술 후 미용효과도 좋아 많이 시행되고 있다.[9]

1) Mini-flap

Akura 등에 의해 재발이 적은 수술방법으로 결막 소판술(conjunctival mini-flap technique)이 소개되었고, 이 수술방법과 Mitomycin C를 병용하여 좋은 수술결과를 얻었다는 보고가 있었다.[10] 이후 결막 소판술의 낮은 재발률이 보고되었고,[11-13] Mitomycin C를 사용하지 않고도 6.1%라는 낮은 재발률을 보인 연구도 있었다 (그림 24-5).[14]

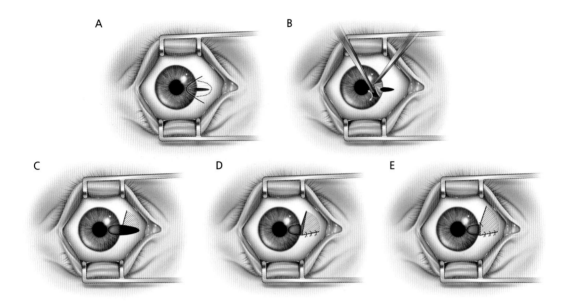

그림 24-5. mini-flap

A. 군날개의 몸체에 작은 결막 창을 만들고, 창에서 결막 조직을 제거시킨다(점선 영역). 이후 군날개 머리부분(어두운 선)에 윤부 절개를 시행한다.

B. 군날개 머리를 무구 집게와 가위를 이용하여 제거한다.

C. 결막 피판을 만들 때 윤부가 포함되지 않도록 시행한다.

D. 결막 피판을 이용하여 노출된 공막을 덮어주고 결막-공막-결막 봉합을 시행한다.

E. 각공막변연부에 추가적인 결막-공막-결막 봉합을 시행한다.

결막 소파술의 실제 방법(그림 24-6~11)

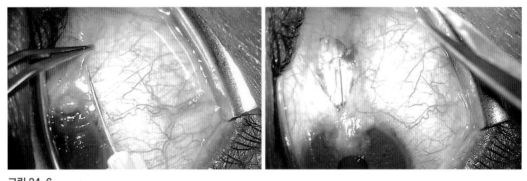

그림 24-6.

2% Lidocaine과 1:100,000 epinephrine을 섞은 용액 1 ml를 조심스럽게 군날개 몸체에 주사한 후 군날개 목과 몸체에 일정크기의 결막창을 만든다.

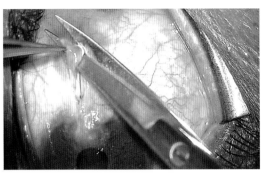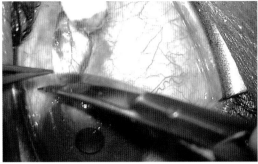

그림 24-7.
결막창을 통해 비정상 결막하 조직을 끌어낸 후 제거한 후 군날개 머리부분에 윤부 절개를 한다.

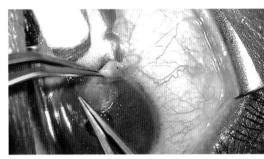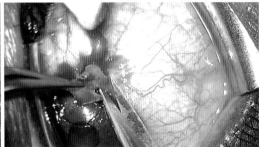

그림 24-8.
군날개 머리를 무구 집게와 가위를 이용하여 제거한다.

One Point

- 무구집게를 이용하여 군날개 머리와 비정상 윤부 세포들을 최대한 제거한다.
- 무구집게를 이용하여 제거해야 군날개 머리 주변의 정상 조직의 손상을 최소화하면서 군날개 머리를 제거할 수 있다.
- 군날개 머리가 너무 강하게 각막에 부착되어 무구 집게와 가위로 제거한 후에도 군날개 조직이 남아 있는 경우에는 칼을 이용하여 남은 군날개 조직과 비정상 세포들을 긁어낸다.

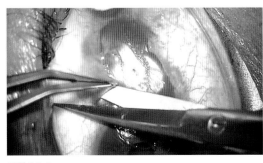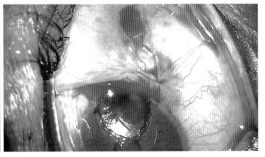

그림 24-9.
결막절편을 만들기 위한 결막 이완 절개는 각막 윤부를 따라 위 또는 아래에 시행하며, 각막 윤부로부터 0.4 mm 떨어진 부위에 형성한다. 또한 결막절편을 아래쪽의 테논 조직과 분리하고 노출된 공막을 덮어주며 각막 윤부에 공막 0.4 mm를 남겨둔 채 결막-공막-결막봉합을 8-0 Vicryl로 시행한다.

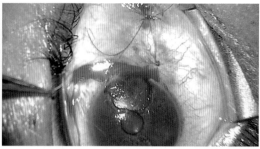

그림 24-10.
결막절편의 가장 안쪽 부위를 봉합할 때 기존의 군날개 조직이 있던 자리보다 안쪽(medial)으로 최대한 팽팽하게 당겨 결막-공막-결막 봉합을 시행한다.

One Point

결막절편 봉합술 시 결막-공막-결막 봉합을 각공막 변연부뿐만 아니라 군날개 조직을 제거한 가장 안쪽까지 당겨서 시행함으로써, 결막절편과 군날개 조직이 제거된 공막 사이의 결막하공간을 최대한 줄여주며 단단하게 붙여주는 것도 재발률을 낮게 해주는 데 기여하였을 것으로 보인다.

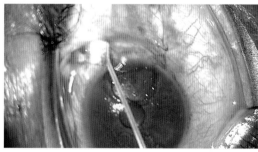
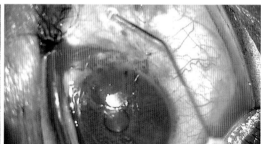

그림 24-11.
Fibrin tissue glue를 이용하여 결막절편을 노출 공막에 완전히 부착시킨다.

One Point

피브리노겐은 분자량이 크기 때문에 결막절편을 통과할 수 없어 바늘을 이용하여 결막절편 밑에 직접 주입해야 하지만(그림 24-11좌), 트롬빈은 분자량이 작아 결막절편을 통과할 수 있어 결막절편 위에 점적한다(그림 24-11우).

2) 윤부결막이식법(그림 24-12~17)

자가결막편이식술은 단순 절제한 군날개 수술에 비해 재발률이 현저하게 적게 보고되고 있는데 보다 나은 성적을 위해서 윤부 조직을 포함한 자가윤부결막이식술이 보고되고 있다. 자가윤부결막이식술은 이식된 각막윤부의 줄기세포 조직이 손상된 각막의 재생을 활성화시키고 이식된 결막 조직이 섬유혈관조직이 증식되어 자라 들어오는 것을 차단하는 방어벽 역할을 수행함으로써 군날개 재발을 억제하는 것으로 알려져있다.

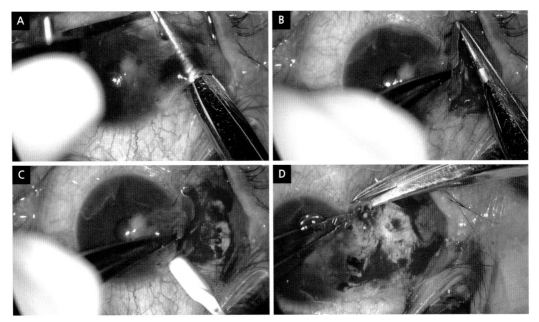

그림 24-12.

A, B. 재발된 군날개로 전원된 환자로 수술을 시행하였다. 2% 리도카인 주사로 마취한 뒤 군날개의 기저부를 가위로 잘라낸다.

C. 군날개의 두부를 crescent knife로 깨끗하게 제거를 한 다음 15번 blade로 각막표면을 깨끗하게 긁어낸다.

D. 결막밑의 염증조직과 테논낭을 충분히 제거한 다음 군날개의 주변부까지 결막을 완전히 제거해 준다. 이때 군날개 주변부가
   윤부에 붙어 있는 것을 충분히 제거하지 못하면 나중에 재발의 근원지가 될 수 있다. 잘라낼 때 안근육을 건드리지 않도록 조심한다.
   필요하면 근육을 실로 걸어두고 표지한 다음 염증조직을 잘라낸다.

One Point

- 정상 쪽의 결막 밑의 염증조직과 테논낭까지 어느 정도 제거해야 수술 후 염증반응이 적다.
- 윤부에 붙어있는 군날개의 주변부와 약간의 정상 결막까지 절제해야 나중에 재발이 적어진다.
- 내측구결막 밑은 재발성 군날개일 경우 내측 안근육과 붙어있을 경우가 많으니 안근육을 표지실로 걸어
  두고 박리하도록 한다.

One Point

공막 위에 바로 소작을 가하면 공막연화증이 올
수 있으니 1:10만 에피네프린 거즈로 덮어둔
채 상부 윤부결막을 채취할 때까지 두면 소작을
안해도 자연히 출혈이 멎는다.

그림 24-13.

제거한 부위의 사이즈를 재고 1:10만 에피네프린 거즈로 덮어둔다.
이렇게 하면 불필요한 소작을 최소화하기 때문에 혈관소실로 인한 공막연화증을 막을 수 있다.

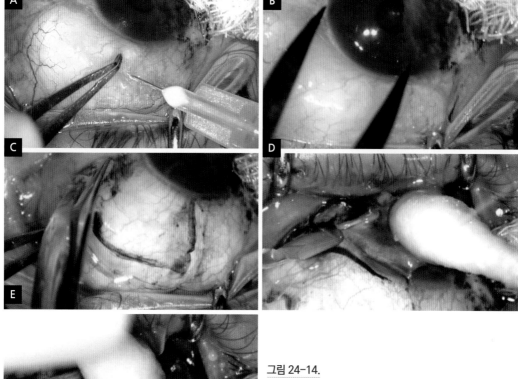

그림 24-14.
A. 12시 방향에서 2% 리도카인 주사로 충분히 마취를 해준다.
B. 캘리퍼로 절제한 결막부위의 사이즈를 상부 결막에 표시한다.
C. 가위로 결막부위만 조심스럽게 박리하며 잘라낸다.
D. 윤부에 다다르면 crescent knife로 윤부를 일부 박리해 준다.
E. 반나시저로 윤부부위를 약간 포함하여 조심스럽게 잘라낸다.
   잘라낸 윤부결막 조직은 젖은 거즈에 보관한다.

One Point

• 2% 리도카인 주사로 충분히 마취하면 결막이 부풀어 채취의 시야를 넓힐 수 있다.

• 채취할 윤부결막 부위를 충분히 펜으로 표시를 하여 나중에 위아래가 바뀌거나 윤부부위를 착각하지 않도록 한다.

• 윤부결막은 테논낭이 포함되지 않은 상태로 되도록이면 얇게 채취해야 염증이 적으며 혈관은 충분히 포함해야 이식 후 생착이 좋다.

• 잘라낸 윤부조직은 젖은 거즈에 덮어두어 이식전까지 두어야 말라서 괴사되지 않는다.

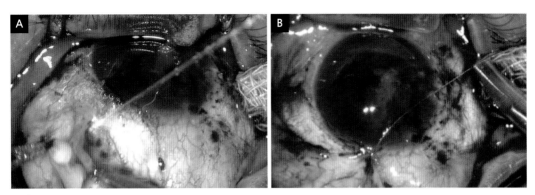

그림 24-15.

A. 결막을 당겨와서 봉합하기 위해 노출된 공막 위의 테논낭을 조금 잘라준다. 이렇게 하면 결막의 인장력이 없이 자연스럽게 당겨서 봉합이 가능하다.

B. 결막을 당겨서 윤부 근처에 봉합을 해준다. 여기서 봉합할 때는 공막에 걸어주어야 나중에 미끄러지는 현상을 방지한다.

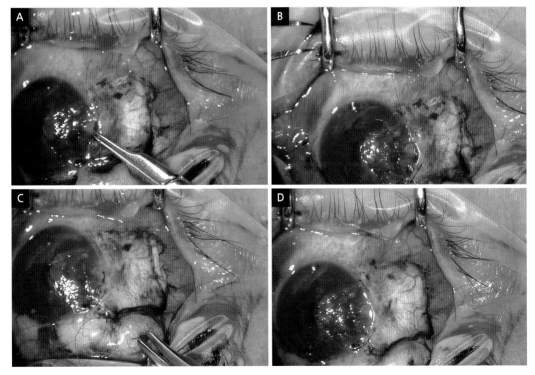

그림 24-16.

A. 보관해 두었던 윤부 결막조직을 노출된 공막에 봉합한다.

B. 윤부결막 조직의 윤부부위는 10-0 nylon으로 윤부의 간질부분을 충분히 떠서 고정되도록 봉합한다.

C. 결막편의 옆부위는 8-0 Vicryl을 이용하여 공막에 고정하면서 봉합을 해준다. 공막에 충분히 걸어주어야지 수술 후 미끄러지는 현상을 방지할 수 있다.

D. 나머지 결막의 모서리와 가운데 부분을 8-0 vicryl로 잘 봉합해 준다.

One Point

• 채취한 결막하의 테논낭을 제거해주면 상부의 결막을 당겨서 봉합하기가 수월해진다.
• 결막을 당겨서 꿰맬 때는 공막에 걸어주어야 미끄러지는 현상이 방지되며 이때는 10-0 nylon보다는 8-0 vicryl이 덜 미끄러진다.
• 윤부결막편의 양쪽끝은 10-0 nylon으로 미끄러지지 않도록 recipient site에 각막기질까지 떠서 고정해 준다.
• 결막편의 양쪽 옆부분도 공막을 약간 떠서 고정해주어야 윤부결막편이 미끄러지는 것을 방지한다.

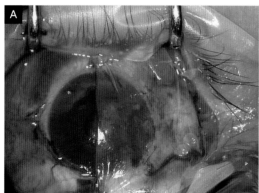
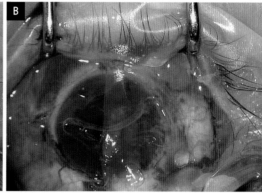

그림 24-17.
A. 윤부결막편의 생착과 각막의 재생을 돕기 위해 양막을 상피를 아래로 한 뒤 결막에 봉합해 준다. 되도록이면 이식부위와 각막의 손상부분을 모두 덮도록 한다.
B. 보호용 렌즈를 끼고 항생제를 점안한 뒤 수술을 끝낸다.

현문현답

Q. 군날개는 대부분의 안과 의사의 첫 수술인 경우가 많은데요. 오히려 경력이 쌓이면 쌓일수록 참 어려운 수술이라고 생각하게 됩니다. 군날개를 어떤 경우에 수술하자고 하시나요?

A. 대개는 군날개로 난시가 심해져서 시력이 떨어지는 시점이나, 환자가 미용적 문제로 원하는 경우인데요. 저는 추가로 백내장 수술이 필요한 환자에서 군날개가 있다면 이로 인해 시력의 질에 영향을 줄 수 있음을 환자에게 주의를 주고 수술합니다.

Q. 네, 좋은 말씀이에요. 군날개 수술은 재발이 항상 걱정인데요. 재발을 줄이기 위해 어떤 방법을 사용하시나요?

A. 저는 70세 이상이나 처음 생긴 군날개는 단순절제술과 결막피판술을 하고, 젊은 환자나 재발한 군날개의 경우는 자가윤부결막 혹은 자가결막이식술을 선호합니다. 결막피판회전술만 시행하는 것도 재발을 줄여주는 아주 좋은 수술이라고 생각해요. 제 경우 결막피판회전술 후 재발한 경우가 거의 없어요.

Q. 뭔가 팁이 있을 것 같은데요?

A. 결막피판회전술의 원리가 중심부로 자라는 군날개의 방향을 바꿔주는 것입니다. 군날개를 제거한 다음

인접한 윤부쪽 결막을 조금 더 절개 박리한다는 점과 피판회전으로 생기는 주름을 없애기 위해 봉합면을 충분히 다듬어준다는 것입니다.

Q. 피판회전술에 이용하는 결막은 어느 부위를 이용하세요? 위쪽? 아래쪽?

A. 주로 아래쪽, 하측 결막을 이용합니다.

Q. 저는 하측 결막을 이용할 때 피판이 잘 당겨와 지지 않아서 상측 결막을 이용하는데요. 위가 결막조직이 여유가 많잖아요?

A. 위쪽 결막을 사용하면 노출이 잘 되기 때문에 좋지가 않은 것 같아요. 이완 절개(relaxing incision)를 하면 아래에서도 충분합니다.

A. 저는 거의 모든 경우에 윤부결막이식술을 시행합니다.

Q. 단순 군날개에서도요?

A. 네. 손에 익었고. 재발되는 게 싫어서요.

Q. 결막소판술을 이용한 술식은 자가결막이식술에 비하면 매우 간단하고 빠른 술기라고 생각됩니다. 어쨌든 군날개 수술 시 가장 재발률을 줄일 수 있는 올바른 방법은 자가결막이식술인데요, 혹시 두 수술 방법에 있어 재발률 등에는 차이가 나지 않을까요?

A. 저의 경험상 결막소판술로 평균 8.79±3.9개월 동안 경과관찰한 41안과 자가결막이식술로 12.7±6.5개월 동안 경과관찰한 41안에서 재발이 있었던 환자는 각각 3명 3안(7.1%) 및 9명 9안(21.9%)였고요, 보시다시피 오히려 재발률이 결막소판술에서 더 낮았고, 심각한 합병증도 없었습니다.

Q. 그 이유는 무엇이라고 생각하세요?

A. 물론 보다 더 장기간의 관찰이 필요하겠지만요, 어쨌든 결막소판술도 결막판을 이용하는 술식이고, 자가결막이식술에 비하여 술기가 훨씬 간단하기 때문에 수술 중 출혈이나 조작도 적을 것이고요, 이에 보다 빠른 수술이 가능하기 때문에 재발률이나 수술 결과에 긍정적인 영향을 주지 않았을까 싶습니다.

Q. 결막소판술을 시행하는 데 있어 주의해야 할 점이 있을까요?

A. 정상결막조직으로 결막편을 만들어 공막노출부위로 이동시켜서 봉합을 할 때 결막-공막-결막봉합을 견고히 하셔야 하고요, 이렇게 함으로써 자가결막이식술의 경우와 유사하게 건강한 결막편의 결막조직이 섬유혈관조직이 증식되어 자라 들어오는 것을 막아주는 방어벽의 역할을 확실히 할 수 있을 것입니다.

Q. 봉합사를 사용하는 방법과 생체접착제를 사용하는 방법의 결과 차이는요?

A. 두 가지 방법을 직접 비교하지는 못하였지만 제 경험상 생체접착제를 이용한 결막소판술 역시 안전하며 재발률이 낮은 방법이라고 생각합니다. 아무래도 수술시간이 단축되고 봉합사의 사용이 감소되기 때문에 수술 후 염증이나 자극 등에서 자유로울 수 있는 것이 좋은 결과를 얻을 수 있었던 이유가 아닐까 합니다. 물론 생체접착제를 사용 시 비용에 관련된 문제는 환자에게 충분히 설명이 되어야 할 것입니다.

Q. 윤부결막이식술이 재발을 억제하는 데 효과가 있기는 한데 윤부결막편을 떼어낸 부위에 손상을 주기 때문에 꺼려하는 술자도 있을 것 같은데 어떻게 생각하세요?

A. 논문에서는 3×3 mm 이하의 윤부결막편은 채취한 부위에 윤부결핍을 유발하지 않는다고 해요. 개인적으로는 윤부면의 길이가 5 mm 이하로 상부 윤부의 설반을 넘지 않도록 채취하고, 결막 상피표면에 최대한 가깝게 박리하여 부작용을 최소화하려고 노력합니다.

Q. 그럼 윤부결막편을 채취하고 결손 부위는 어떻게 처리하시나요?

A. 저는 봉합을 하여 결막하기질이나 테논낭이 노출되지 않게 합니다.

A. 저는 그냥 두는데요. 시간이 지나면 상피가 저절로 재생되기 때문입니다.

A. 저도 테논낭의 손상이 많지 않았다면, 술 후 결막 상피가 자라 들어올 수 있기 때문에 굳이 윤부 쪽으로 끌어와 덮지 않아도 무방할 것으로 생각합니다. 채취한 윤부결막편의 결손부위를 그냥 두어도 괜찮다는 결과가 많이 보고되어 있더라구요.

A. 제 생각은 그냥 두면 공막연화증이 발생할 수도 있고, 드물겠지만 만약에 녹내장 수술이 필요한 경우가 생기는 경우 심각한 문제가 있을 수 있다고 생각해요. 그렇다고 양막을 이식하여 결막상피가 양막 위로 자라 들어오기에는 결손부위가 크다고 생각하거든요. 저는 그래서 아래의 테논낭을 약간 제거하면 윗부분의 결막이 쉽게 당겨올 수 있게 되는데, 당겨온 결막을 결손부위에 봉합합니다.

Q. 그렇군요. 한번 해보겠습니다. 윤부결막편은 군날개가 제거된 부위에 봉합하시나요?

A. 네. 저는 10-0 nylon으로 합니다.

A. 저는 조직접착제를 사용해요. 간편하고 결과도 좋아요.

A. 제 경험으로 보면 윤부결막편을 조직접착제로 고정하는 경우 봉합하는 경우보다는 표면이 매끈하게 밀착되지 않은 것 같아요.

Q. 성공적인 윤부결막이식술을 위해 graft를 얇게 만들 필요가 있죠. 그런데 때로는 너무 얇아서 앞, 뒤 구분이 힘들어 난감한 경험을 한 적이 있어요. 특별히 구분하시는 방법들이 있나요?

A. 저는 결막에 GV로 마킹을 하는데요. 숫자 '4'를 표시합니다. 그러면 앞, 뒤 구분도 되고 윤부 위치도 확인 가능합니다.

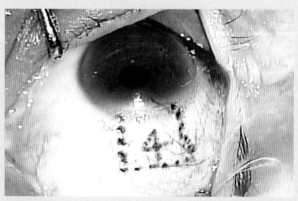

그림 24-18.

Q. 군날개에서 양막 사용은 어떻게 생각하시나요? 군날개를 제거한 부분을 양막으로 덮고 윤부결막이식을 하는게 좋을지 그냥 윤부결막이식을 하는 게 좋을지 여러 가지 의견이 있습니다.

A. 윤부결막편아래에 양막을 이식하면 오히려 양막을 타고 결막이 증식하여 이른 시기에 재발을 경험했다는 얘기를 들었습니다. 제 생각은 윤부결막편을 윤부와 공막에 단단히 고정하여 공백이 없도록 하면 아

래에 양막이식을 하지 않아도 재발이 되지 않을 것 같고요. 오히려 이식편위에 양막을 일시적으로 덮어 준 경우 결과가 더 좋았는데요. 여러가지 성장인자가 이식편의 생착을 돕는 역할을 하였기 때문으로 생각할 수 있겠습니다.

Q. Mitomycin-C (MMC)는 사용하시나요?

A. 저는 사용 안 합니다.

A. 재발된 군날개에 한하여 0.02% MMC를 3분간 적신 후 200 cc BSS로 충분히 세척합니다.

A. 저도 재발된 경우에 사용하는데, 0.02% MMC를 1분만 접촉시키고, BSS 300 cc가량 세척합니다.

Q. 농도와 노출시간, 세척양은 술자마다 좀 다른 것 같습니다. 일반적으로는 0.02% MMC 3분간 적시고 500 cc 이상 세척하는 거죠?

A. 처음에는 500 cc를 다 사용했었는데, 시간이 너무 많이 걸려서 술자도 환자도 힘들고 과하다는 느낌이 있어서 250~300 cc만 세척한 지가 7년 이상 된 것 같은데 아직 MMC 사용 관련 부작용이 발견된 환자는 없었습니다.

Q. 결막편 이식 후 추가적인 고정봉합을 하시나요?

A. 저는 결막편을 이식하는 경우 결막편을 단단히 고정시키기 위해 윤부와 평행하게 길게 봉합을 한 군데 합니다.

A. 저도 같은 생각인데 저는 평행하게 두 군데 합니다.

A. 저는 안 하는데요.

Q. 역시 약간씩 다들 다른 점이 있는 것 같습니다. 다양한 수술 방식을 공유하는 것으로 많은 공부가 되는 것 같습니다.

■■■■ 참고문헌

1. Chan CM, Liu YP, Tan DT. Ocular surface changes in pterygium. *Cornea* 2002 Jan;21(1):38-42.

2. Saw SM, Tan D. Pterygium: prevalence, demography and risk factors. *Ophthalmic Epidemiol* 1999 Sep;6(3):219-228.

3. Austin P, Jakobiec FA, Iwamoto T. Elastodysplasia and elastodystrophy as the pathologic bases of ocular pterygia and pinguecula. *Ophthalmology* 1983 Jan;90(1):96-109.

4. Ansari M, Rahi A, Shukla B. Pseudoelastic nature of pterygium. *Br J Ophthalmol* 1970 Jul;54(7):473-6.

5. Tananuvat N, Martin T. The results of amniotic membrane transplantation for primary pterygium compared with conjunctival autograft. *Cornea* 2004 Jul;23(5):458-63.

6. Sanchez-Thorin JC, Rocha G, Yelin JB. Meta-analysis on the recurrence rates after bare sclera resection with and without mitomycin C use and conjunctival autograft placement in surgery for primary pterygium. *Br J Ophthalmol* 1998

Jun;82(6):661-5.

7. Prabhasawat P, Barton K, Burkett G, Tseng SC. Comparison of conjunctival autografts, amniotic membrane grafts, and primary closure for pterygium excision. *Ophthalmology* 1997 Jun;104(6):974-85.

8. Kenyon KR, Wagoner MD, Hettinger ME. Conjunctival autograft transplantation for advanced and recurrent pterygium. *Ophthalmology* 1985 Nov;92(11):1461-70.

9. Keklikci U, Celik Y, Cakmak SS, Unlu MK, Bilek B. Conjunctival-limbal autograft, amniotic membrane transplantation, and intraoperative mitomycin C for primary pterygium. *Ann Ophthalmol (Skokie, Ill)* 2007 Winter;39(4):296-301.

10. Akura J, Kaneda S, Matsuura K, Setogawa A, Takeda K, Honda S. Measures for preventing recurrence after pterygium surgery. *Cornea* 2001;20:703-707.

11. Min JS, Jin LY, Kwon YH, Park WC. Comparison of Miniflap and rotational conjunctival flap tech-

niques of pterygium accompanied by conjunctivo-chalasis. *J Korean Ophthalmol Soc* 2018:810-818.

12. Cho JW, Chung SH, Seo KY, Kim EK. Conjunctival mini-flap technique and conjunctival autotransplantation in pterygium Surgery. *J Korean Ophthalmol Soc* 2005:1471-1477.

13. Park SH, Han KE, Seo KY. Recurrence after modified mini-Flap technique for pterygium Surgery. *J Korean Ophthalmol Soc* 2012:1419-1424.

14. Kim M, Chung SH, Lee JH, Lee HK, Seo KY. Comparison of mini-flap technique and conjunctival autograft transplantation without mitomycin C in primary and recurrent pterygium. *Ophthalmologica* 2008:265-271.

군날개 수술 part 2
: Advanced techniques

Key
Point

• 재발한 또는 중증 군날개에 적합한 수술법을 이해하고 숙지한다.

군날개는 결막하 결체 조직과 표면 상피가 과도한 비대(hypertrophy)를 통해 각막 표면으로 자라 들어온 삼각형 모양의 섬유혈관성 증식 조직을 일컬으며, 실제로 임상에서 흔히 만날 수 있는 대표적인 안구 표면 질환들 중 하나이다. 본 장에서는 수술적 접근이 두려울 정도로 심해 보이는 재발 및 중증 군날개에서 시도해 볼 수 있는 새로운 수술 방법들을 소개하고자 하며, 해당 영역이 문헌상 여전히 정립되지 않은 부분들이 많기 때문에 일부 내용은 저자의 오랜 경험과 개인적인 견해를 바탕으로 기술하였다.

1. 중증 군날개의 수술 방법

고위험 중증 군날개의 정확한 정의는 없지만, 군날개 몸체의 두꺼운 기저의 상공막 혈관이 거의 보이지 않는 군날개(T3 등급 by Tan grading system)(표 25-1)[1], 기존 군날개 수술 후 수개월 내 금방 재발한 군날개, 켈로이드 체질을 가진 환자의 군날개, 안구운동장애를 동반한 군날개, 검구유착을 동반한 군날개, 그리고 비측부 눈물언덕의 정상 해부학적 구조가 소실된 군날개 등이 이에 해당할 수 있겠다. 일반적으로 군날개의 수술 방법은 현재는 거의 금기시되고 있는 공막노출법(bare sclera technique)으로부터 결막피판술(conjunctival flap closure), 자가윤부결막 이식술(conjunctival-limbal autograft, CLAU), 영구양막 이식술(permanent amniotic membrane graft, PAMG), 마이토마이신 C (mitomycin C, MMC) 투여 등의 다양한 방법들이 널

표 25-1   군날개의 grading

Clinical Grading
• Grade 1: extends 2 mm on the cornea • Grade 2: involves upto 4 mm of the cornea it can be primary or secondary • Grade 3: encroaches more than 4 mm of the cornea & it can hamper visual axis
Tans' classification
• T1 Grade: clearly visible episcleral vessels under the pterygium • T2 Grade: partially visibility of the episcleral vessels under the pterygium • T3 Grade: total obscured view of the episcleral vessels under the pterygium

리 시도되고 있지만, 중증 군날개의 치료는 이들 술식들을 단독 혹은 복합적으로 시행함에도 불구하고 결과가 만족스럽지 못한 경우를 많이 볼 수 있다. 중증 군날개를 수술할 때 고려해야 하는 점은 크게 두 가지이다. 첫째는 절제해야 하는 군날개의 면적 범위를 파악하고 절제 후 결막이 사라진 공간을 어떻게 해부학적으로 그리고 기능적으로 해결해야 하는가이고, 둘째는 활동성이거나 외안부 염증을 동반한 경우 그리고 신체적 흉터화 체질을 가지고 있어 술 후 재발이 강력하게 예상되는 경우 어떠한 보조 술식을 추가해야 하는가이다. 중증 군날개를 수술할 때 저자는 기본적으로 결막하 섬유혈관성 증식 조직을 철저하게 제거하고 0.02~0.04% 희석 마이토마이신 C를 약 2~3분간 매우 조심스럽게 처리 후 충분히 세척하며 영구양막이식술과 자가윤부결막이식술을 함께 시행하는 편이다. 중요한 점은 추가적으로 위의 두 가지 고려 사항에 따라서 첫째, 반대안에서 각결막 윤부나 결막 조직을 공여하여 이식하기에 절제해야 하는 군날개 조직이 너무 광범위하거나 녹내장이 있어 차후 여과 수술의 가능성이 있는 경우에는 자가 코점막을 절제부에 함께 이식을 하고, 둘째, 재발성이 강력하게 예상되어 복합 술식으로 부족할 거라 생각될 때에는 Dr. Scheffer Tseng이 처음 주장한 'sealing the gap' 기법2에 착안한 '양막을 이용한 sealing the gap 기법'으로 눈물언덕 부위의 재발 조직의 내증식을 예방하며, 더 심한 중증의 케이스에서는 고어텍스 sheet를 한시적으로 삽입하는 방법을 이용한다.[3]

2. 자가 코점막 이식술

자가 코점막 이식술은 구강 점막 이식술에 비해서 상대적으로 생소할 수 있으나 코점막 상피는 구강점막 상피에 비해 술잔세포(goblet)의 존재와 MUC5AC 타입의 뮤신(mucin)의 생산이 보다 뚜렷하기 때문에 적어도 이론적으로는 이상적인 결막의 대체물이 될 수 있다.

1) 수술 방법
(1) 코점막 채취
코점막을 채취(harvest)하기 전 미리 이비인후과에 의뢰한 후 비강 내 점막상태에 따라 비중격과 아래 코선반(inferior turbinate) 중 어디서 점막을 채취할지 이비인후과 전문의와 상의하게 된다. 비강 점막의 술잔세포는 두 군데 사이에 큰 차이가 없기 때문에 어디서 채취하는지는 보통 큰 상관이 없으나 비중격 점막은 편평해서 이식 시 다루기 쉽고 알레르기 비염에 덜 영향을 받는 반면 채취 후 기저 연골 노출의 위험 부담이 있기 때문에 크게 절제하기 힘든 단점이 있고, 아래 코선반 점막은 비중격 대비 상대적으로 안전하게 넓은 범위의 점막을 채취할 수 있는 반면 앞쪽 코선반 점막 절제 시 비강 내 일반 감각 저하의 위험이 있고 뒤쪽 코선반 점막 절제는 접근이 어렵고 수술 후 출혈의 위험이 있다. 저자 개인적으로는 넓은 범위의 점막이 필요할 시 보통 아래 코선반에서 약 2 cm^2 정도의 점막을 채취한다.[5] 만약 외안부 재건술의 필요 부위가 너무 광범위하거나, 비강 내 건강 상태상 코점막 절제 범위가 제한적일 때에는 아랫입술의 안쪽 구강 점막을 추가적으로 약 1 cm^2 채취할 수 있겠다.

　전신마취하 비강 내에 2% 리도카인과 1:100,000 에피네프린 혼합 용액을 적신 거즈를 5분간 패킹한 후 약 0.4 cc의 국소 마취제를 채취하고자 하는 점막하 조직에 주사한다. 약 5분 후에 아래 코선반 혹은 비중격에서 blade를 이용해 절개한 후 점막을 들어서 curved scissors로 절제해낸다(그림 25-1D). 전기 소작기로 출혈을 조절한 후 merocell로 수술 부위 패킹한 후 48시간 동안 거치시킨다. 이후 패킹 덩어리를 제거한 후 2주간 3일 간격으로 비강 내 드레싱을 시행한다. 절제한 코 혹은 구강 점막은 Westcott scissors와 #15 blade를 이용하여 button hole이 생기지 않도록 매우 조심스럽게 점막하 결체조직을 다듬어 제거(trimming)하여 약 1~2 mm 두께의 얇고 편평한 이식체가 되도록 준비한다(그림 25-1E).

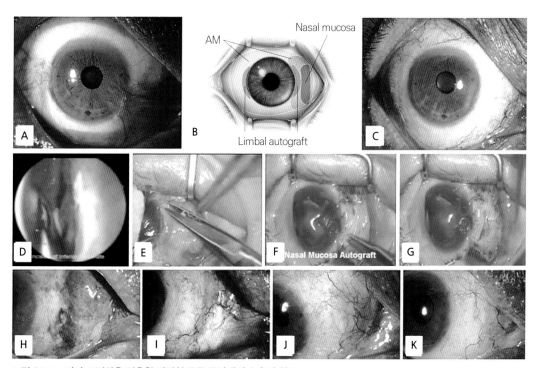

그림 25-1. 자가 코점막을 이용한 광범위 중증 군날개의 수술적 치료
A. 재발한 양머리형 군날개(recurrent double-head pterygium)를 가진 56세 남자 환자의 수술 전, B, C. 수술 과정 모식도 및 수술 후 최종 결과, D. 아래 코선반 점막을 채취한 후, E. 다듬어, F, G. 군날개 절제부 표면에 봉합하여 이식한다. H. 수술 1일 후 이식 부위에 일부 혈종(hematoma)이 발생하였으나, 4일 내에 사라졌으며, I. 수술 2개월, J. 1년, K. 3년 후에 군날개의 재발이나 공막부 노출 및 무혈관성 괴사 없이 상태가 양호한 것을 볼 수 있다.[4]

(2) 코점막 이식

군날개 조직을 제거하고 검구 유착을 박리하고 난 후 동결 양막을 기저막이 위로 향하도록 하여 공막노출 부위를 덮고 테두리를 10-0 nylon 봉합사로 단속봉합을 한다. 윤부 주위는 반대안에서 자가 윤부결막조직을 채취하여 유리 피판 이식(free flap graft)을 시행하는데 군날개의 넓이에 따라 근위부 폭이 약 4~8 mm이 되도록 재단하여 10-0 nylon 봉합사로 윤부 부위에 단속봉합을 한다. 이후 이식한 자가 윤부결막 조직의 원위부에 얇게 다듬은 코점막 조직을 점막이 위로 가게 하여 올려놓고 10-0 nylon 봉합사로 단속봉합을 하는데(그림 25-1F,G) 테두리 일부 부위에서 봉합사가 풀려서 이식체의 생착을 방해하거나 정위치에서 이탈되는 상황을 방지하기 위해 8-0 혹은 9-0 Vicryl 봉합사로 2~3군데 단속 봉합을 하기도 한다. 이식한 코점막을 보호하고 주변의 이식 양막 표면의 상피화를 도모하기 위해 수술 마지막 단계에서 동결 양막을 기저막이 아래로 가도록 하여 수술 부위 전체가 덮히도록 일시 양막 덧댐술을 하는 것이 권고되며 이때에는 덧댄 양막과 이식체 사이의 공간이 최소한으로 되도록 최대한 당겨서 봉합하도록 한다. 수술 후 안구 표면의 상피화가 완성될 때까지는 20% 농도의 자가혈청 안약을 조제하여 기상 시간 동안 2시간 간격으로 점안하는 것이 빠른 상피화에 도움이 된다.

2. Sealing the gap 기법

이 수술 방법은 이론적으로 눈물언덕 부위의 결막 상피와 테논낭 사이 공간에 군날개 섬유혈관 조직을 밀폐시켜(일명, sealing the gap) 수술 후 재발을 초래할 수 있는 잔여 군날개 조직이 각막 방향으로 내증식하는 것을 차단하는 목적으로 시행된다. 따라서 군날개 조직의 비측부 증식력이 왕성할 것으로 판단되는 군날개, 즉 눈물언덕과 반달주름의 정상 구조가 무너지거나 변형이 온 군날개에 적용하기 좋다. 저자는 양막을 이용하여 Dr. Scheffer Tseng이 처음 제시한 방법[2]을 일부 수정, 보완하여 시행하고 있다.

1) 수술 방법

군날개 조직을 절제한 후 내안각의 비측부 잔여 결막 조직 하에 이식할 수 있는 크기로 양막을 재단한다(그림 25-2C). 이후 양막의 기저막이 아래로 향하도록, 즉 양막의 기질 부위와 잔여 결막의 상피 하 조직이 서로 마주보도록 위치시킨 후(그림 25-2D) 조직접합체로 상호 접착시킨 다음(그림 25-2E-G) 테두리를 연속 봉합하여 양막과 결막 사이를 밀폐시킨다. 이식하는 양막 기저막의 방향이 헷갈리지 않는 것이 중요하며 양막의 기질 부분이 절제부 공막에 닿도록 거꾸로 위치시키게 되면 양막과 공막 간의 유착이 쉽게 발생하고 수술 후 경미하게나마 내측부 안구운동장애를 유발하여 주변부 복시를 초래할 수 있기 때문에 술 중 양막의 방향성에 대해 유의해야 하겠다.

기존에 최초 문헌상 보고된 방법에 의하면 내직근 표면의 테논낭과 군날개 절제 후 잔여 결막을 직접적으로 봉합하였는데,[2] 이 방법은 군날개 절제 중 테논낭이 다 제거된 경우에는 시도하기 힘들 수 있고 수술 후 결막과 함께 밀폐 봉합한 테논낭이 수축하여 오그라들게 되면 잔여 결막까지도 내안각 안쪽으로 함께 빨려들어가 나쁜 수술 결과를 가져올 수 있기 때문에 저자는 양막을 이용한 방법을 선호하는 편이다.

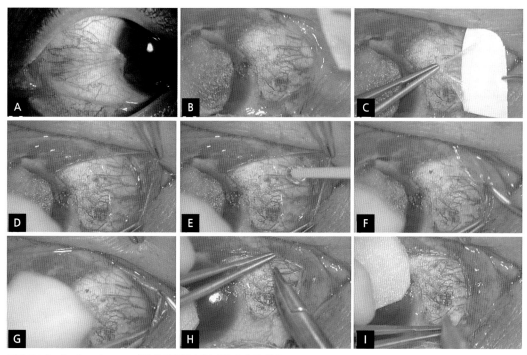

그림 25-2. Sealing the gap 기법을 이용한 군날개의 수술적 치료
군날개의 절제 후 내안각 부위의 섬유혈관조직의 내증식을 예방하기 위해 양막과 군날개 절제 후 잔여 결막조직을 각각 기질부가
마주보도록 위치시켜(D) 조직접합제로 붙인 후(E-G) 10-0 nylon으로 연속봉합하여 밀폐한다(H, I).

3. 신전된 폴리테트라플루오로에틸렌 삽입술

본 수술법은 특히 재발성 군날개 중에서도 군날개 몸체가 매우 두껍고 내안각 주위로 조직의 구축이 심하거나 검구유착이 있어 안구운동장애가 동반된 최고 수준의 중증 군날개의 수술에 권고되는 방법으로 삽입하는 물질이 고어텍스라는 잘 알려진 제품명을 가지고 있기 때문에 일명, 고어텍스 삽입술로 명명된다.

1) 고어텍스란?

고어텍스는 여러 타입의 제품들이 출시되고 있으며, 그 중에서 GORE® PRECLUDE® Pericar-dial membrane (W.L. GORE & ASSOCIATES Inc., Flagstaff, AZ, USA)이 sheet 형식이고 0.1 mm 두께로 매우 얇기 때문에 사용에 적합하다(그림 25-3A). 고어텍스의 재질은 신전된 폴리테트라플루오로에틸렌(expanded polytetrafluo-roethylene, e-PTFE)으로 높은 조직 적합성을 가지기 때문에 염증 유발이 거의 없다는 장점을 가지고 있다. 군날개 수술 시 군날개 조직 절제 후 잔여 결막 하 조직에 삽입하여 섬유혈관조직의 내증식 또는 검구 유착의 재발에 대한 기계적 방어막(mechanical barrier) 역할을 할 목적을 가지고 있기 때문에 고어텍스 삽입술은 'sealing the gap' 기법과 치료적 기전을 일부 공유한다고 할 수도 있겠다.

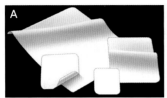

그림 25-3. 고어텍스의 수술 전 다발성 기공 형성 및 수술 과정 모식도[3]

2) 수술 방법

(1) 고어텍스 삽입 전 준비

고어텍스 sheet는 그 자체로서 맨 눈으로는 보이지 않는 1 μm 미만의 기공(pore)을 가지고 있는데 저자는 군날개 수술 시 내안각 부위의 결막하 조직에 고어텍스 sheet를 삽입 시 창상부 통기(aeration)를 원활하게 유지시켜서 저산소 환경에서 생리적으로 유발될 수 있는 반흔 형성을 최소화하기 위해 수술실 내에서 sheet를 삽입하기 직전에 1 cc 주사기의 30G 주사침을 bevel 길이의 반만 통과시켜 약 1 mm 간격으로 다발성 기공을 만들어서 sheet 삽입 후 결막하 창상부에 원활한 통기가 될 수 있도록 한다(그림 25-3B~D). 고어텍스의 술 중 삽입은 그 자체로서 다른 술식들을 대체하는 기법이 아니라 추가적인 술식이기 때문에 군날개의 중증도와 범위 등을 고려하여 자가윤부결막이식, 영구양막이식, 마이토마이신 C 투여 등의 전통적인 술식에 부가적으로 고려되어야 하겠다.

(2) 고어텍스 삽입 및 수술 후 제거

고어텍스 삽입을 요하는 중증의 군날개는 대개 내직근을 침범한 경우가 많기 때문에 전신마취가 권고되며 국소마취로 할 경우에는 수술 전 점안 마취보다는 구후 마취를 하는 것이 권고된다. 군날개 몸통에서 내안각 부위까지 결막하 섬유혈관 조직을 철저하게 제거하고 보통은 영구 양막이식을 함께 시행한 후 재단하고 다발성 기공을 만든 고어텍스 sheet를 삽입하게 된다(그림 25-4). 고어텍스를 내안각 부위 잔여 결막 아래로 거치시킨 후 아래, 위 및 이측부 고어텍스 경계 부위는 잔여 결막 혹은 상공막 조직과 봉합하고 내측부 경계는 내안각 잔여 결막 혹은 결막하 조직과 봉합을 한다. 주로 10-0 nylon을 사용하며 봉합사 풀림의 위험이 있는 일부 부위는 8-0 혹은 9-0 Vicryl을 이용하여 봉합한다. 수술 후 안구 표면의 상피화가 완성될 때까지는 20% 농도의 자가 혈청 안약을 조제하여 기상 시간 동안 2시간 간격으로 점안하는 것이 빠른 상피화에 도움이 된다. 고어텍스 sheet는 선명한 백색이기 때문에 수술 후 한동안 미용적인 문제가 있음을 사전에 환자에게 고지하는 것이 중요하다.

(3) 고어텍스 삽입술의 장점과 결과

본 수술법은 수술 후 군날개 절제 부위의 창상치유가 일어나는 초기 약 1달간 고어텍스 sheet를 유지시키기 때문에 검구 유착의 재발이나 군날개 절제부 아래의 내직근 주위의 재유착을 방지할 수 있는 가장 큰 장점을 가진다. 따라서 고어텍스 sheet를 삽입했던 환자에서 기존에 검구 유착이 있었던 곳이나 내안각을 살펴보면 수술 부위 창상 치유가 완료된 이후 공막과의 유착 소견이 없

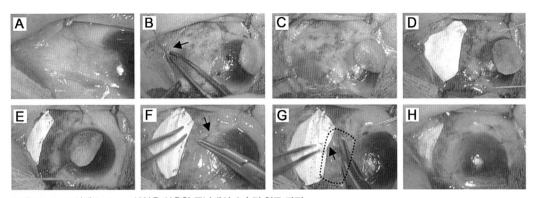

그림 25-4. 고어텍스 sheet 삽입을 이용한 군날개의 수술적 치료 과정
군날개 조직 절제, 영구 양막이식, 마이토마이신 C 처리 후(A-C), 다기공성 고어텍스 sheet를 내안각 부위 결막 하 공간에 위치한 후 바닥의 상공막에 봉합한다. 자가 윤부결막이식 역시 함께 시행하며(F) 이식한 윤부 결막(G, 점선)이 고어텍스 sheet 아래로 가도록 하여 몇 군데 고정 봉합을 실시한다. 마지막으로 수술 부위 전체가 덮이도록 일시 양막 덧댐술을 시행한다(H).

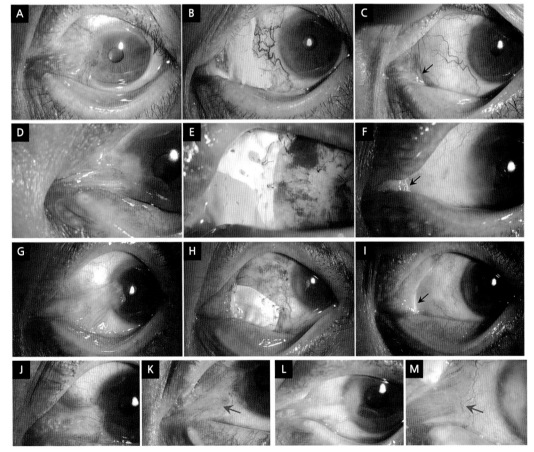

그림 25-5. 고어텍스 삽입술 시행 여부에 따른 술 후 임상 결과 비교[3]
내안각 부위의 구축과 검구 유착을 동반한 중증의 군날개 환자에서(A, D, G) 고어텍스 sheet 삽입술을 시행한(B, E, H) 후, 재발 조직의 내증식이나 검구 유착의 재발 없이(검정 화살표, C, F, I) 안구운동제한이 호전된 것을 볼 수 있다. 반면 고어텍스 미시행 시, 일부 환자에서 검구 유착 혹은 재발성 조직의 내증식이 발생할 수 있다(빨간 화살표, K, M).

으며 나아가 안구운동제한이 현저히 개선된 것을 볼 수 있다(그림 25-5A~F). 반면에 고어텍스 삽입술을 시행하지 않은 재발 군날개 수술 후에는 일부 환자에서 내안각으로부터 재발성 조직의 내증식이 발생하여 수술 후 뚜렷한 안구운동제한의 후유증이 발생하곤 한다(그림 25-5J~M).

One Point

- 통상적으로 1달 후 sheet를 제거하지만 수술 정도에 따라서 거치 기간이 달라질 수 있고, 또한 고어텍스 sheet에 가려 하부의 상피화를 확인할 수 없다.
- 수술 약 1달 후 고어텍스 sheet의 흰색 표면에 회색의 얼룩들이 생기곤 하는데(그림 25-5E), 저자 경험상 보통 이때 sheet를 제거하면 하부의 상피화가 다 일어난 것을 확인할 수 있었다.

현문현답

Q. 군날개 수술은 과거나 지금이나 안과 의사로 하여금 수술하기 전 상당한 고민을 하게하는 질환입니다. 문헌상 다양한 수술 방법들이 소개되어 왔고 재발률을 줄이기 위한 비법들이 여러 그룹에서 발표되었지만, 수술 수가, 수술 시간 및 그에 따른 수술 결과 등 다양한 측면을 고려하였을 때 본 장에서 언급된 advanced techniques을 적용하기란 현실적으로 쉽지는 않다고 생각됩니다.

Q. 군날개 수술에 대한 advanced technique들은 본 장에서 설명이 잘 되었지만 사실 임상의의 개인적이고도 오랜 경험이 뒷받침되어야 하기 때문에 gold standard를 명확하게 규정할 수는 없기도 합니다. 현실에서 군날개 수술을 앞두고 가장 중요한 포인트는, 사실 현재 환자분 상태가 이와 같은 advanced technique들을 적용해야 할지 말지를 판단하는 것에서 시작한다고 생각합니다. 군날개 환자를 처음 만났을 때 군날개의 중증도를 판단하기 위해 어떤 점들을 눈여겨 봐야 할까요?

A. 전통적으로 Dr. Donald Tan에 의한 Tan 분류법(T1-T3 등급)이 임상가들의 의사소통 시 군날개 중증도 구분의 잣대로 널리 이용되고 있지만, 저자 개인적으로는 Tan 분류법 이외에도 수술 후 높은 재발률에 대한 위험도를 가늠하기 위해 연령, 과거 재발 여부, 야외 활동 관련 직업 여부, 알레르기 체질 여부, 마이봄샘 기능 장애 정도, 동반된 외안부 염증 상황, 최근 6개월 이내의 빠른 성장 과거력, 내안각 부위 결막의 눈물 언덕(lacrimal caruncle)과 반달 주름(plica semilunaris)의 정상 형태 유지 여부, 이측 방향 안구운동제한 여부, 검구 유착 여부, 예방 접종 혹은 과거 상처부위의 피부 흉터화 정도를 철저하게 조사합니다.

Q. 네. 생각보다 많은 점들을 고려해야 하는군요. 사실 많은 환자를 진료하다 보면 이 모든 것들을 꼼꼼히 보고 기록화하기가 현실적으로 힘들 수 있습니다. 바쁜 진료 시간 와중, 그 중에서도 특히 어떤 점을 염두에 두고 군날개를 평가해야 할까요?

A. 군날개 중증도와의 상관성 판단에 있어 개인적으로는 군날개 몸체 자체의 혈관화 정도와 군날개 머리의 폭이나 길이 보다는 군날개의 두께(Tan 분류법의 T 등급)와 안구운동장애 여부를 중요하게 생각하는 편입니다. 비측부 군날개에서 이측부 주시 시 안구운동장애가 있다면 군날개 몸체 하부의 섬유혈관 조직이 두껍고 깊기 때문에 대개는 수술 중 내직근 주위 유착이 저명하게 관찰되고 이 또한 중증 군날개라고 할 수 있겠습니다. 또한, 내안각 부위의 군날개 눈물언덕과 반달주름의 해부학적 구조가 유지되고 있는지 역시 자세히 관찰하는데, 만약 반달주름의 경계가 소실되었다면(일명, flattened caruncle)

(그림 25-6) 그 아래에 있는 군날개 섬유혈관 조직 내 섬유모세포(fibroblast)들이 밀집되어 있고 이들의 증식력이 높을 것이라고 추정되며 이는 수술 후 적어도 결막 부위 재발로 이어질 가능성이 보다 높을 것이라 추정하게 됩니다.

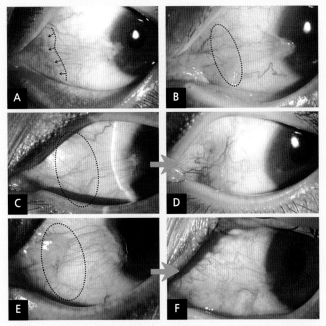

그림 25-6. 눈물언덕과 반달주름의 형태 유지 여부에 따른 군날개의 중증도 구분
내안각 부위 관찰 시 반달주름의 이측부 경계가 유지되는 군날개가 있는 반면(A), 경계가 소실되었거나(B, C) 변형된 경우 (E)도 있다. 이와 같이 눈물언덕 주위가 편평해진(flattened caruncle) 것은 기저의 섬유혈관 조직 내 섬유모세포의 증식성 및 근섬유모세포성 특성(myofibroblastic trait)이 상대적으로 보다 강하기 때문일 것이라고 추정되며, 단순절제 및 마이토 마이신 C 술 중 투여 시 수술 3~6개월 후 결막 재발 혹은 완전 재발의 확률이 상대적으로 높다(D, F).

Q. 네. 정리하자면 Tan 분류법에 따른 T3 등급의 군날개에서 내직근 주위 섬유화 유착을 암시하는 안구운동장애 및 flattened caruncle 소견이 있으면 특히 더 조심해야 한다는 말씀이시군요. 하지만, 실제 군날개 환자들을 보면 미용적인 부분보다도 안구건조증, 마이봄샘 기능장애, 잦은 충혈의 호전과 악화 반복 등의 동반 이상 소견 및 증상을 호소하는 경우가 많습니다. 이런 점들도 수술 결과에 영향을 주나요? 그렇다면 수술 전 따로 치료를 해야 하는 것인지요?

A. 앞서 말씀드린 T3 등급과 내안각 부위 이상 소견들이 군날개 세포 자체의 증식력과 그 증식 정도를 의미한다면, 마이봄샘 기능장애, 현재의 충혈 정도, 환자의 안구 불편감은 현재 염증 동반 여부를 판단할 수 있는 지표가 됩니다. 오랜 기간 동안 잠잠한(quiescent) 군날개보다는 현재 염증을 동반하고 있는 군날개가 수술 후 단기간 내 재발로 이어질 확률이 높으며, 이들은 활동성(active) 혹은 염증성 군날개로 대표될 수 있겠습니다. 과거 10년 이상 뚜렷한 진행이 없었던 군날개보다 최근 수개월 내에 환자 본인이 인지할 정도로 눈에 띄게 진행한 경우, 동반된 마이봄샘 기능장애와 연관되어 눈꺼풀 결막염 (blepharoconjunctivitis)이 자주 발생하는 경우, 군날개 몸체 표면의 미란이 동반된 경우, 흡연과 대기오염에 노출되어 안구 표면의 염증이 반복되는 경우, 더군다나 이러한 염증성 물질이 잦은 음주 후

외안부 충혈로 인해 안구 표면에 쉽게 전달되는 경우 활동성 군날개가 될 가능성이 높습니다. 개인적으로 수술 전 MMP-9 (matrix metalloproteinase) 등의 안구 표면 염증 검사를 통해 현재 염증 상태를 객관적으로 확인해보는 것도 좋은 방법이라 생각하며 군날개 수술 전 반드시 동반된 마이봄샘 기능장애, 안구건조증, 알레르기 및 감염성 결막염을 잘 관리한 후 수술하는 것이 바람직하겠습니다.

참고 문헌

1. Tan DT, Chee SP, Dear KB, Lim AS. Effect of pterygium morphology on pterygium recurrence in a controlled trial comparing conjunctival autografting with bare sclera excision. *Archive of ophthalmology* 1997;115: 1235-1240.

2. Liu J, Fu Y, Xu Y, Tseng SC. New grading system to improve the surgical outcome of multirecurrent pterygia. *Archives of ophthalmology* 2012;130: 39-49.

3. Kim KW, Kim JC, Moon JH, Koo H, Kim TH, Moon NJ. Management of complicated multirecurrent pterygia using multimicroporous expanded polytetrafluoroethylene. *The British journal of ophthalmology* 2013;97: 694-700.

4. Chun YS, Park IK, Kim JC. Technique for autologous nasal mucosa transplantation in severe ocular surface disease. *European journal of ophthalmology* 2011;21(5): 545-551.

5. Kim JH, Chun YS, Lee SH, Mun SK, Jung HS, Lee SH, Son Y, Kim JC. Ocular surface reconstruction with autologous nasal mucosa in cicatricial ocular surface disease. *Am journal of ophthalmology* 2010;149: 45-53.

양막이식술

Key Point

• 양막이식술의 적응증을 알아본다.
• 양막이식술의 구체적인 술기에 대하여 알아본다.

1. 서론

이미 널리 알려진 바와 같이 양막(amniotic membrane)은 표피성장인자(epidermal growth factor), 각질세포성장인자(keratinocyte growth factor), 간세포성장인자(hepatocyte growth factor) 등의 다양한 성장인자들을 함유하여, 상피 세포의 이동, 분화, 유착을 도와 창상 상피화를 촉진시키고, IL-10 (interleukin-10)과 같은 항염증인자를 포함하고 있어 염증 감소에 도움을 준다.[1,2]

이러한 특성으로 인하여 안과 영역, 특히 외안부 수술에 양막이 매우 널리 쓰이고 있다. 대표적으로 양막이 유용하게 사용되는 분야는 아마도 각막 궤양으로 인한 각막 천공 혹은 융해와 같은 응급 질환 및 신경영양각막염(neurotrophic keratitis), 각막 화상(corneal burn)과 노출각막염(exposure keratitis)과 같이 각막의 창상 치유가 저해되는 경우가 대표적인 예일 것이다.

자가 결막이나 구강 점막 등과 같은 자가 조직도 이러한 질환을 치료하는 우수한 재료가 될 수있으나 양막은 별도의 채취 과정 없이 손쉽게 재료를 획득하여 필요한 만큼 절제 후, 위생적인 환경에서 이식이 가능하므로 보다 선호되고 있는 것이다.

이와 같이 지속적으로 각막의 창상 치유가 장해를 받을 수 있는 질환에서 양막 이식의 술식은 이미 널리 알려져 있다. 병변의 크기를 적절하게 덮을 수 있도록 양막을 재단한 후 필요에 따라 양막의 상피층 쪽이 윗쪽으로 가도록 하여 각막 상피가 이를 타고 올라와 창상 치유를 유도하는 영구적 양막이식{permanent AMT (inlay or graft technique)}이 있고, 반대로 상피층이 아래쪽으로 가도록 하여 각막 상피가 양막 밑으로 타고 자라와 창상 치유를 돕는 일시적 양막이식술{temporary AMT (overlay or patch technique)}이 일반적으로 사용되는 술식이다. 혹은 조직의 결손이 클 경우 양막을 잘라서 결손 부위에 구겨 넣은 후, 그 윗쪽으로 양막을 여러 겹 이식(multi-layered AMT)하는 방법도 흔히 사용되고 있다 (그림 26-1).

이에 본 장(章)에서는 앞서 언급한 술식 이외에, 원발성 혹은 재발성 군날개의 절제 후, 혹은 각결막 종양 절제 후, 결손 부위를 메꿀 수 있는 양막 이식의 술식에 대하여 기술하고자 한다. 양막의 조직학적인 특성 및 치료에 대한 적응증 등 일반적인 사항은 기존의 많은 문헌에서 자세히 설명하고 있으므로 본 장에서는 생략할 것이다.

술후 1일   술후 2주

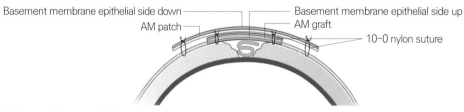

그림 26-1. Multilayered AMT

군날개나 결막 표면의 종양 등의 절제술 후 가장 손쉽게 결손 부위를 메울 수 있는 방법은 자가 결막을 채취하여 이식하는 것이지만, 결막을 채취하기 위하여는 조직에 별도의 손상과 추가적인 술기가 시행되어야 하고, 특히 섬유주절제술(trabeculectomy)과 같은 녹내장 수술이 예상될 수 있는 환자의 경우 추후 치료에 방해가 될 수 있는 문제점이 존재한다. 이에 반해, 양막은 별도의 조직 채취 과정이 필요하지 않고, 결막 조직과 대등하게 생체 적합성(biocompatibility)이 우수하며, 위생적이라는 장점이 있고 창상 치유를 돕고 항염증 효과가 있으므로 최근 사용 빈도가 증가하고 있다.

따라서 AMT를 직접 시행하기 앞서 초심자가 알아두면 좋을 내용을 기술하여 보겠다.

2. 본론

양막 조직은 결막 조직과 다른 다음의 특성이 있다.

1) 양막은, 찢어지기 쉽다.
2) 양막은, 결막 조직과 달리 신축성이 적다.
3) 양막은, 무혈관 조직이다.
4) 양막은, 이식 후 일정 시간이 지나면 흡수가 된다.
5) 양막은, 제조 형태에 따라 냉동 동결 타입과 건조 타입이 있다.

이러한 양막 조직의 특성을 이해하고 AMT에 요구되는 주의 사항을 알아보도록 하자.

1) 양막 조직의 취급과 봉합 방법
앞서 언급하였듯이, 양막 조직은 매우 연약하여 찢어지기 쉬우므로 수술 중 양막을 다룰 때에는 이(teeth)가 있는 날카로운 기구로 조작하는 것을 피해야 하며, 불가피하게 기구로 조작할 때 조직 손상을 유발하는 불필요한 조작은 피하여야 한다. 특정 회사에서 생산되는 양막은 A 타입(thin), B 타입(thick)으로 구분되어 있으므로 선호하는 제품을 선택하여도 좋다.

일반적으로 양막은 영하 70℃에서 보존액에 냉동된 채로 보관되므로, 수술 두 시간 전에는 상온에 놓아 보존액이 충분히 녹도록 해야만 한다. 보존액이 얼려 있는 상태에서 양막을 과도하게 잡아당겨 꺼낼 경우 찢어지거나 조직 표면의 미세한 손상을 유발할 수 있기 때문이다.

또한 양막을 인접 조직과 봉합할 때에도 양막 조직의 손상을 가장 적게 일으키는 봉합사를 선택하여야 한다. 커팅(cutting needle) 타입이나 스파츌라(spatulated) 타입의 바늘을 사용하는 것이 좋다. 더불어 curved type의 바늘을 사용한다. 또한 바늘과 봉합사는 가장 가는 것을 사용하는데 10-0 nylon이 조직의 손상을 피하면서도 정교한 수술을 가능하게 하므로 가장 적합한 봉합사가 될 것이다. 봉합을 시행할 때에도 양막 조직에 긴장이 가해지지 않도록 손목의 스냅(snap)을 이용하여 바늘의 모양대로 조직을 통과하도록 연습하여야 한다.

2) 결손 부위에 맞는 양막의 재단 방법
양막은 결막 조직과 달리 신축성이 비교적 부족하다. 결막 조직은 결손 부위보다 작게 채취되더라도 신장(stretching)시켜서 결손 부위에 이식할 수 있지만 양막은 과도하게 신장시키면 찢어지게 된다. 반대로 양막을 과도하게 크게 재단하면 표면이 불규칙하게 되어 양막 위로 상피 세포가 자라 들어오는 데 방해가 된다. 따라서 조직의 결손 부위에 AMT를 시행할 때에는 결손 부위의 크기에 맞도록 양막을 정확히 재단하여야 한다. 결손 부위의 크기에 적합하게 양막을 재단하는 방법은 다음과 같다.

우선, 캘리퍼(caliper)를 이용하여 결손 부위의 수직(horizontal) 및 수평(vertical) 길이를 측정한다. 결손 부위를 측정할 때는 반드시 안구가 정면을 바라본 상태에서 측정하여야 한다. 만약 안구가 특정방향으로 편위된 상태에서 결손 부위가 측정된다면 실제 크기보다 크거나 작게 측정될 수 있다. 다시 강조하지만, 양막은 결막 조직에 비교하여 신축성이 떨어지기 때문에 실제 결손 부위보다 작게 재단되면 양막이 늘어나지 못하여

결손 부위를 덮지 못하거나 과하게 늘리다가 양막이 찢어질 수 있다. 반대로 결손 부위보다 양막이 크게 재단된다면 양막 조직의 redundancy가 생겨 이식 표면이 울퉁불퉁하여 조직의 생착에 어려움이 있을 수 있다.

환자가 수술실에서 누워있는 상태에서 정면을 바라보게 한 후, 캘리퍼로 수직 및 수평 축을 측정하고, 양막에 marking pen을 이용하여 적절한 크기로 잘라낸다. 이 때 주의하여야 할 점은 실제 결손 부위보다 약 1.5~2.0 mm 가량 여유를 두고 잘라내는 것이 좋다. 결손 부위에 딱 맞는 크기로 이식하면 수술 후 눈의 움직임에 따라 봉합 부위에 긴장이 가해져 벌어지거나 최악의 경우 양막이 탈락될 수 있기 때문이다. 이식을 진행하여 가

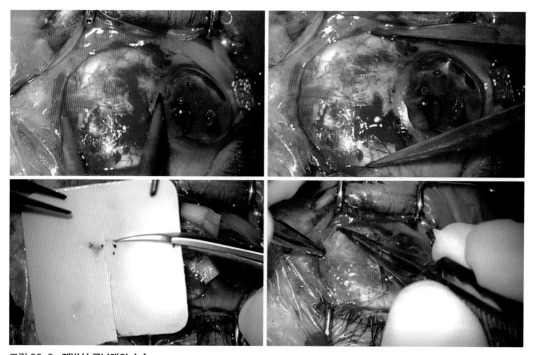

그림 26-2. 재발성 군날개의 수술
조직 결손 부위 반대방향을 주시하게 한 후, 결손 부위의 크기를 캘리퍼를 이용하여 수평축 및 수직축의 길이로 측정한다. 해당하는 크기로 양막을 잘라낸 뒤, 결손 부위를 덮어본다. 결손 방향의 반대쪽으로 주시하고 있으므로 실제로는 결손 부위의 크기보다 1.5~2.0 mm 큰 사이즈가 된다.

면서 여분의 조직은 잘라내면 되므로 약간은 큰 사이즈로 재단하는 것이 바람직하다(그림 26-2).

혹은 Hwang 등이 발표한 방법과 같이, 결손 부위의 경계를 marking pen으로 그리고, 빈 종이를 이 부위에 찍어낸 후 실제 결손 부위 모양 그대로 양막을 재단하는 stamp technique도 유용하다고 생각된다(그림 26-3).[3]

3) 양막의 봉합 방법

앞서 언급한 바와 같이 10-0 nylon을 사용하여 봉합한다.

표 26-1을 보면 같은 10-0 nylon이더라도 바늘 모양에 따라 다양한 봉합사가 있음을 알 수 있다. 특히 CUM-5와 같은 바늘은 다른 10-0

> **One Point**
>
> - 양막을 다룰 때, 찢어지기 쉬우므로 teeth가 있는 forceps는 되도록 사용하지 않도록 하자!
> - 양막을 봉합할 때는 다른 조직도 그러하듯이 손목의 스냅을 이용하여 조직에 장력(tension)이 가해지지 않도록 하자!
> - 조직 결손 부위보다 약간 크게 재단한 후, 결손 부위의 반대 방향을 주시하게 하여 양막 일부를 봉합한 후, 눈을 정위로 오게 하여 여분의 양막을 잘라내어 정확한 사이즈로 결손 부위가 양막으로 덮이도록 하자!
> - 이식된 양막에 긴 봉합으로 fixation suture를 시행하여 양막이 팽팽하게 부착되도록 하자! 그래야 주위조직에서 상피 조직이 수월하게 자라 들어오지 않을까?

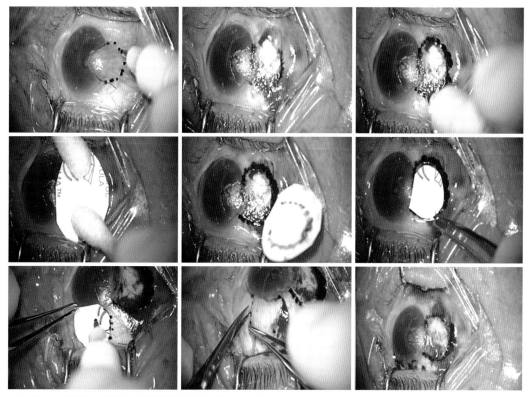

그림 26-3. 조직 결손 부위의 정확한 재단을 위한 Hwang 등의 stamp technique

표 26-1 다양한 모양의 10-0 nylon 봉합사

	C-Series Needles Needle specification						
Circle	Wire (mm)	Curvature (°)	Length (mm)	Radius (mm)	Chord (mm)	Surgical Applications	
3/8	.10	140	6.19	2.54	4.75	• Anterior Segment Surgery	
1/2	.10	160	4.22	1.52	3.00	• Cataract	
3/8	.15	140	6.19	2.54	4.75	• Glaucoma	
1/2	.15	175	6.98	2.28	4.57	• Corneal Transplant	
1/2	.15	160	5.51	1.98	4.01	• Oculoplastic	
1/2	.15	160	5.51	1.98	4.01	• Strabismus	
1/2	.15	160	4.22	1.52	3.00		
Bi-Curve	.15	105/85	6.17	.86/3.10	N.A.		
Bi-Curve	.15	90/90	4.83	1.52/2.79	3.71		
3/8	.23	137	6.55	2.77	5.18		
1/2	.20	175	7.13	2.39	4.75		
1/2	.20	160	5.51	1.98	4.01		
1/4	.23	97	6.55	3.96	5.95		
Bi-Curve	.20	90/50	4.83	1.52/2.79	3.71		

nylon보다 바늘 직경이 작아 양막에 손상을 덜 줄 수 있지만 술자가 다루기 편한 제품을 선택하도록 한다.

(1) 각막에의 봉합 방법

각막 결손 부위 위에 양막을 봉합할 때에는 봉합으로 인하여 각막 표면에 우글우글한 표면이 유발되지 않도록 길게 봉합하고, 매듭은 반드시 묻어주도록 한다. 결손 부위가 깊을 때는 양막을 작게 잘라 공간을 보충하도록(space occupying) 구겨서 채운 후, 위쪽으로 multilayered AMT를 시행하는데, 이때 epithelial layer가 위쪽을 향하게 AMT를 시작하였으면 다음 양막은 아래쪽을 향하는 교대 방식으로 여러층의 AMT를 시행하고

마지막 AMT는 상피가 양막 위쪽으로 자라 들어올 수 있도록 상피층(epithelial layer)이 위쪽을 향하도록 시행한다(그림 26-4).

(2) 결막에의 봉합 방법

양막의 가장자리와 결막의 가장자리에 짧게 봉합을 한다. 결막에 봉합을 할 때 테논 조직이 같이 봉합되거나 결막의 가장자리가 안쪽으로 말린 상태에서 봉합되면 수술 후 육아종 형성이나 상피재생 등에 문제가 발생할 수 있으므로 반드시 결막의 층을 맞추어 가장자리에 봉합할 수 있도록 한다.

앞서 언급한 바와 같이 양막 조직은 신축성이 없으므로 적절한 크기로 재단하여 봉합하도록 한

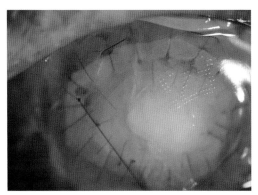

그림 26-4. **각막 궤양으로 인한 괴사성 각막 천공 환자에서 multilayered AMT를 시행한 모습**

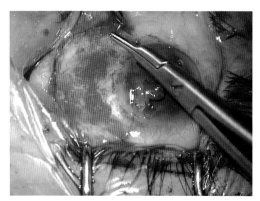

그림 26-6. **재발성 군날개의 수술**
위아래의 수평 축을 봉합할 때는 눈이 정위에서 약간 외측에 온 상태로 봉합을 한다.

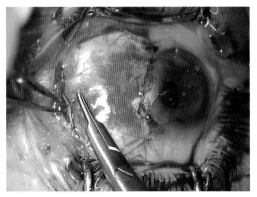

그림 26-5. **재발성 군날개의 수술**
내측 결손 부위를 봉합할 때는 외측을 바라보게 한 후 수직 축부터 봉합하여야 한다.

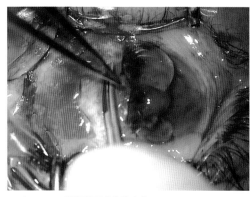

그림 26-7. **재발성 군날개의 수술**
봉합을 마친 뒤, 여분의 양막을 윤부의 모양에 맞추어 잘라내어 정확한 크기의 이식이 되도록 한다.

다. 만약 눈의 내측 부위의 결손 조직을 봉합한다고 생각하여 보자. 수술의 편의를 위하여 환자의 눈은 외측을 바라보도록 하면서 결손 조직을 이식하는 경우가 많은데 이때는 반드시 결손 부위의 수직축부터 봉합하도록 한다(그림 26-5). 환자가 외측을 바라본 상태에서 위아래의 수평축의 결손 부위를 먼저 봉합하게 되면 눈이 정위가 되거나 내측을 바라볼 때 양막 조직의 redundancy로 우글쭈글해져 상피가 자라 들어오는 데 문제

가 발생할 수 있다.

이후, 위아래의 수평 축을 봉합할 때는 눈이 대략 정위에서 미세하게 외측으로 오도록 한 후 봉합한다(그림 26-6). 눈이 내측으로 오도록 하거나 완전한 정위인 상태에서 수평 축을 봉합하게 되면 술 후 눈이 외측을 바라볼 때 양막이 긴장을 받아 봉합이 풀릴 수 있기 때문이다. 물론 내측을 바라본 상태에서 봉합한다면 양막의 redundancy로 표면이 우글쭈글해져 상피 재생에 문제가

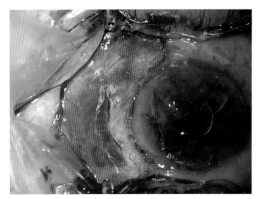

그림 26-8. 재발성 군날개의 수술
이식된 양막에 3개의 긴 고정 봉합(fixation suture)을
추가하였다.

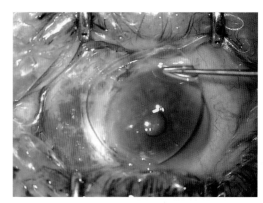

그림 26-9. 치료용 콘택트렌즈를 삽입하여 수술을 마친다.

발생할 것이다.

이제 여분의 양막 조직을 각막 윤부의 윤곽에 맞도록 절제하면 된다(그림 26-7). 이렇게 하여야 결손 조직 부위에 적합한 크기로 AMT가 되므로, 미리 딱 맞는 크기로 양막을 재단하지 말고, 약간의 여분을 두어 이식하는 것이 좋다고 생각한다.

마지막으로, 이식된 양막에 공막 고정 봉합 (scleral fixation suture) 추가하는 것이 좋다(그림 26-8). 정확하게 이식이 되었다고 하더라도 눈의 움직임에 따라 양막에 긴장이 가해져 봉합이 풀리거나 탈락할 가능성이 남아 있기 때문에 이식된 양막과 그 밑의 공막에 몇 개의 고정 봉합을 시행하면 보다 견고한 AMT가 될 것이라고 생각한다. 고정 봉합을 시행할 때에는 길게 봉합하여 매듭은 양막이나 공막 아래쪽으로 묻어서 안구 표면의 자극이 발생하지 않도록 한다.

AMT를 마무리하면서, 눈을 좌우 상하로 움직이도록 하여 양막에 과도한 긴장이 가해지지 않는지 마지막으로 확인한 후, 치료용 콘택트렌즈를 삽입하여 수술을 마친다(그림 26-9).

3. 결론

자가 결막은 그 자체로 조직의 신축성이 좋고 혈관 조직을 포함하기 때문에 생착이 쉽고 빠르다. 그러나 반복적으로 채취하는 것에 어려움이 있고, 특히 각종 안구 표면 질환에 있어 결막 조직이 정상적이지 못한 경우가 많다. 또한, 녹내장 환자의 경우 여과 수술(filtering surgery)의 가능성을 생각한다면 되도록 자가 결막 이식을 피하는 것이 좋겠다. 이러한 점에서 양막은 쉽게 얻을 수 있고, 생체 친화적(biocompatible)이어서 결막을 대체하기에 좋다. 지금까지 설명한 바와 같이 양막의 특성을 잘 이해하고 적합한 술식을 수행한다면 우수한 결과를 얻을 수 있을 것이다.

현문현답

Q. 우선 토의에 앞서 잘 아시는 것처럼 양막에 대한 개괄적인 말씀을 드리겠습니다. 광범위한 재발성 군날개, 중증의 검구 유착(symblepharon), 그리고 각막 및 결막의 상피내 종양(corneo-conjunctival intraepithelial neoplasia)과 같이, 절제하여야 하는 병변의 범위가 넓은 경우에는 자가 결막으로 결손부위를 덮는 데 어려움이 많습니다. 이런 상황에서는 양막이 훌륭한 대체 조직이 된다고 생각합니다. 늘 언급되듯이 양막은 창상 치유를 촉진할 뿐만 아니라 염증을 조절하는 특성까지 갖고 있다고 알려져 있기 때문입니다.

과거에는 제왕절개 수술이 예정되어 있으면, 산부인과 수술실 앞에서 태반을 받아서 양막을 채취하여 준비하는 방법으로 사용하였습니다. 그러나, 이제는 상품화된 양막을 손쉽게 구하여 사용할 수 있는데, 2019년 현재 국내에서 상품화되어 사용할 수 있는 양막은 "한국 조직기증원"및 "SK 바이오랜드"의 두 군데에서 공급이 되고 있습니다. 혹시 두 종류 모두 사용하여 보신 경험을 공유해주실 수 있을까요?

A. 조직기증원 양막은 가격적인 면에서 SK 사의 제품보다 저렴하고요, 사이즈도 보다 큽니다. 그러나 병원내에 온도 및 습도가 유지되면서 양막의 보관 및 관리가 적절하게 이루어질 수 있는 인체조직은행이 구비되어 있지 않다면 병원 내 재고를 두고 사용할 수 없다는 단점이 있습니다. SK 사의 제품은 가격이 보다 높은 단점이 있지만 재고를 두고 사용할 수 있고, 더불어 A 타입(두께가 얇음), B 타입(두께가 두꺼움)으로 구분되어 있어 환자에 따라 선택할 수 있는 장점이 있습니다.

Q. 수포각막병증이나 지속상피결손, 혹은 각막 융해 질환에서도 사용하지만 군날개 수술에서도 결막 피판 대신 사용하는 경우도 많습니다. 군날개 수술에서의 사용에 대하여는 논란이 많은데 이에 대한 의견을 주실 수 있을까요?

A. 재발되지 않은 첫 번째 군날개 수술에서 양막을 사용하는 것에 대하여 부정적인 의견도 많은 것이 사실입니다. 남아있는 군날개 조직이 양막을 타고 더 수월하게 자라 들어와 재발의 빌미를 제공한다는 이유에서이지요. 군날개의 병리를 고려해보면 윤부를 포함한 자가결막 이식이 가장 이상적이겠으나 임상적으로 윤부를 같이 절제하여 이식하는 것이 번거로울 뿐만 아니라 군날개와 같이 가벼운(?) 질환에 윤부 절제를 하는 것이 마음에 걸릴 수도 있겠습니다. 그렇다면 정말 양막 이식은 군날개 수술에서 절대 사용하지 말아야하는 술식일까요? 단순 임상 논문을 참조하는 것보다 코크란 데이터베이스(Cochrane database systematic review)에 포함된 메타분석 결과를 보면 보다 객관적일 것입니다. 이를 참고하면 양막을 사용하는 술식과 결막을 사용하는 술식에서는 재발률에 있어 큰 차이는 없다고 보고하고 있습니다.[4]

Q. 그렇다면 재발률에 있어 양막을 사용하는지, 결막 피판을 사용하는지가 중요한 것이 아니라는 말씀이신가요?

A. 군날개, 검구유착 수술, 상피내 종양 수술에서 양막 이식 후 수술 초 잦은 경과관찰을 하여 코발트 블루 조명하에서 형광염색을 하였을 때, 양막 이식 부위를 유심히 관찰하여 보면 시간이 흐를수록, 마치 각막 상피 결손이 아무는 것처럼 깨끗한 결막 상피들이 점차 자라들어와 결손 부위를 메꾸는 것을 확인할 수 있습니다. 군날개가 재발되는 경우는 자가결막 이식 그리고 양막 이식 부위에 모두 군날개의 섬유혈관 조직이 타고 들어오는 것을 보게 됩니다. 즉, 재발되어 타고 올라오는 조직과 정상적으로 타고 올라오는 조직은 성격이 다르다고 생각합니다. 자가 결막으로 조직 결손을 메우는 것이 가장 이상적이겠으나, 개인적인 의견으로는, 수술 전 눈의 상태, 이를 테면, 수술 전 안구 표면 염증의 정도, 군날개의 중증도(Tan grade) 그리고, 수술 중 출혈과 조작 정도에 따라 재발률이 주로 결정된다고 생각합니다. 조직 결손이 크거나 잦은 수술로 자가 결막의 이용이 용이치 않을 때, 수술 시간을 단축하고 안구 표면의 조작을 줄이는 의미에서 양막 이식은 매우 바람직하고 유용한 술식이 아닐까요?

■■■■ 참고문헌

1. Meller D, Tseng SC. Conjunctival epithelial cell differentiation on amniotic membrane. *Invest Ophthalmol Vis Sci* 1999 Apr;40(5):878-886.

2. Meller D, Pires RT, Tseng SC. Ex vivo preservation and expansion of human limbal epithelial stem cells on amniotic membrane cultures. *Br J Ophthalmol* 2002 Apr;86(4):463-471.

3. Hwang HS, Chul Kim E, Kim MS. A New Conjunctival Free Flap Design Technique for Pterygium Surgery: Stamp Technique. *Eye Contact Lens* 2016 May;42(3):171-176.

4. Clearfield E, Muthappan V, Wang X, Kuo IC. Conjunctival autograft for pterygium. *Cochrane Database Systematic Review*. 2016 Feb 11;2:CD011349. doi: 10.1002/14651858. CD011349.pub2.

결막피판술
: 난치성 각막질환의 치료 옵션

27

Key Point

•Gundersen flap의 정의와 적응증을 알아본다.
•Gundersen flap의 술기와 함께 저자만의 노하우를 제시하고자 한다.

1. 정의

Gundersen conjunctival flap 군더슨 결막피판술은 심각한 안구 표면질환에 100년 동안 성공적으로 사용되어온 치료법으로 1958년 Gundersen이 소개한 이후 대중화되기 시작하였다.[1,2] 현재는 안구 윤활 시스템, 강력한 항생물질, 면역억제제나 기타 각결막의 안성형 수술 방법들이 등장하면서 쓰임이 줄어들고는 있지만 여전히 특별한 상황에서 유용한 치료법이다. 결막피판술은 가역적이어서 추후 시력 개선 수술이 가능하며 특히 심한 염증이 있는 경우 각막이식이 가능하도록 안구 표면 환경을 안정시켜준다.[3,4]

2. 적응증

교과서에는 지속적인 각막상피 결손, 치료에 반응하지 않는 감염성 각막 궤양, 각막 얇아짐 및 천공, 각막윤부 질환, 공막 괴사, 녹내장 수술의 부작용, 미용적 공막 수술 시의 표면 재료 사용 등이 적응증으로 되며 피판 수술 후 미용적인 문제나 시력 및 시야장애가 심각하다. 저자가 생각하는 선행조건으로는 1) 시력회복이 불가능하다고 판단되는, 시기능이 없거나 안구위축인 경우, 2) 안구적출을 고려해야 할 정도의 안구표면 상태인데 환자나 보호자가 거부하는 경우(그림 27-1), 3) 치료에 반응하지 않는 감염성각막 궤양이나 각막 융해 melting 시(그림 27-2)에 안구표면을 안정화 시킨 후 각막이식을 고려해야 하는 경우에 이 수술을 시행하고 있다.

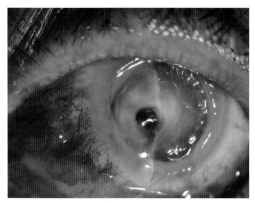

그림 27-1. 안구적출을 고려해야 할 정도의 안구표면 상태

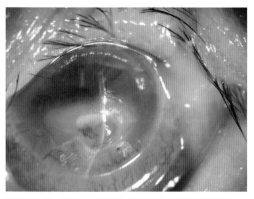

그림 27-2. 치료에 반응하지 않는 감염성각막 궤양이나 각막 융해

3. 수술 방법

1) 전체 결막피판술(그림 27-3)

전체 결막피판술에 가장 일반적으로 사용되는 기법은 군더슨 결막피판술 또는 변형된 형태로 시행된다. 마취는 국소마취 또는 전신마취를 할 수 있지만 대부분 구후마취를 시행하게 된다. 시술 전에 결막의 적합성을 평가하는 것이 중요하다. 피판술을 할 부위의 결막이상이 있다면 이 술기는 시행하기 어려워진다.

One Point

시술 전 오랫동안 하측 결막에 결막하주사를 받은 경우 결막이 두꺼워지고 탄력성이 소실되어 피판을 만드는 중 단추구멍이나 찢어지는 경우가 발생한다. 이때는 수술을 연기하거나 상측 결막을 이용해야 한다.

2) Bipedicle (bridge) 피판술(그림 27-4)

이 술기는 군더슨 결막피판술과 유사하지만 각막병변 부위만을 덮는 방법으로 박리할 결막편의 넓이는 각막병변보다 20~30% 크도록 만든다. 각막 전체를 완전히 덮지 않아도 되는 작은 중심성, 부중심성 병변에 쓰인다.

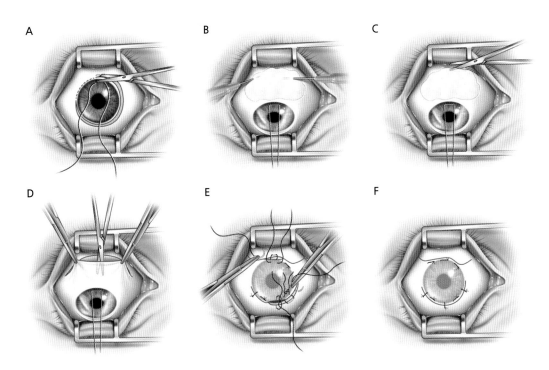

그림 27-3. 전체 결막피판술

A. 6-0 혹은 7-0 silk로 상측 윤부에 traction suture를 시행한 후 Westcott scissors로 360도 윤부결막절개를 시행한다.

B. 상부 결막에 테논낭이 포함되지 않도록 결막 상피에 1% 리도카인을 결막하 주사를 시행하여 결막이 부풀어 오르도록 한다.
   주사 범위는 부풀어오른 결막이 충분히 각막을 덮을 수 있도록 한다.

C. 안구를 하전시켜 윤부로부터 14 mm 위치 결막에 동심원상으로 상부결막구석에 절개를 가한다.

D. 결막 피판은 단추 구멍(button hole)을 만들지 않게 조심해서 결막구석으로부터 윤부쪽으로 상부 안구결막의 박리를 시행한다.

E. Traction suture를 제거 후 각막상피를 15번 blade를 이용하여 제거한다. 그 후 결막 피판을 각막 병변 위로 덮는다.

F. 윤부 근처 공막 표면에 Vicryl 또는 nylon 봉합사로 단속봉합한다.

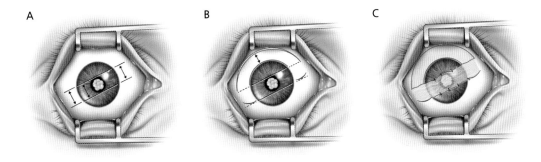

그림 27-4. Bipedicle (bridge) 피판술

A. Bipedicle (bridge) 피판의 크기를 각막 병변의 직경보다 20~30% 넓게 표시한다.

B. 각막 상피를 제거한 후 결막편을 박리한다.

C. 얇은 결막편을 각막 병변 위로 이동시키고 Vicryl 또는 nylon 봉합사로 단속봉합한다.

3) Single pedicle 피판술(그림 27-5)

이 술기는 윤부 주위의 각막병변에 사용된다. 각막 상피를 제거하고 Bipedicle 피판술과 마찬가지로 박리할 결막편의 넓이는 각막병변보다 20~30% 크도록 만든다.

4) Advanced 피판술(그림 27-6)

이 술기 또한 윤부주위 각막 병변에 사용될 수 있으며 lamellar patch graft와 함께 사용할 수 있다. 단점은 시간이 지나면서 결막편이 수축된다.

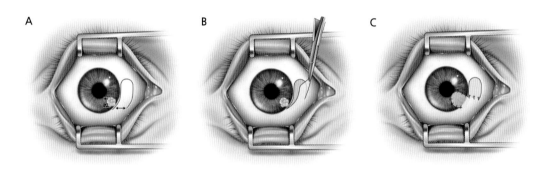

그림 27-5. Single pedicle 피판술
A. 이동시킬 결막 부위를 마킹 펜으로 표시한다.
B. 각막 상피를 제거한 후 결막편을 박리시킨다.
C. 얇게 결막편을 박리 후 덮을 부위 위로 이동시키고 Vicryl 또는 nylon 봉합사로 단속봉합한다.

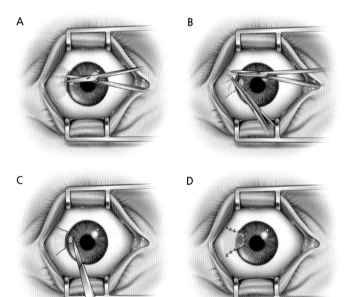

그림 27-6. Advanced 피판술
A. 국소 마취 후 이완절개의 성격을 가진 윤부절개를 한다.
B. 결막을 조심스럽게 박리한다.
C. 각막의 주변부로 당긴다.
D. Vicryl 또는 nylon 봉합사로 결막편을 각막 병변 위로 이동시키고 단속봉합한다.

5) Bipedicle (bridge) 피판술의 실제

병변을 중심으로 건강한 조직이 나올 때까지 죽은 조직 제거술(debridement)을 한다(그림 27-7A). 이때 가장 중요한 점은 결막피판이 놓일 부위보다 크게 각막상피를 제거해야 한다. 만약 각막상피가 살아있는 위에 결막피판이 놓이게 되면 그 부위는 결막이 부착하지 못하고 융해될 수 있다. 이때 천공이 임박하였거나(impending per-

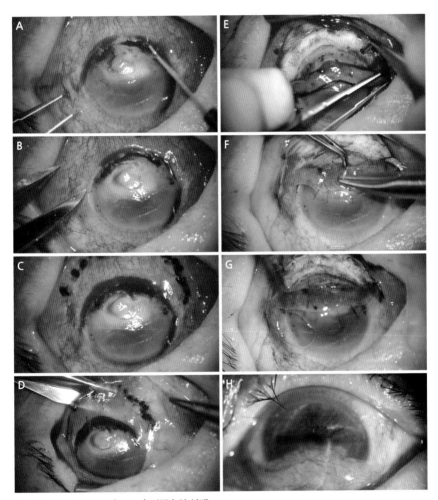

그림 27-7. Bipedicle (bridge) 피판술의 실제
A. 건강한 조직이 나올 때까지 병변을 중심으로 죽은 조직 제거술(debridement)을 시행한다.
B. 캘리퍼로 주 병변을 충분히 포함할 만한 크기를 측정한다.
C. 결막피판이 주 병변을 충분히 덮을 수 있도록 측정된 크기보다 20% 여유있는 폭으로 공여될 결막에 마킹한다.
D. 무구포셉으로 결막손상을 줄이면서 결막피판을 만든다.
E. 윤부 쪽 결막까지 절개하여 병변 부위로 이동시켜보고 긴장이 걸리지 않게 피판 양측부를 추가 절개한다.
F. 공여측 반대쪽 병변 중심부부터 8-0 vicryl이나 10-0 nylon으로 단속봉합을 시작하여 피판이 말리지 않고 잘 펴지도록 대칭되는
   곳에 봉합을 한다.
G. 양막을 이식한다.
H. 공여부 bare sclera에 양막을 이식하면 좋다. 수술부위와 공여부에 상피가 재생된 술 후 10~14일경 봉합사를 제거한다.

foration) 이미 각막천공이 되었으나 홍채 등으로 막혀 전방이 형성되어 있다면 이곳은 결막피판을 이식하기 직전에 debridement을 하도록 한다. 미리 건드려 전방이 소실되면 안구가 말랑 말랑해져 결막피판을 만들기 어려워진다.

캘리퍼를 이용하여 주 병변을 충분히 포함할 만한 크기를 측정한다. 결막피판이 주 병변을 충분히 덮어야 하고 결막피판은 만들고 나면 수축하게 되므로 측정된 크기보다 폭이 20% 정도 여유 있게 공여될 결막에 마킹하여야 한다(그림 27-7B,C). 병변이 하측에 있으면 하측결막을, 상측에 있으면 상측결막을 이용하는 것이 수술의 편이성 측면에서는 유리하다. 단 상측결막은 향후 녹내장 여과수술을 위해 유보하는 편이 좋지만, 현 상황이 반드시 상측 결막만을 사용해야 한다면 그냥 시행하는 것이 좋다.

결막피판의 두께는 각막 병변 중심부가 너무 얇다면 같은 위치의 결막피판 부위는 테논낭까지 박리하여 결손부위가 충진되도록 하고 나머지 부위는 결막만을 박리하는 것이 좋다. 결막피판을 만들때는 무구포셉을 사용해야 결막손상을 줄일 수 있다(그림 27-7D).

결막피판을 만들 때 병변부위가 커서 원개부 결막 근처까지 절개가 필요하면 12시나 6시 윤부에 6-0 블랙실크로 견인용 봉합을 하면 편리하다. 또한 공여부 결막을 박리하고 난 12시나 6시 결막에도 견인 봉합을 해두면 노출 공막에 양막을 이식할 때 편리하다.

윤부쪽 결막까지 절개하여 병변부위로 이동시켜보고 긴장이 걸리지 않게 피판 양측부를 추가 절개한다(그림 27-7E). 공여측 반대쪽 병변 중심부부터 8-0 Vicryl이나 10-0 nylon으로 단속봉합을 시작하여 피판이 말리지 않고 잘 펴지도록 대

칭되는 곳에 봉합을 한다(그림 27-7F). 피판 양측 주변부는 결막이 주름지거나 너무 크지 않도록 여유분은 절제하여 수술 후 이물감이 최소화되도록 한다.

공여부 노출 공막부는 아무것도 덮지 않고 재상피화가 되도록 할 수도 있으나 이때는 상피재생이 더디고 이물감을 느낄 수 있으며 향후 여과수술을 하는 데 문제가 될 수 있으므로 양막을 이식해 주는 것도 좋은 방법이다(그림 27-7G). 이물감을 줄여주기 위해 2~3주간은 치료용 콘택트렌즈를 착용하며 수술부위와 공여부에 상피가 재생된 술 후 10~14일에 봉합사를 제거한다(그림 27-7H).

4. 합병증

수술 중에 발생할 수 있는 단추구멍 형성, 부적합한 피판박리, 과다출혈이 있으며, 수술 후에는 피판의 수축, 눈꺼풀 처짐, 낭성 피판, 혼탁과 신생혈관 등이 생길 수 있다. 피판에 단추구멍이 생기는 것은 결막피판술의 가장 흔한 합병증으로 일단 구멍이 생기면 크기가 작더라도 장력이 가해지면서 술 후 크기가 커질 수 있어 조심해야 한다. 만약 피판에 작은 구멍이 생겼다면 비외상성 바늘(atraumatic needle)을 이용하여 봉합하거나 결손이 크다면 새로운 피판을 만들어야 한다. 수술 후 결막의 이동이 적절하지 않고 피판에 긴장이 있을 경우 수술 후 수축될 수 있으며 봉합부위의 결막이 찢어질 수도 있다. 나이가 많은 환자의 경우 결막이 더 얇고 탄력성이 적기 때문에 이러한 합병증은 노인에서 더 흔히 나타난다. 눈꺼풀 처짐은 피판술 이후 일시적 또는 장기적으로 나타날 수 있는데 이는 상부 구석 결막을 과도하게 박리한 경우에 나타날 수 있다. 구석 결

막조직과 이동한 결막 사이의 연결을 완전히 없애는 것이 눈꺼풀 처짐을 피하는 가장 좋은 방법이다. 낭성 피판은 피판 아래의 각막 상피가 완전히 제거되지 않으면 피판 아래에 하나 또는 여러 개의 상피낭이 생길수 있으며 저절로 없어지기도 하나, 수술적 제거가 필요할 정도로 커질 수도 있다. 피판술을 시행한 지 오랜 시간이 지난 후 피판 아래 각막에 신생혈관과 혼탁이 나타날 수 있고, 피판은 광학적 복원이나 전층각막이식술을 시행하기 위해 제거하기가 용이하나, 바닥의 신생혈관이 전층각막이식술의 예후를 저해할 수 있다.

현문현답

Q. 결막피판술은 꼭 필요한 경우가 있지만, 자주하는 수술이 아니라 생각대로 잘 되지 않고, 선뜻 하기가 두려운데요. 노하우가 있을까요?

A. 네, 몇 가지가 있는데요. 우선, 결막피판을 절제해낼 부위를 정하고, 적절한 모양으로 도안하는 것이 중요하죠. 병변에서 가까운 쪽 결막피판을 이용하는 것을 추천하는데요, 가까운 결막에서 피판을 만들면 장력이 적게 발생하는 장점이 있죠. 피판은 절제하고 나면 수축하는 경향이 있고 술 후에 더욱 수축하게 되므로, 피판의 크기는 덮으려는 부위의 크기보다 20~30% 여유있게 도안해야 합니다.

A. 또 한 가지 제가 아는 팁은 결막피판이 놓일 부위는 각막상피를 제거해야 하는데, 이 때 각막상피를 긁어내는 과정에서 천공이 발생할 수 있으니 결막피판을 다 만든 이후에 시행하고, 반드시 전방 천자로 방수를 빼줘서 전방 압력을 낮춰줘야 한다는 것입니다.

Q. 네 그렇군요, 핵심 팁을 들으니 자신감이 생깁니다.

A. 전체 피판술을 시행하여 안구를 살렸던 증례를 한번 같이 보실까요? 다음 사진은 감염성 각막 궤양으로 인하여 조직이 융해되고 천공된 증례입니다.

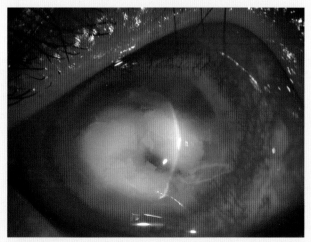

그림 27-8.
감염성 각막궤양으로 조직이 괴사되고 천공된 증례

Q. Evisceration까지 생각해보아야 할 심각한 증례인데요?

A. 그러나, 아래와 같이 전체 피판술을 시행하였는데요, 좌측은 수술 직후의 모습이고, 우측은 일정기간이 흐른 후 회복된 모습입니다.

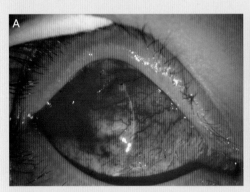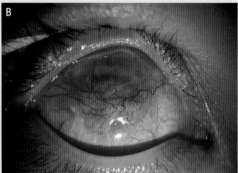

그림 27-9. 전체 결막피판술 수술 직후(A) 및 회복 후의 모습(B)

Q. 안구를 유지할 수 있는 결과를 얻으셨군요! 그렇다면 이후 수술을 진행함으로써 후일을 기약할 수도 있겠는데요! 흥미로운 증례 공유해주셔서 감사합니다.

■■■■ 참고문헌

1. Gundersen T. Conjunctival flaps in the treatment of corneal disease with reference to a new technique of application. *AMA Arch Ophthalmol* 1958 Nov;60(5):880-888.

2. Gundersen T, Pearlson HR. Conjunctival flaps for corneal disease: their usefulness and complications. *Trans Am Ophthalmol Soc* 1969;67:78-95.

3. Cheng KC, Chang CH. Modified gunderson conjunctival flap combined with an oral mucosal graft to treat an intractable corneal lysis after chemical burn: a case report. *Kaohsiung J Med Sci* 2006 May;22(5):247-251.

4. Alino AM, Perry HD, Kanellopoulos AJ, Donnenfeld ED, Rahn EK. Conjunctival flaps. *Ophthalmology* 1998 Jun; 105(6):1120-1123.

전방세척술
: 전방세척은 언제? 그리고 왜 하는가?

28

> Key
> Point

- 전방세척술을 시행해야 하는 적응증을 알아본다.
- 전방세척술의 구체적인 술기에 대하여 알아본다.

1. 서론

전방세척술(anterior chamber irrigation)이란 말 그대로 전방에 있는 혼탁한 성상의 이물질을 세척하여 맑게 전방을 유지하려는 시술이다. 전방에 발생하는 혼탁한 성상의 이물질이라 하면 전방출혈(hyphema)로 인한 끈적한 전방 내 혈액이 가장 먼저 떠오르고, 중증의 감염성 각막염에서의 전방축농(hypopyon) 혹은 곰팡이볼(fungal ball) 등을 생각해 볼 수 있다. 이러한 환자를 세극등현미경 앞에서 마주하게 되면, 우리는 교과서적인 치료 방침을 잘 알고 있으면서도 전방세척술을 통하여 지저분한 물질을 말끔히 제거하고 싶은 충동을 느끼게 된다. 그러나 섣부른 수술적

접근은 오히려 환자의 경과를 악화시킬 수 있으므로 언제 전방세척술을 시행하여야 하는지를 명확히 알고 있어야 한다. 더불어, 전방세척술을 시행하기로 결심하였다면 정확한 수술법을 숙지 하여야만 눈 안의 여러 구조물들에 대한 손상을 최소화하고 수술 중 재출혈이나 감염 악화를 방지할 수 있다. 본 장에서는 전방세척술의 적응증과 방법을 서술하고자 한다.

2. 전방출혈(Hyphema)

가장 대표적인 적응증이라 할 수 있다. 여러 원인으로 섬모체혈관 혹은 홍채혈관 등이 손상되어 출혈이 발생하는 것이 전방출혈이며, 본 장에서

는 자세한 발생 기전은 생략하기로 한다. 임상적으로 가장 흔하게 마주하는 것이 외상성 전방출혈(traumatic hyphema)이고, 종종 신생혈관녹내장(neovascular glaucoma)으로 인한 전방출혈도 외래에서 마주할 수 있다. 때로는 후낭파열이 발생한 수정체유화술에서 일체형 아크릴 인공수정체(one piece acrylic intraocular lens)를 섬모체고랑(ciliary sulcus)에 삽입하여 겪게 되는 포도막염녹내장출혈증후군(uveitis-glaucoma-hyphema syndrome, UGH syndrome)에서도 경과관찰 중 전방출혈이 나타날 수 있다. 드물지만 항응고제와 알파차단제를 같이 복용하거나 동공이 잘 커지지 않는 환자에서 홍채조직을 부주의하게 손상시킴으로써 수술 중 전방출혈이 발생할 수 있다.

1) 전방세척술의 적응증

일반적으로 소량의 전방내 출혈은 섬유주나 홍채의 혈관을 통하여 자연히 배출 또는 흡수되기 때문에 점안 스테로이드 제제와 필요시 안압 하강제를 적절히 투여하면서 경과를 지켜볼 수 있다. 아직까지 확립된 기준은 없지만 출혈량이 과다하여 다음의 경과를 보이는 경우에는 안압 상승으로 인한 시신경 위축(optic atrophy), 각막의 색소침착(corneal blood staining), 주변홍채앞유착(peripheral anterior synehchia, PAS)을 유발할 수 있으므로 전방세척술을 고려하여야 한다.[1,2]

(1) 안압 50 mmHg 이상의 전체전방출혈(total hyphema)이 4일 이상 지속되면서 전혀 호전되는 양상을 보이지 않는 경우
(2) 안압이 25 mmHg 이상으로 6일 이상 지속되는 전체전방출혈 혹은 전방 높이의 3/4 이상을

차지하는 전방출혈
(3) 전방높이의 1/2 이상의 전방출혈이 8~9일 이상 지속되는 경우
(4) 정체된 큰 blood clot이(large stagnant) 10일 이상 지속되는 경우
(5) 겸상적혈구병(sickle cell disease)이 있는 환자의 경우 안압이 35 mmHg 이상으로 24시간 이상 지속되는 모든 전방출혈

위의 적응증 중에서도 (1) 항목과 같은 경우는 즉각적인 전방세척술이 필요함을 유념하여야 하며, 위 5가지 적응증 이외에도 세극등현미경 검사에서 각막색소침착이 관찰되기 시작한다면 이 역시 전방세척술을 고려하여야만 한다. 전방 내 혈액이 오래 머무르게 되면 적혈구내 헤모글로빈이 기질내로 침투하여 각막기질세포(keratocyte)에 의해 분해된 헤모시데린(hemosiderin)이 각막을 혼탁하게 만들 수 있기 때문이다. 항목 (5)의 겸상적혈구병은 드물고 안과의에게 익숙하지 않지만 대학병원에 근무하는 안과의의 경우 외래에서 마주할 수 있기 때문에 혈액질환의 과거력을 문진하는 것이 반드시 필요하다. 겸상적혈구병 환자에서 전방출혈이 발생한다면 비정상적인 겸상적혈구로 구성된 혈액이 섬유주로 빠져나가는 것이 매우 어려워져 일반적인 경우보다 심각한 안압 상승을 유발할 수 있기 때문에 초반에 적극적인 전방세척술이 필요할 수 있기 때문이다.[3]

2) 전방세척술의 술기

전방출혈에서 어설픈 술기로 전방세척술을 시행할 경우 홍채 및 수정체의 손상뿐만 아니라 오히려 더 심각한 전방출혈을 유발시킬 수 있으므로 다음의 사항을 숙지하여야 한다.

(1) 유리체절제기(vitrectomy cutter)를 사용하는 방법

가장 선호되는 방법이며, 수정체유화술 장비(phacoemulsification machine)에 장착되어 전안부 의사에게 친숙한 23G 앞유리체절제기(anterior vitrectomy handpiece)와 23G 주입관(infusion cannula)을 이용하여 두 곳의 각막 윤부 절개만으로 효율적인 전방세척술을 시행할 수 있다. 전방출혈의 흡인 시에는 전방을 안정적으로 유지시켜야 재출혈은 물론 의도치 않은 각막내피, 홍채, 수정체낭 등의 조직손상을 줄일 수 있기 때문에 동축(coaxial) 유리체절제기보다는 두손(bimanual) 유리체절제기를 사용하는 것이 유리하다. 수술 중 예기치 않은 재출혈을 줄이기 위하여 관류액에 에피네프린을 섞어 사용하는 것도 도움이 된다. 재출혈이 발생할 경우 일부에서 눈속열치료(endodiathermy) 기구를 사용하는 술자도 있지만 조직 손상에 유의하여야 하겠다.

① 세팅
백내장 수술 장비에 따라 약간씩 다르다. 일반적으로 앞유리체절제(anterior vitrectomy) 모드를 선택하고 이어 "I&A and Cut"모드를 선택한다.

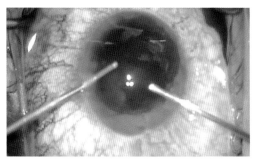

그림 28-1. 23G 두손 유리체절제기(bimanual anterior vitrector)를 이용하여 전방출혈을 제거하는 모습

이 모드에서는 발판 위치(foot pedal position)는 술자의 세팅에 따라 다르나 저자의 경우, 1에서는 관류(irrigation)가, 2에서는 흡인(aspiration)이, 3에서는 절제(cutting) 기능이 발휘된다. 전방출혈의 경우 3~4일간 경과를 지켜보고 수술방으로 들어가는 경우가 대부분이므로, 이미 혈액은 응고되기 시작하여 끈적한 점성을 지니게 된다. 때로는 굳은 혈액이 딱딱한 덩어리를 만들 수도 있다. 따라서 대부분의 출혈은 발판 2에서 흡인 기능으로 제거하고 비교적 단단히 응고된 혈액 덩어리를 마주하게 되면 발판 3의 절제 기능을 통하여 효율적으로 전방을 세척할 수 있다. "Cut and I&A"모드에서는 발판 2에서 절제 기능이 나타나므로 출혈을 흡수하는 데 방해가 될 수 있어 "I&A and Cut"모드가 유리할 것 같다. 파라미터의 세팅은 안정적인 전방을 유지하는 데 초점을 맞추면 된다. 저자의 생각으로는 관류액병의 높이를 90 cm 이상으로 높여 충분한 관류와 안압을 확보하고, 흡인(aspiration rate)은 10 cc/min 정도로 낮춘다. 진공(vacuum)은 300~400 mmHg의 높은 진공을 사용하면 좋겠다. 또한 Blood clot을 anterior vitrectomy를 이용하여 흡인할 때는 cutting rate를 100 cuts/minute 정도까지 낮추어 시행하면 vitrectomy port가 blood clot에 막히지 않으면서도 효율적으로 clot을 부수어 흡인할 수 있다. 일부 최신 수정체유화술 장비의 경우 직접 안압을 세팅할 수 있으므로 보다 더 유리하다고 생각한다.

② 조작
23G의 유리체절제기와 주입관은 1 mm의 윤부 절개로 삽입하기에는 조금 빡빡한 감이 있다. 무리하게 삽입하면 절개부위가 뒤틀려 전방이 불안

정해지므로, 절개의 안쪽을 1 mm보다 약간 크게 한다는 생각으로 절개창을 만들면 안정적으로 절제기와 주입관을 삽입할 수 있다. 일반적으로 23G의 주입관으로는 전방을 안정적으로 유지하는 데 어려움이 있을 수 있으므로 과도한 크기의 절개창을 만들어 수술 중 관류액이 누출되어 전방이 허탈되는 실수를 범하지 않도록 한다. 먼저 주입관을 삽입하여 전방을 확보하고, 이어 유리체절제기를 삽입한다. 주입관과 유리체절제기의 위치를 서로 바꾸거나, 수술 마지막에 전방에서 뺄 경우에는 먼저 유리체절제기를 빼고 그 이후 주입관을 빼서 항상 전방을 일정하게 유지시키는 것이 중요할 것 같다. 유리체절제기와 주입관의 끝이 수정체낭, 홍채, 각막내피층에 직접 닿지 않고 혈액만을 흡인하도록 주의하여야 한다. 마치 초음파유화술 중 피질을 제거하듯이 전방각 쪽 혈액을 진공을 이용하여 가볍게 물어 중심으로 끌어오면서 발판 2 및 3을 이용하여 흡인 및 절제한다고 생각하면 될 것 같다. 특히 발판 3의 절제 모드에서 부주의하게 조직이 손상되면 백내장, 각막부전, 재출혈 등을 발할 수 있으므로 주의해야 한다.

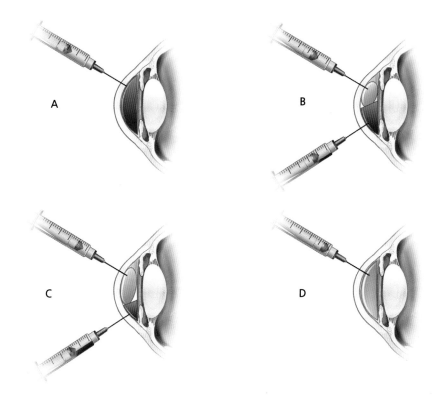

그림 28-2. 공기액체교환술의 실제
A. 상측 방향에서 전방으로 공기가 주입된 주사기를 삽입한다.
B. 공기가 일부 주입되면 하측 방향에 빈 주사기를 삽입하여 혈액을 흡인한다.
C. 공기 주입과 흡인의 균형을 맞추면서 전방이 허탈되지 않도록 조심스럽게 혈액을 흡인한다.
D. 혈액이 거의 흡인되고 흡인 주사기가 먼저 제거되면 안압 유지를 위하여 공기를 일정량 주입하면서 전방을 관찰한 후 나머지 주사기를 제거한다.

(2) 공기액체교환술(air fluid exchange)

흔히 사용하는 방법은 아니지만, 안정적인 전방을 유지하면서 재출혈의 위험을 줄이는 방법으로 저자들은 외래에서 시행할 수 있는 술식이라고 소개하고 있다.[4] 그래도 수술방에서 시행을 한다고 생각하며, 간단한 시술 도구로 혈액을 제거할 수 있는 장점이 있다고 생각된다(그림 28-2).

3. 감염원(Pathogen)의 세척

전방축농에는 감염원(pathogen)과 싸울 수 있는 각종 면역세포가 포함되어 있기 때문에 일반적으로 제거하여서는 안 된다. 그러나 일부에서 오래된 전방축농이 폐쇄각녹내장 및 홍채앞유착을 만드는 경우가 있고, 때로 진단이 애매할 경우 검체 채취 목적으로 제거를 시도해 볼 수 있다. 전

방에 진균의 균사체가 의심되는 병변이 관찰되면 일반적인 약물치료에 잘 반응하지 않으므로 진단과 치료 목적으로 조심스럽게 제거해 볼 수 있다. 다음의 증례는 밤가시에 찔리고 항생제 점안 등의 보존적 치료를 받던 중 한달 후 통증으로 내원한 환자로 전방에 진균의 균사체(fungal hyphae)로 의심되는 병변이 관찰되어 전방세척으로 제거하면서 전방내 항진균제(amphotericin B)를 주사하여 호전된 경우이다(그림 28-3).[5]

그러나, 전방내의 감염원이 후안부로 넘어가 경과를 악화시킬 가능성이 있기 때문에 인공수정체안이나 무수정체안에서는 무리한 전방세척술을 시행하는 것이 좋지 않다고 생각한다. 치료나 진단 목적으로 전방내 항생물질을 주입하고자 하는 경우 보조적으로 전방세척술을 조심스럽게 시행하는 것이 좋겠다.

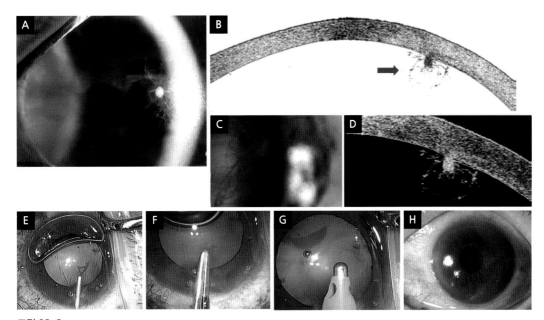

그림 28-3.
밤가시 수상 후 한 달 뒤 전방에 진균의 균사체로 의심되는 병변을 보여주는 전안부사진(A, C)과 전안부빛간섭단층촬영(B, D) 결과. 그리고 수술실에서 전방 내 점탄물질을 주입하고 균사체로 의심되는 병변을 끄집어 낸 후 전방을 동축 흡인관류기(coaxial I&A)로 전방을 세척하고 전방내 항진균제를 주사하여 호전된 증례이다(E~H).[5]

One Point

전방세척술 전 준비 사항을 알아보자!

– 수술 전 망막 및 유리체 상태 확인

 단순한 전방 출혈이 아닌 맥락막상강출혈(suprachoroidal hemorrhage) 등의 망막의 출혈성 병변이 동반되었을 경우 섣부른 전방세척술은 오히려 해가 될 수 있다. 안저 관찰이 어렵다면 안구 초음파를 통하여 후안부(posterior segment)의 상태를 미리 확인하여야 한다.

– 수정체안(phakic eye)의 경우

 전방세척술 도중 손상된 수정체낭을 발견하거나, 혹은 수정체낭 손상을 유발하는 경우에는 불가피하게 수정체유화술 및 인공수정체 삽입술이 필요할 수 있다. 따라서 만약의 경우를 대비하여 안구생체계측(ocular biometry)을 미리 시행하여 인공수정체의 도수를 구해놓는 것도 도움이 된다.

4. 결론

전방세척술은 간단한 술기이지만, 부주의하게 진행되었을 경우 환자의 경과를 악화시킬 수 있기 때문에 반드시 정확한 적응증과 술기의 방법을 숙지 하여야만 한다. 그러나 가능하다면 전방출혈 환자를 외래에서 마주하지 않도록 환자 예방에 힘쓰는 것도 좋을 것 같다. 외상에 취약한 고령이나 저시력 환자의 경우 눈을 부딪히지 않도록 안전 교육을 실시하는 것도 도움이 된다. 서론에서 언급한 바와 같이 우리가 늘 시행하는 백내장 수술에서 후낭파열 등의 합병증을 겪게 되었을 때 일체형 아크릴 인공수정체를 섬모체고랑에 넣는 경우 드물게 UGH 증후군이 발생할 수 있으므로 항상 백업 렌즈를 준비해 두어야 한다.

 한편, 안과 수술 전 출혈소인이 높은 환자를 미리 파악하는 것도 도움이 된다. 안과 수술 전 항응고제를 중단하는 것이 바람직한가에 대해서는 논란이 매우 많다(표 28-1). 일반적인 백내장 수술 등에서는 항응고제를 복용한 상태에서 수술하여

표 28-1	General recommendations for pre-procedure warfarin management

Very low risk: Cataract
Aspirin: no hold Warfarin: no hold to 3 day hold Clopidogrel/other antiplatelets: no hold to 5 day hold
Low risk: Cornea, Pterygium
Warfarin: no hold to 3 day hold Clopidogrel/other antiplatelets and aspirin: no hold to 5 day hold
Intermediate risk: Retinal, Glaucoma, Plastics, Keratoplasty
Warfarin: 3~5 day hold Clopidogrel/other antiplatelets: 5~7 day hold Aspirin: 10 day hold
High risk: Orbital decompression, Lower lid blepharoplasty, Repair blowout fractures, Dacryocystorhinostomy, Strabismus
Warfarin: 5 day hold Clopidogrel/other antiplatelets and aspirin: 7~10 day hold

도 전혀 무리가 없으나, 만약 수술 중 전방출혈이 발생하였을 경우 환자와 수술자는 매우 괴롭다. 따라서 특정 항응고제를 복용하거나 출혈 소인이 높은 환자의 경우 미리 관련 합병증 가능성을 잘 설명하고, 항응고제의 종류에 따라 필요시 중단할 수 있다면 해당과와 협진 하에 중단을 권고하는 것도 바람직하다고 생각된다. 안과 수술 전 항

응고제 중단에 대하여 정확한 가이드라인은 없으나, UCSD의 "Anticoagulation Clinic"에서 권고하는 다음의 사항이 있으므로 참고하면 도움이 되겠다(https://health.ucsd.edu/specialties/anticoagulation/providers/perioperative/procedure-recommendations/Pages/ophthalmology.aspx).

현문현답

Q. 전방출혈 원인이 둔상이건 수술에 의한 손상이건 환자가 아스피린이나 항혈전제를 복용하고 있으면 흡수가 잘 안되기 때문에 전방세척을 고려해야 하는데 주의해야 할 것이 있을까요?

A. 안압이 급격하게 변동이 일어나면 이차적인 문제가 생기니 조심해야 돼요. 조금 다른 이야기입니다만, 40대 중반 남자 환자가 둔상으로 각막열상이 발생하고 외상성 백내장이 생겨 일차 봉합하고 백내장만 제거한 환자를 1년 뒤 전층각막이식을 하고 6개월 후에 인공수정체를 삽입했어요. 그러다, 난시 교정을 위해 봉합사를 몇 개 제거했었거든요. 사실 난시가 그렇게 심하지 않았는데 지금 생각해보니 왜 봉합사를 제거했는지 모르겠습니다. 그런데 저녁에 갑자기 안보이고 아프고 그래서 응급실로 온 거예요. 보니까 전체 전방출혈이 발생하였고, B-scan상 맥락막하 출혈이 동반된 겁니다.

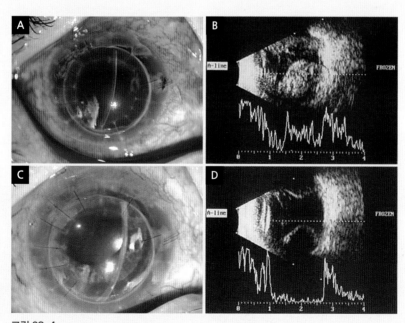

그림 28-4.
A, B. 봉합사 제거 후 발생한 전방 및 맥락막하 출혈이 발생하였다.
C, D. 전방세척 및 맥락막 상강출혈 배액술 후 호전되었다.

Q. 아니 무슨 봉합사 몇 개 제거했다고 맥락막하 출혈이 생겨요? 외상이 있었던 건 아니에요?

A. 아니요. 오래 본 환자라 조금 더 잘 해 주려고 했다가. 아마 봉합사를 제거한 부위가 벌어진 것 아닌가 추측이 됩니다. 워낙 안구천공으로 유리체절제술을 했었고, 여러 번 수술을 한 데다 갑작스러운 안압 하강으로 출혈이 생긴것 같습니다. 다행히 유리체절제술 후 시력은 호전이 되었으나 단순한 봉합사 제 거도 무섭다는거죠.

Q. 그래도 다행이네요. 마음고생 하셨겠어요.

A. 전방천자 후 창상은 보통 기질 수화(stromal hydration)를 하거나, 10-0 nylon을 이용한 봉합을 하기 도 합니다만, 개인적으로는 봉합을 선호합니다.

Q. 녹내장 수술 후 전방출혈이 종종 동반하는데요 이런 경우 주의해야 할 것이 있을까요?

A. 출혈이나 혈종이 클 경우 홍채절제술을 동반한 섬유주절제술을 통하여 전방세척을 시행하기도 하는데 이는 즉각적인 안압 조절을 가능하게 합니다. 이런 경우 기존에 심한 녹내장이 있었던 경우를 제외하 고 항대사제(antimetabolite)의 사용은 하지 않으며 저안압을 예방하기 위하여 개봉봉합(releasable suture)을 하기도 합니다.

A. 전방세척 후 저안압이나 재출혈이 생길 수 있기 때문에 주의 깊게 경과관찰을 해야 합니다.

참고문헌

1. Gharaibeh A, Savage HI, Scherer RW, Goldberg MF, Lindsley K. Medical interventions for traumatic hyphema. *Cochrane Database Syst Rev.* 2019 Jan 14;1:CD005431. doi: 10.1002/14651858.CD005431.pub4.

2. Read J. Traumatic hyphema: surgical vs medical management. *Ann Ophthalmol.* 1975 May;7(5):659-62, 664-6, 668-70.

3. Nasrullah A, Kerr NC. Sickle cell trait as a risk factor for secondary hemorrhage in children with traumatic hyphema. *Am J Ophthalmol.* 1997 Jun;123(6):783-90.

4. MomPremier M, Sadhwani D, Shaikh S. An office-based procedure for hyphema treatment. *Case Rep Ophthalmol Med.* 2015;2015:321076. doi: 10.1155/2015/321076. Epub 2015 Mar 18.

5. Cho KJ, Kim MS. Fungal hyphae growing into anterior chamber from cornea. *Can J Ophthalmol.* 2014 Dec;49(6): e151-4. doi: 10.1016/j.jcjo.2014.09.003.

각막봉합술기

29

Key
Point

• 각막봉합에서 monofilament 10-0 nylon과 fine spatula needle을 가장 흔히 사용한다.
• 각막열상봉합과 각막이식에서 이상적인 각막봉합술의 기본원칙은 같다.
• 가장 덜 팽팽한(tight) 물이 새지 않는(watertight) 봉합이 이상적이며 이를 통해 술 후 원래의 각막형태를 유지하고 난시를 최소화하는 것이 최종 목표이다.

1. 각막봉합의 일반적인 원칙

일반적인 술자들이 추구하는 각막봉합의 원칙은 첫째, 각막열상의 양쪽 접촉면이 단차(override)나 열상 후면부 벌어짐(gap)이 없이 물이 새지 않는 완벽한 폐쇄(watertight closure)가 되도록, 둘째, 전반적인 각막모양을 유지하고 난시가 최소가 되도록, 셋째, 각막조직이 뒤틀리지 않고 최소한의 반흔을 남기도록 봉합하는 것이다. 필자의 각막봉합의 원칙은 조직 손실 없이 새지 않을 만큼만 단단하게 봉합하는 것이다.

2. 봉합사와 바늘의 선택

1) 봉합사

일반적으로 비흡수성(non-absorbable) 봉합사를 사용하므로 monofilament 10-0 또는 11-0 nylon, polypropylene, polyester가 가능할 수 있겠다. Nylon은 조직반응이 거의 없고 인장강도(tensile strength)가 거의 1년이 유지되는 장점이 있고 무엇보다도 적당한 탄성이 있어 다루기가 쉽다. Nylon은 비흡수성이지만 1년이 지나면 수화(hydrolysis)되어 저절로 끊어지는 경우가 생기므로 이로 인한 이물감 등을 호소하며 내원하는 환자를 드물지 않게 만날 수 있다. 9-0는 다루기에 두껍고, 11-0는 강도가 약하여 봉합을 유지하기에 만만치 않다. 필자의 경우 각막봉합에서 거의 예외 없이 10-0 nylon을 사용하는데 이는 일반적인 각막이식술에서도 suture of choice로 인식되고 있다. Polypropylene은 nylon과 달리 수화되지 않으므로 주로 인공수정체(IOL) 공막고정술이나 홍채재건 때 많이 사용한다. 그러나 지나치게 탄성이 커서 일정한 인장강도를 유지하기 어렵고 봉합을 하다 보면 봉합사가 잘 구부러지거나 엉기는 단점으로 다루기가 쉽지 않아서 각막봉합술에서는 거의 사용하지는 않는다. Polyester는 영구적이긴 하나 탄성이 없어서 다루기 쉽지 않고 봉합 중 자주 끊어져서 잘 쓰지 않는다.[1]

2) 바늘

각막봉합에는 주로 fine spatula needle을 사용한다. 짧고 깊은 봉합은 small radius curvature bi-curved needle 또는 full curved 3/8 circle needle을, 길고 더 큰 봉합은 160° (larger radius of curvature)를 선택한다. 제6장 '봉합사의 종류와 특징 및 선택'을 참조하면 용어를 이해하는 데 도움이 될 것이다.

3. 이상적인 각막봉합의 술기

1) 지침기, 비늘집개(needle holder)로 바늘을 잡을 때 지침기, 바늘집개의 끝에 가깝게 바늘의 압인(swage) 부분을 잡아야 하며, 바늘의 압인에서 끝까지를 전체 길이로 볼 때 바늘압인으로부터 1/3~1/4 지점을 잡도록 한다(그림 29-1).

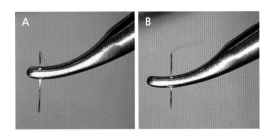

그림 29-1.
A. 바르게 잡은 모습
B. 바르지 않게 잡은 모습
바늘의 압인부분이 아닌 중간부분을 바늘집개의 끝이 아닌 중간부분으로 잡고 있다.

2) 바늘이 조직에 들어가는 방향은 직각이 되어야 하며 반대쪽으로 나올 때도 들어갈 때와 거울상으로 대칭성을 가져야 한다(그림 29-2).

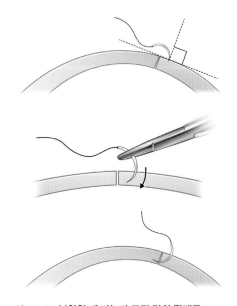

그림 29-2. **봉합할 때 바늘과 조직 간의 관계도**

3) 봉합의 길이는 창상 경계면에서 각 0.75 mm씩 1.5 mm 정도의 길이가 좋다.

4) 적어도 각막실질 90% 이상 깊이

얕은 봉합은 내부 창상 벌어짐이 유발되고, 전층 봉합은 봉합사길 유출(suture track leakage)이 발생하거나 안내 세균침투의 경로가 될 수 있다(그림 29-3).

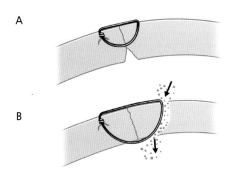

그림 29-3.
A. 얕은봉합, B. 전층봉합(full thickness suture)

5) 창상의 양 쪽에서 깊이와 길이가 동일

동일하지 않으면 override를 유발한다(그림 29-4A,B). 경사진 열상이라면 내부경계선을 중심으로 같은 길이의 봉합이 되어야 한다(그림 29-4C).[2]

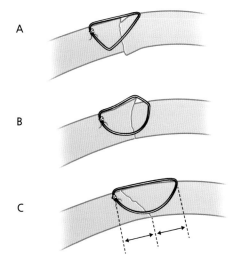

그림 29-4. **A, B. 봉합 후 override, C. 경사진 창상**

6) 시축에 가까울수록 봉합길이는 짧아져야 한다

(그림 29-5).

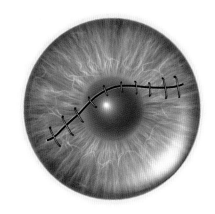

그림 29-5. **주변부와 중심부 봉합**

7) 동공부위는 봉합을 최소한으로 한다.

8) 각막에서 공막까지 이어진 열상인 경우 윤부부터 봉합하고 이후 각막, 공막 순으로 봉합한다.

이때 윤부는 8-0 또는 9-0 nylon으로, 공막은 7-0 또는 8-0 Vicryl으로 봉합하는 것이 일반적이다.[3]

9) 수직열상부위와 경사진 열상부위가 함께 있는 경우 수직열상부위부터 봉합하면 경사진 열상부위가 저절로 막히는 것(self-sealing)을 촉진하여 봉합을 덜 할 수 있다.[4]

10) 매듭짓기

봉합매듭은 각막실질에 묻기 쉽도록 되도록 작은 것이 좋지만, 원칙적으로 3-1-1 삼중고리매듭(triple loop knot)을 기본으로 하는 것이 수술 중이나 후에 매듭이 풀리는 것을 방지하기에 좋다.

11) 매듭 묻기

수술 후 이물감 유발, 염증, 혹은 감염의 위험을 줄이기 위해 매듭은 원칙적으로 묻어주어야 한다. 매듭을 묻을 때는 집게가 봉합사를 잡고 봉합사 방향과 같은 방향으로 회전시켜 주되 매듭이 너무 각막실질 깊숙하게 들어가게 되면 봉합사 제거가 용이하지 않을 수 있으므로 각막표면과 가깝게 위치하도록 조절해 준다(그림 29-6). 매듭이 잘 묻어지지 않는 경우에는 집게가 봉합사 진행방향과 같은 방향이 아닌 어긋난 방향으로 잡고 있는지, 봉합이 너무 느슨한지, 매듭이 지나치게 크거나, 봉합사 끝이 너무 긴지를 확인해 보고 수정하여 진행한다.

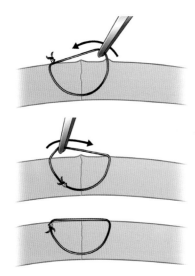

그림 29-6. 봉합사 묻기

4. 각막봉합이 필요한 여러 상황들

1) 각막열상
(1) 봉합만이 능사가 아니다
부분 깊이 각막열상(partial-thickness corneal laceration)은 봉합할 필요가 없지만 창상이 벌어져 있다면 양 가장자리를 맞춰서 붙여주기 위해 장력이 거의 없는 봉합을 단기간만 시행하고 반흔이 생기기 전에 봉합사를 제거하는 경우도 있다.

전체 깊이 각막열상(full-thickness cornea laceration)이 있다 하더라도 뒤틀림이 없고(non-displaced), 경사진(beveled), 저절로 새지 않는(self-sealing) 창상이라면 수술이 필요 없다. 또한, 자이델검사(Seidel test) 양성의 소견이 보이더라도 창상끼리 서로 잘 맞닿아 있으며 각막표면이 override 되거나 벌어짐이 생기지 않고 대체로 매끄러우면서 전방이 유지되고 있는 경우, 게다가 이런 열상이 동공을 포함한 부위라면 필자는 되도록 수술하지 않고 압박안대나 치료용 렌즈를 끼운 상태로 예방적 항생제를 사용하면서 지켜보는 편이다. 보통 열상 후 다음날이 수술 여부를 결정하는 데 가장 중요하다. 수상 후 24시간이 지나면 안구내염의 가능성은 올라가기 때문이다.[5]

일반적으로 다음날은 일시적인 각막부종으로 인해 오히려 전방수 유출이 감소될 수 있으므로 열상위로 상피화가 잘 된다면 이 시기를 지나면서 저절로 열상이 폐쇄되는 효과를 볼 수 있다. 따라서 다음날 전방수 유출이 감소하는 추세이고 전방깊이가 회복되고 있다면 더 지켜볼 필요가 있다. 치료용 렌즈를 하고 있는 경우라면 경과를 볼 때마다 렌즈를 제거하고 자이델검사를 하는 것보다는 전방 깊이만 확인하고 수상 후 3~4일째에 검사해 보는 것이 각막열상 치유과정을 방해하지 않는 방법이다. 하지만, 열상 24시간이 경과한 다음날임에도 불구하고 유출이 증가하고 전방이 얕아지는 양상이거나, 3~4일 후 눈을 압박하지 않게 조심스럽게 관찰했을 때에도 전방수 유출이 감소하지 않는다면 창상접합에 봉합이 필요한 경우라고 보고 봉합수술을 하는 것이 더 안전하다. 이렇게 봉합을 신중하게 결정하는 것은 아무리 봉합의 달인이라 할지라도 동공중심에 봉합을 하게 되는 경우 그로 인한 난시와 반흔으로 인해 시력 및 시력의 질 저하가 올 가능성이 봉합을 하지 않았을 때보다 더 높아지기 때문이다.

(2) 각막열상 시 각막봉합

일반적으로 앞서 기술한 "이상적인 각막봉합의 술기"편에서 기술한 원칙을 지켜 수술한다. 이 때 각막조직이 지저분하게 붙어 있다 할지라도 되도록이면 제거하지 말고 잘 보존해야 술 후 각막뒤틀림을 최소화할 수 있다. 또한 전방이 소실된 물컹한 안구상태에서 각막을 그대로 봉합하게 되면 자칫 각막의 정상적인 형태가 뒤틀릴 수 있으므로 가능하다면 창상을 통해 또는 윤부천자부위를

통해 점탄물질을 채워서 각막의 정상적인 모양으로 유지하게 만든 상태에서 봉합을 진행하는 것이 좋다(그림 29-7). 이 때 평형염액이나 공기를 사용하여 전방을 유지할 수도 있다.

각막열상부위에 다른 안구 내 조직이 끼어 있는 경우에는 창상쪽으로 점탄물질을 채우게 되면 오히려 안구내용물이 더 밖으로 나오게 될 수 있으므로 피해야 한다.[6] 윤부천자를 만들게 되면 여러모로 편리하다. 전방형성에 필요한 점탄물질 등을 채우는 데도 유용하지만 각막 열상 사이에 다른 안구조직이 끼어 있는 경우 점탄물질을 채우는 방향이나 양을 조절하여 이를 **빼내주는** 기능도 함께 할 수 있다. 또한, hook 등의 다른 기구를 사용하기에도 윤부천자를 만들어 놓는 것이 편리하다(그림 29-8).

Viscoelastic을
전방내로 주입한다

그림 29-7. 점탄물질로 전방 재형성

A

B

그림 29-8. 윤부천자를 이용한 조직 복원
A. 점탄물질을 이용, B. 기구를 이용

(3) 직선형이 아닌 각막열상

지그재그형인 경우 전체적인 직선 회귀선을 가정하여 연속봉합(continuous suture)을 하거나(그림

29-9), 단속봉합(interrupted suture)을 하는 경우 꺾어지는 부위 (apex)부터 봉합한다.[7]

그림 29-10과 같이 외상에 의해 각막봉합이 필요한 증례가 있다. 이 환자의 경우 동공중심을 포함한 꺾인 모양의 수직열상이 윤부와 공막까지 이어져 있고 홍채가 열상사이에 끼어 있다. 이 때 가장 먼저 해야 할 일은 무엇일까? 열상사이 또는 가능하다면 윤부천자를 통해 점탄물질을 삽입하면서 창상에 끼인 홍채를 전방으로 복원시키고 열상의 범위를 확인한다. 가장 먼저 봉합해야 할 부위는 어디일까? 윤부인 B를 9-0 nylon으로 봉합하고, 이후 꺾어지는 부위인 C를 10-0 nylon으로 봉합한다. B~C구간에서 C~D구간으로 갈수록 봉합길이는 짧아지게 한다. 이후 A의 공막 열상부위를 8-0 Vicryl로 봉합하면 된다.

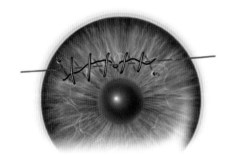

그림 29-9. **지그재그 열상**

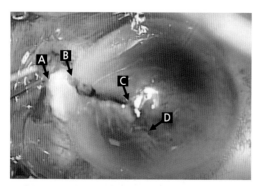

그림 29-10. **각막과 공막의 열상 증례**

(4) 별모양 열상

별모양으로 파열된 창상을 봉합할 때 가장 신경 써야 하는 것이 전체적인 봉합의 긴장도를 조절하여 열상이 맞물리는 첨부가 들리거나 새거나 하는 상황을 최대한 피하는 것이다. 이를 위해 그림 29-11A와 같이 bridging suture를 하거나 그림 29-11B와 같이 purse string suture를 하는 방법, 그림 29-11C처럼 각 열상을 단속봉합하고 첨부를 glue나 patch graft로 마무리하는 방법이 있다.

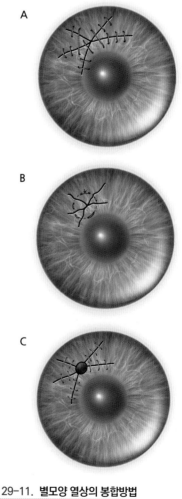

그림 29-11. **별모양 열상의 봉합방법**
A. Bridging suture
B. Purse string suture
C. 단속봉합 후 patch graft

2) 전층각막이식

각막이식수술의 꽃이라고 할 수 있는 부분이 바로 봉합이다. 물론 공여각막과 수여각막의 올바른 위치와 제대로 된 각막원형절제(corneal trephination)가 봉합보다 더 중요하긴 하지만, 완벽하게 원형절제하였다 할지라도 360도 봉합을 어떻게 하느냐에 따라 술 후 시력예후가 달라질 수 있다. 이는 봉합 시 생기는 각막조직뒤틀림이나 불규칙난시가 매우 다양하기 때문이다. 또한 봉합은 각막이식술 전과정에서 가장 많은 시간이 소요되는 부분이기도 하다. 여기서는 각막이식술 시 사용하는 봉합술에 대한 이야기만 하도록 하겠다.

각막이식술에서 쓰는 봉합사나 바늘은 이미 기술한 바와 동일하다. 각막이식술에서 4방향의 cardinal suture는 술자에게 가장 어렵고도 중요하다. 이것이 잘 되면 단지 4개의 봉합사만으로도 대강의 각막곡률형태가 정해지고 전방도 유지된다. 봉합패턴이나 봉합수 등은 술자의 취향이나 각막의 상태에 따라 결정하게 된다.

(1) 4개의 기본 봉합(cardinal sutures)

일반적으로 12시 방향, 6시, 3시, 9시의 순으로 봉합하게 된다. 12시 방향 봉합 시 기증각막을 잡을 때 double fixation forceps를(그림 29-12A) 잡는 것이 편리하다. 집게의 두 끝 사이공간으로 봉합을 하게 되며 이후 6시 봉합을 할 때는 기증각막이 절반으로 나뉘어지는 지점을 잘 잡아서 수여각막에 이미 표시해 놓은 6시 방향 표시 부위에 봉합한다. 6시 방향 봉합은 각막의 정렬에 있어서 가장 중요하다고 할 수 있다.[8] 이 때 술 전에는 분명히 12시 방향과 대칭되는 6시 방향이었는데 원형절제 후 안구 모양이 무너지면서 안구자체가 뒤틀려 대칭이 되지 않는 것처럼 보일 수 있

다. 이때는 주변부 전방에 점탄 물질을 채워 모양을 잡은 상태에서 봉합을 해야 봉합으로 인한 각막뒤틀림을 줄일 수 있다. 물론 위수정체 혹은 무수정체, 이전에 초자체 절제술을 받은 안구의 경도가 낮은 눈에서는 원형절제 전부터 공막고정고리(그림 29-12B)를 반드시 위치시킨 후 수술을 시작하는 것을 명심하여야 한다.

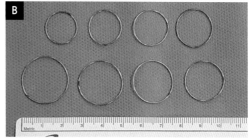

그림 29-12. 각막이식 시 사용하는 기구
A. Double fixation forceps
B. 공막고정고리. 15 mm부터 23 mm까지 다양한 크기의 고리가 있다.

(2) 봉합의 완성

4개의 기본 봉합 후에 2, 4, 8, 10시 방향의 봉합을 추가하여 8개의 단속봉합까지 끝난 후 마무리하는 방법은 술자의 취향이나 각막의 상태에 따라 다양하다. 단속봉합을 할 때 2시 방향 후에 8시 방향, 4시 방향 후에 10시 방향순으로 대칭되는 봉합을 하면서 봉합긴장도를 균형 있게 맞추고 대칭의 중심을 각막중심으로 삼고 바늘이 통과하는 방향이 대칭되는 곳에 위치한 봉합사의 방향과 일직선을 이루도록 신경 써야 한다. 일반적으로 각 8개의 봉합사 사이에 하나씩의 단속봉합을 추가하여 총 16개의 봉합으로 마무리하거나

두 개씩의 봉합을 추가하여 24개 봉합으로 마무
리하는 경우도 있다.

연속봉합은 각막표면에 위치하는 봉합사 방향
에 따라 torque, anti-torque, no torque로 분류
된다(그림 29-13). 처음 바늘이 각막실질로 들어갈
때 방사상으로 들어갔다 나와서 다시 비스듬하게
들어가면 각막상피쪽으로 노출된 봉합사의 방향
은 torque pattern이 되고 처음에 비스듬하게 바
늘이 들어갔다 나와서 방사상으로 다시 들어가게
되면 각막상피쪽으로 노출된 봉합사의 방향은
interrupted suture와 같은 antitorque pattern
이 된다. 실질속으로 숨은 봉합사나 각막상피위
에 노출된 봉합사의 방향이 서로 회전력을 상쇄
하는 모습이 되면 이를 no torque pattern이라고
한다. 연속봉합이 시계 방향 또는 반시계방향의
한쪽방향으로 봉합을 진행하게 되므로 기증각막
자체에 회전력이 작용할 수 있어 술 후 각막난시

에 다른 영향을 줄 것이라고 생각되었으나 최근
한 연구에서는 일반적으로 술 후 3개월 이내에 난
시조절을 위해 봉합사 조정을 하는 경우 최종 난
시에는 별다른 차이가 없다고 보고하였다.[9]

연속봉합을 시행하는 경우 8개의 단속봉합 사
이에 연속봉합이 하나가 위치하게 하려면 시작을
12시 방향 봉합사와 인접봉합사 사이 1/2에서 시
작하여 다음 봉합사 사이 1/2로 오게 하면 되고,
두개가 위치하게 하려면 12시 봉합사와 인접 봉
합사 사이 1/4에서 시작하여 3/4로 나오고 다시
다음 봉합사 사이 1/4에서 3/4로 나오는 방식을
반복하면 된다. 그림 29-14A는 8개의 방사상 단
속봉합에 따라 1/4-3/4 방식으로 16개 연속봉합
을 torque pattern으로 봉합하였고 그림 29-14B
는 12개의 방사상 단속봉합에 따라 24개 연속봉
합을 torque pattern으로 봉합한 그림이다. 그림
29-14B에서 1/4-3/4 방식 대신에 1/2-1/2 방식

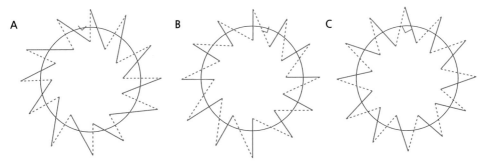

그림 29-13. 연속봉합시 각막표면에 위치하는 봉합사 방향에 따른 분류
A. torque, B. anti-torque, C. no torque

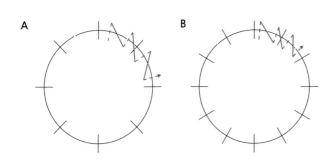

그림 29-14. 1/4-3/4 방식 연속봉합의 술기
A. 8개 단속봉합 후
B. 12개 단속봉합 후

으로 봉합한다면 12개 연속봉합으로 마무리 될 것이다. 이상과 같은 방식으로 다양한 모양과 개수의 봉합이 가능하다.

봉합을 완성하기 위해서 연속 봉합, 단속봉합, 연속 및 단속봉합 병합, 이중 연속 봉합 등을 사용하게 된다. 표 29-1은 각 봉합방법의 장단점을 정리한 표이다.[8]

(3) 술 중 난시의 조절

수술을 마무리하기 전에 봉합사를 조절하여 과도한 난시를 조절하는 것은 매우 중요하다. 필자의 경우 각막이식술시 항상 Maloney hand-held surgical keratoscope를 사용하여 대략적인 난시 양상을 파악한다(그림 29-15). 환자의 안구 위치를 수술용 현미경 빛을 보게 조절하고 전방이 정상

표 29-1　각막이식 봉합 방법의 장단점

	장점	단점
단속봉합	소아, 수여각막에 혈관, 이전 각막거부반응 과거력 있는 눈에서 선택 가능한 방법	봉합사 발사 시 창상개방위험 있으므로 연속된 봉합사를 한 번에 제거하면 안 됨
단속봉합과 연속봉합 병행	단속봉합이 각막난시 유발의 원인일 때 일찍 제거하여도 창상이 안정	각막신생혈관이 있거나 감염이 있을 때 피해야 함
연속봉합	각막난시 조정이 용이	술기가 힘듦

One Point

- 봉합사 제거 시 처한 난감한 상황
실밥 뽑는 거 별거 아니려니 생각했다가 사색이 되어 본 경험이 있을 것이다. 깨끗하게 제거되지 않고 남아 있는 매듭, 괜찮을까? 예전에는 각막봉합사매듭 주위에 조직반응이 생겨 창상치유가 촉진되는 효과가 있으니 굳이 각막실질에 묻을 필요가 없다는 주장도 있었다. 하지만, 이제는 이물감, 염증, 감염, 신생혈관발생을 예방하기 위해 반드시 매듭은 묻는 것이 원칙이다. 이 매듭을 지나치게 깊게 묻어 놓았거나, 매듭이 큰 경우 봉합사 제거를 하기 위해 26G 또는 30G 바늘로 봉합사 중간을 끊고 집게로 봉합사를 뽑아 내려고 할 때 매듭이 걸려 잘 안 빠져 나오는 경우가 있다. 더구나, 이렇게 되면 끊어진 봉합사는 각막표면에 그대로 노출된 상태가 될 수밖에 없다.
이를 예방하려면? 봉합사의 매듭은 주로 수여부에 있으므로 실을 자르는 위치를 공여부쪽에 가까운 곳으로 하여 수여부쪽으로 충분히 젖혀서 재빠른 속도로 제거하면 좀 더 수월하게 제거가 된다. 봉합 시 매듭을 각막실질 표층부로 이동시켜 놓는 것도 좋은 방법이다.
실이 끊어져서 봉합사를 완전히 제거 하지 못하고 끝이 노출된 경우는? 이때는 형광 염색을 하고 블루필터로 보게 되면 노출된 suture주변으로 형광물질이 모이면서 노출된 정도를 확인할 수 있는데, 거의 염색물질이 모이지 않는다면 실을 뽑기 위해 제거한 각막상피가 재생되면서 하루가 지나면 상피아래로 묻혀질 것이므로 무리하지 않는다. 그냥 두기엔 너무 찜찜하게 노출된 경우라면 집게로 끝을 잡고 최대한 잡아 당겨 가위로 자르고 집게를 놓으면 어느 정도 탄력성이 있는 봉합사가 각막 실질 밖으로 당겨져 나왔다가 다시 실질 내로 들어가 버리게 되는 효과가 있어서 봉합사 노출을 해결할 수 있다. 그러나 이 때 조금이라도 의심스럽다면 바늘로 봉합사 주변을 살살 노출시켜 제거하는 것이 좋다.
- 실질 내에 남아 있는 매듭이나 실의 일부는 만성 염증, 난시 변화 또는 지연 봉합사 미란 등을 유발할 수 있다. 그러나, 경험상 지연 봉합사 미란을 제외하고는 그 발생 빈도가 흔하지 않으므로 무리하여 실질내의 봉합사를 제거하려고 할 필요는 없다. 문제가 될 경우 광응고레이저를 사용하여 없애는 방법도 있다.

적으로 재형성되었는지를 확인한 후 각막표면을 평형염액으로 고르게 적신다. 각막경(kerato-scope)을 각막위에 들고 각막표면을 보면 반사된 동심원이 관찰되는데 이때 동심타원간의 간격이 촘촘한 축이 가파른 경선이라고 생각하면 된다. 그림에서 각막의 수직경선에 위치한 동심타원간의 간격이 수평경선에 위치한 동심타원의 간격보다 더 촘촘한 것을 알 수 있다(그림 29-16).

같은 원리로 고정광(fixation light)을 이용한 조명 각막경(illuminated keratoscope)도 개발되어 있다. 요즘에는 술 중에 이렇게 대강의 난시축을 확인하는 것보다 훨씬 정확하게 난시의 정도와 축을 확인할 수 있는 컴퓨터화된 기계들이 개발되어 보급되고 있지만 역시 비싼 비용이 문제

이다. 각막봉합하는 수술에서 이런 비싼 기계를 사용하는 것은 비효율적이라고 생각하시는 분들은 간단하게나마 hand held keratoscope으로 이를 확인하는 것도 차선의 선택이 되겠다.

그림 29-17A는 실제로 16개의 interrupted suture로 각막이식봉합을 마무리한 후 kerato-scope으로 난시를 확인하는 모습이다. 중심부 타원의 짧은 축이 가파르므로 빨간 화살표가 가리키는 두 봉합사를 좀 더 느슨하게 조절해 주는 것이 좋다. 그림 29-17B의 continuous suture인 경우 180도 축이 완만한 것이므로 그림과 같이 3시 9시 부분의 봉합사를 좀 더 타이트하게 조절하고 나머지 경선의 봉합사 긴장도를 균일하게 조절해주면 타원의 모양이 원형으로 변화될 수 있다.

그림 29-15. Maloney hand-held surgical keratoscope

그림 29-16.
A. 각막경으로 관찰되는 수직경선의 동심타원 간격
B. 수평경선의 동심타원 간격

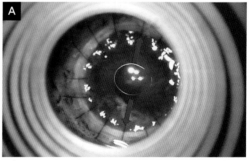

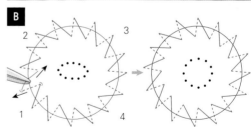

그림 29-17. 각막경을 통한 술 중 봉합사 조절
A. 난원형의 동심원이 관찰되며 빨간 화살표 축이 가파르므로 봉합사를 좀 더 느슨하게 조절한다.
B. 180도축이 느슨하므로 1에서 2까지의 구역에 위치한 봉합사들과 대칭부위인 3에서 4까지의 구역에 위치한 봉합사들은 당겨서 팽팽하게 해주고, 2~3구역, 4~1구역에 위치한 봉합사들의 긴장도를 적당히 배분하여 난시를 조절한다.

(4) 술 후 난시의 조절

보통 술 후 난시 조절을 위해 연속봉합의 경우, 각막지형도 등을 참고하여 대대적인 봉합사조정을 하는 적기는 술 후 4~6주부터 시작하여 3개월까지라고 알려져 있다.[11] 물론 그 이후에도 필요하다면 해야겠지만 술 후 시간이 지날수록 봉합사조정을 통해 난시 조절을 하는 효과는 떨어질 수밖에 없다. 따라서, 처음에 공여 각막과 수여 각막의 정렬을 잘하는 것이 일반적으로 술 후 난시 조절보다도 더 중요하다는 것을 수술 전에 명심해야 한다.

단속봉합의 경우도 각막형태검사를 보면서 가파른 축의 봉합사를 발사하거나 지나치게 평평한 축에 부가적인 봉합을 추가하는 방식으로 각막난시를 조절하게 된다. 너무 꽉 묶은 봉합(tight suture)은 중심 각막을 가파르게 하고 이것을 제거하면 그 축은 평평해지고 상대적으로 평평했던 축은 약간 가파르게 된다.[12,13] 젊은 환자와 같이 창상 치유가 빠르거나 열상으로 인해 수술한 경우 섬유화가 진행되는 것으로 보이는 경우는 한 달 정도 지나면 각막발사가 가능하지만, 일반적으로 연속봉합과 달리 단속봉합의 경우 봉합사를 너무 일찍 발사하게 되면 창상개방이 오는 경우도 있다. 따라서 단속봉합에서 난시조절을 위해 봉합사를 제거하는 것은 술 후 2~3개월 정도부터 시작하는 것이 좋다. 이후 2~3주 간격으로 각막형태검사를 다시 찍어보면서 봉합사를 제거한다. 우측 각막이식을 받은 지 6주가 지난 34세 여자 환자의 각막형태검사이다. 이를 참고하여 1시 방향의 봉합사를 발사하였고 수술 6개월 후 이를 참고하여 5시 방향의 봉합사를 발사하였다(그림 29-18A). 이런 방식으로 차례로 각막봉합사를 발사하고 수술 10개월 후 가장 최근의 각막형태검사와 교정시력이다(그림 29-18B).

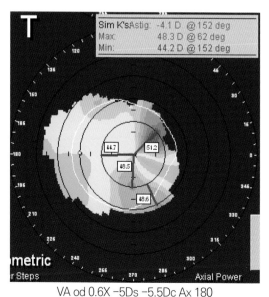

VA od 0.6X −5Ds −5.5Dc Ax 180

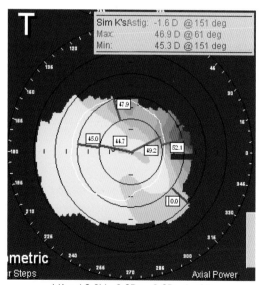

VA od 0.9X −6.0Ds −2.0Dc Ax 25

그림 29-18. 각막단속봉합 발사를 통해 난시조절한 증례
A. 각막이식 후 6주, B. 각막이식 후 10개월

현문현답

Q. 각막봉합 후 봉합사 제거는 언제쯤 하는 것이 좋을까요?

A. 대체로 창상치유가 다 되어 봉합사 없이도 창상이 벌어질 가능성이 없는 시기를 생각해야 하는데요. 단순히 길지 않은 단순 각막열상을 봉합한 경우라면 한 달만 지나도 봉합사 제거를 해도 관계없지만, 각막열상이 복합적이고 열상의 깊이가 부분적으로 다른 경우라면 너무 이른 봉합사 제거는 다시 창상이 벌어지는 상황이 생길 수도 있으므로 주의해야 합니다.

Q. 그런데, 때때로 각막봉합사가 느슨해지는 경우가 있는데, 이 때도 일정시기가 지날 때까지 봉합사를 유지하는 것이 좋을까요?

A. 느슨한 봉합사는 더 이상 창상폐쇄의 역할을 하지 못하고 부작용을 발생시킬 가능성만 높이게 되므로 시기를 불문하고 바로 제거하는 것이 좋습니다. 또한, 봉합사로 인한 염증, 신생혈관 등이 발견되는 경우, 또는 1년 정도 경과하여 수화되어 끊어지고 이로 인한 이물감으로 내원하는 경우라면 당연히 제거해야 되겠죠. 참고로, 소아라든가 창상치유가 빠른 경우 수술 후 초기에 창상이 수축하면서 봉합사가 느슨해지는 경우가 있을 수 있습니다.

Q. 이 외에도 일반적인 기준보다 봉합사를 더 빨리 제거하는 기준이 있으신가요?

A. 동공중심을 지나가는 경우에는 다시 벌어질 가능성이 적다고 생각되는 가장 빠른 시기에 제거하는 편입니다. 또한 너무 타이트해서 지나친 각막 난시를 유발하는 경우에는 각막지형도를 봐 가면서 가장 큰 영향을 주는 봉합사부터 1달 이내라도 제거하는 편입니다. 만약 제거를 하기에는 너무 이르다 싶은 경우에는 봉합사를 절단만 하고 절단된 끝이 각막상피내에 묻혀 있는 상태로 창상이 치유될 때까지 기다렸다 제거하는 경우도 있습니다. 이렇게만 해도 난시가 줄어드는 효과를 볼 수 있습니다.

■■■ **참고문헌**

1. David H height. Sutures and Suture technique.In: Brightbill, Frederick S, eds. *Corneal surgery: theory, technique and tissue.* 4th ed. ClinicalKey eBook,2009;chap. 37.

2. Eisner G. Eye surgery. NewYork: *Springer Verlag*;1990.

3. Marian S. Macsai, Ashley Rohr. Anterior segment surgery. In: Mannis, Mark J. Holland, Edward J. *Cornea. 4th ed.* ClinicalKey eBook, 2017;chap.144

4. Colby K. Management of open globe injuries. *Internat Ophthalmol Clin* 1999; 39: 59-69

5. Hasan Basri Cakmak , Ugur Acar. Current Concepts and Management of Severely Traumatized Tissues in the Outer Coatings (The Cornea, the Conjunctiva, and the Sclera) of the Globe: Mechanical Injuries. In: Güngör Sobac. *Current Concepts and Management of Eye Injuries.* Springer eBook. 2016; chap.2.

6. Cheng CL,Tan DT. Lamellar corneal autograft for corneal perforation. *Aust NZ J Ophthalmol* 1999;27(6):437-439.

7. Hersh PS, Zagelbaum BM, Kenyon KR, Shingleton BJ. Surgical Management of Anterior Segment Trauma. *Ento Key.* 2016.7.11

8. Chan CC, Perez MA, Verdier DD, et al. Penetrating keratoplasty: The fundamentals. In: Mannis, Mark J. Holland, Edward J. *Cornea. 4th ed.* ClinicalKey eBook, 2017; chap.110

9. Rasik B Vajpayee, Vidushi Sharma, Namrata Sharma, et al. Evaluation of techniques of single continuous suturing in penetrating keratoplasty. *Br J Ophthalmol* 2001 85;134-138.

10. Mader TH, Rumel Y, Lynn MJ, et al. Changes in keratometric astigmatism after suture removal more than one year after penetrating keratoplasty. *Ophthalmology* 1993;100:119-127.

11. Shimazaki J, Shimmura S, Tsubota K. Intraoperative versus postoperative suture adjustment after penetrating keratoplasty. *Cornea* 1998 Nov;17(6):590-594

12. Filatov V, Steinert RF, Talamo JH: Postkeratoplasty astigmatism with single running suture or interrupted sutures. *Am J Ophthalmol* 1993 Jun; 15;115(6):715-721.

13. Sarhan AR, Fares U, Al-Aqaba MA, et al. Rapid suture management of post-keratoplasty astigmatism. *Eye (Lond).* 2010 Apr;24(4):540-546

각막천공
: 어떻게 할 것인가?

Key
Point

- •천공을 예방하는 것이 가장 중요하다.
- •각막천공은 즉각적인 수복을 요하는 안과적 응급임을 명심해야 한다.
- •천공의 병인과 크기 파악이 치료방법 결정에 도움을 준다.

전공의 수련 당시 눈에서 갑자기 물이 흐른다고 내원한 환자를 본 경험이 있을 것이다. 다른 신체부위와 달리 눈은 천공이 되었음을 환자가 정확히 인지하는 경우가 드물다. 이에 적절한 시기에 내원하지 못하거나 심각성을 모르고 내원하는 경우가 종종 있다. 안과의로서 각막천공이 다양한 원인에 기인할 수 있는 안과적 응급임을 인지하여 빠르고 바르게 대처할 필요성이 있다. 천공이 발생하기 전 그 원인 및 진행경과를 파악하여 초기에 적극적 예방에 중점을 두는 것이 가장 중요하다 하겠으나 일단 천공이 발생하면 다양한 약물적, 수술적 대응에 집중해야 한다.

1. 각막천공의 원인

각막천공(corneal perforation)의 원인은 감염(세균성, 진균성 또는 바이러스성)이 있으며, 또한 콜라겐 혈관성 질환(collagen vascular diseases), 딸기코각막염(acne rosacea keratitis), 베게너육아종증, 무렌각막궤양 등과 같은 염증성 질환들은 주변부 혹은 중심부 궤양성 각막염의 원인이 되고 천공에까지 이를 수 있다. 이 밖에도 외상 등 다양한 원인들이 있다(표 30-1).

표 30-1	각막 천공의 원인	
1. 외상	A. 외인성 B. 의인성 -각막이물의 제거 -수술 합병증	
2. 각막염	A. 감염성 -그람 음성균 -진균 각막염 B. 비감염성 -신경영양각막염 -주변부 궤양성 각막염 -주사(rosacea) 연관 눈꺼풀각막염	
3. 퇴행성 질환	투명가장자리변성 테리엔각막가장자리변성	
4. 이상증	공모양각막 피터스이상	

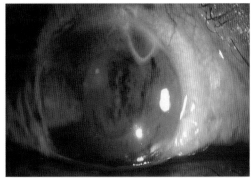

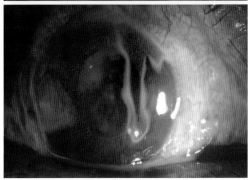

그림 30-1. 자이델검사
천공된 위치에서 플루오레신 염색약이 주변으로 퍼지는 것을
볼 수 있다.

2. 각막천공의 진단

1) 전형적인 징후와 증상

전방이 얕거나 편평해져 있으며 방수가 새는 것
을 세극등 현미경 검사를 통해 관찰할 수 있다.
이때 천공부위에 플루오레신 형광염색을 해보면
더 명확히 보이며 이를 자이델검사(Seidel test)
라 한다(그림 30-1). 환자의 병력청취가 도움이 되
는데 최근의 외상력을 말하거나 대개 시력저하
및 눈물이 갑자기 흐른다는 말을 하는 경우도 있
다. 그림 30-2와 같이 외상성 천공이나 홍채끼
임 및 탈출(iris prolapse)을 동반하여 천공이 명
확한 경우도 있다. 하지만 감염이 있는 눈에서는
평소 불편감이 있고 시력저하 상태이며 특히 신
경영양각막염 등에서는 환자가 천공을 인지하지
못하는 경우가 많다. 따라서 고위험군 환자에서
는 각막천공 시 자각할 수 있는 증상들에 대해 미
리 알려주어 즉시 안과를 내원 하도록 설명할 필
요가 있다(표 30-2).

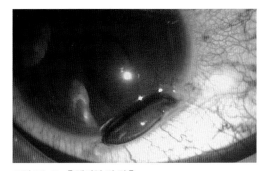

그림 30-2. 홍채끼임 및 탈출

표 30-2	각막천공 증상 및 징후
증상	**징후**
통증 시력 감소 눈물흘림	얕은 전방 자이델검사 양성 포도막조직의 탈출 저안압

3. 각막천공의 예방 및 치료

1) 천공이 발생하기 전에 예방적 차원의 방법
- 치료용 콘택트렌즈
- 눈꺼풀봉합술(tarsorrhaphy)
- 결막피판술
- 양막이식
- 단순압박패치
- 적극적인 윤활제 적용(aggressive lubrication)
- 눈물점폐쇄
- 점안 사이클로스포린

　치료에는 원인에 대한 치료와 안구의 재건 두 가지 목표가 있다.

2) 원인치료
치료결정에 앞서 천공의 원인을 구분 짓는 것이 중요하다. 감염이나 궤양 또는 자가면역질환 등에 기인한 천공은 일반적으로 수술적 수복을 요하는 단순 외상성 천공에 비해 치료가 까다롭다. 다른 원인과 비교해 자가면역 질환에 의한 천공은 그 위치가 보통 주변부인 경우가 많으며 천공의 가장자리가 경사지거나 날카롭기보다 돌출(overhanging) 되어 있다. 외상에 의한 천공 시 반대안도 추가적 외상이나 이물 또는 다른 종류의 손상이 있는지 함께 살펴야 하며 특히 자가면역질환에 의한 천공의 경우 항상 양안을 잘 살펴보는 것이 중요하다.

(1) 자가면역질환
원인이 자가면역질환에 있다면 반드시 전신적인 검사 및 관리가 필요하다. 류마티스 내과의사와 협진을 통해 보다 적절한 면역억제치료를 해야할 것이다.

(2) 감염치료
감염성 궤양 환자의 경우 배양검사를 통해 그 원인을 명확히 하여 제거하고 적극적인 점안 항생제 치료를 해야 한다.

3) 치료방법
(1) 수술 전 관리: 아 천공이구나! 무엇을 해야 할까?
일단 천공이라고 판단하면 안과의는 그것이 세극등에서 교정이 가능한지 수술실에서 치료가 필요한지 결정해야 하며 수술적 처치가 필요한 경우 환자에게 금식을 지시하고 입원실을 알아 보아야 한다. 플라스틱 안대를 하게 하고 환자와 의료진 모두 환자의 눈에 대한 불필요한 조작을 최소화해야 한다. 감염이 있는 경우 전신 항생제(moxifloxacin, cefazolin과 gentamicin, 또는 ceftazidime)를 가능한 빨리 주고 최소 24~72시간 유지한다. 천공이 무균성이거나 환자가 입원할 수 없는 경우라면 경구 플루오로퀴놀론을 예방적으로 사용한다. 일반적으로 감염이 의심되는 천공부위는 소독 전 조심스럽게 배양검사를 나가야 하며 전방이 편평한 경우는 주변홍채앞유착(peripheral anterior synechia)을 방지하고 각막, 수정체 손상을 최소화하기 위해 첫 24~48시간 이내로 치료를 시작해야 한다.

(2) 수술방법
A. 조직접착제(cyanoacrylate glue)
　조직접착제는 양막, 공여각막 등의 수복재료가 준비되지 않은 상황에서 미세천공 등에 유용하게 사용 될 수 있다. 조직접착제는 특히 1~2 mm 이하의 중심 또는 중간주변부 천공에 가장 적합하며 3 mm까지의 천공에도 사용된 바 있다. 결손부위를 직접 glue로 채우되 중합 시 확장되므로 약간 적게 채우고 너무 많이 채울 경우 튀어나와 환자가 불편감을 느낄 수 있으므로 Weck cell 스펀지 등으로 접착제 가닥을 잘 정리하면서 채워 준 후 그 위에 치료용 콘택트렌즈를 덮어준다. 천공 주변이 마른 상태가 아니면 접착제가 잘 붙지 않을 수 있으므로 한손에는 Weck cell 스펀지를 한손에는 조직접착제를 들고 물기를 닦는 동시에 접착제를 쓰는 방법으로 하는 것이 좋다. 크기가 큰 천공을 메울 때 술기에 익숙치 않다면 전방내로 접착제가 들어가게 되는 경우가 발생한다. 이와 연관하여 백내장, 녹내장, 망막독성 등의 합병증이 발생가능하기 때문에 사용에 주의를 요한다.

B. 양막이식(그림 30-3)

양막이식(amniotic membrane transplantation)은 천공을 치료하는 하나의 유용한 치료 방법이다. 그러나 각막 궤양성 천공의 치료 시 단일층을 이용한 양막이식술의 경우 대상 환자의 각막기질이 얇거나 절박천공이 심한 경우에

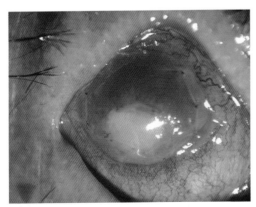

그림 30-3. multi-layered AMT
각막 결손 부위에 양막을 잘라 공간을 보충한 후 다층양막이식(multi-layered AMT)을 시행하였다. 성공적으로 결손부위가 수복된 모습이다.

는 치료의 어려움이 있다. 이는 한 겹의 양막은 수 주 내에 소실되어 이 기간 동안에 깊은 각막 실질결손을 채울 만한 치유과정이 이루어지지 않기 때문이다. 이러한 제한점을 보완하기 위하여 다층 양막이식술이 시행될 수 있다.[1] 첫째로 양막을 여러 겹 채우는 단계는 궤양의 기저부를 죽은조직제거술(debridement)을 시행하고 작은 양막 조각들로 궤양 부위를 채운다. 2번째 층의 양막이식편은 병변 위를 기저막이 위를 향하게 위치시킨 후 10-0 nylon으로 봉합한다. 3번째 양막편은 기저막이 아래로 향하도록 하여 병변을 포함하여 넓게 10-0 nylon으로 봉합한다. 최근에는 5 mm까지의 큰 천공을 치료하기 위해 fibrin glue-assisted augmented AMT 방법이 사용되기도 한다.

C. 각막이식

수술 전 가능하다면 조심스럽게 B-scan을 하는 것이 도움이 될 수 있다. 맥락막출혈이 있을 경우 각막이식을 위해 trephine을 시행하고 나서 축출출혈(expulsive hemorrhage)이 발생할 수 있기 때문이다. 이런 경우에는 며칠 기다렸다가 호전되고 나서 수술을 진행하는 것이 나을 수 있다.

a. 전층각막이식

전층각막이식은 활동성 감염원을 제거하고 조직결손을 동반한 큰 천공에서 가장 좋은 선택이 될 수 있다. 또한 장기적으로 비외상성 천공을 봉합하고 시력보전 시도를 위한 궁극적 치료 방법이라 할 수 있다. 따라서 천공 범위가 매우 크거나 원인 병변의 제거 및 조직괴사가 광범위한 경우 공여 각막을 구할

수 있다면 시도해 볼 수 있다.

b. 수복적 부분 각막이식(그림 30-4)

　필요시점에서 공여각막을 바로 구하기 힘들고 광범위한 각막 간질괴사와 염증의 급성기에 있는 경우 전층각막이식술 후 거부 반응의 위험 등 예후가 불량한 경우가 많다. 이에 층판각막이식(lamellar keratoplasty)을 고려해 볼 수 있다. 또는 무세포성 각막을 이용할 수 있는데 무세포성 각막은 무균 상태로 장기간 보관이 가능하며, 응급상황에서 즉시 구할 수 있어 공여 각막이 부족한 나라들에서 사용되고 있다.[2] 크기가 큰 각막궤양 천공에서, 응급으로 무세포성 각막을 이용하여

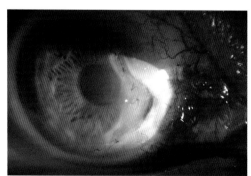

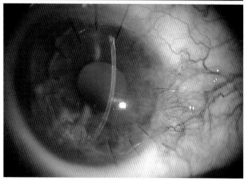

그림 30-4. 수복적 부분 각막이식
괴사성 공막염 후 생긴 각막 데스메막류 환자에서 Deep anterior lamellar keratoplasty를 시행한 증례.
병변이 3시 방향 윤부를 침범하여 광범위했기 때문에 free hand manual lamellar keratoplasty를 시행하였다.

수복적 층판이식(tectonic lamellar patch graft)을 시행하여 빠른 염증의 감소와 안구 유지 및 시력 보존에 만족스러운 결과가 보고된 바 있다.[3] 각막 패치이식은 전층각막이식을 하기에는 천공 병변이 작고 조직접착제 등을 이용하기에는 크기가 큰(대개 5 mm 이내) 경우에 적합할 수 있다. 각막 패치이식은 그 봉합부위가 시축을 침범하지 않도록 하는 것이 이상적이며 만약 천공부위가 작지만 시축 침범 위험 시에는 전층각막이식이 더 나을 수도 있다. 또한 데스메막류가 동반된 얇거나 간질 괴사성 부위, 만성 기질궤양을 보강하는 데 층판각막이식(lamellar patch graft)이 효과적일 수 있다. 병변이 윤부 또는 공막내로 침투한 주변부 궤양의 경우 윤부결막절개(peritomy) 및 공막박리가 필요한 경우도 있다.

D. 결막피판술(conjunctival flap)

　결막피판술은 지속되는 각막궤양과 데스메막류로 주로 시력예후가 좋지 않은 눈에서 유용하다. 결막판 아래로 지속적인 누출이 있을 수 있기 때문에 천공이 발생한 후에는 이 방법이 이상적이지는 않다. Pedicle conjunctival flap은 쉽게 박리하고 회전시켜 주변 병변을 덮을 수 있으며 궤양의 가장자리와 기저부의 상피와 괴사조직을 제거(debridement)한 후 10-0 nylon 또는 9-0 vicryl로 단속 봉합할 수 있다. 또한 결막피판술은 진균성 궤양과 같은 만성 감염성 상황에서 미생물들에 대한 숙주방어에 도움이 되고 기질 재생에 도움이 되는 혈관 공급 역할을 하기도 한다. 하지만 결막피판술은 시력예후가 좋지 않은 탓에 다른 치료법의

고려가 더 우선시된다.

E. 단순봉합

단순봉합은 주로 외상에 의한 각막열상의 경우에 해당되는 수술 방법이다. 외상성 천공이라도 그 크기가 매우 작고 전방이 유지된다면 치료용 콘택트렌즈를 사용하여 방수유출 유무 등의 변화를 경과관찰 하기도 한다. 하지만 2 mm보다 크거나 열상 부위가 어긋난 경우, 각막조직 일부가 소실된 경우, 홍채나 안내조직의 탈출이나 끼임이 동반 시 봉합이 원칙이다. 각막열상 봉합원칙은 바늘을 각막표면과 수직으로 하여 각막기질의 90% 깊이로 하고 창상의 양쪽 폭과 깊이가 같도록 한다. 시축의 흉터는 최소화해야 함을 명심하고 주변부를 먼저

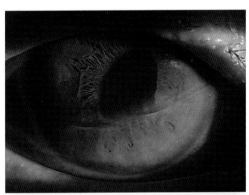

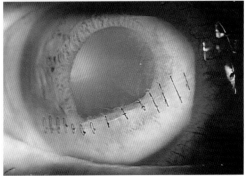

그림 30-5. 각막열상의 봉합

폭이 넓고 깊게 중심부는 좁게 봉합한다. 모든 매듭은 짧게 다듬어 시축에서 먼 방향의 기질 표층에 매몰시키도록 한다(그림 30-5).

(3) 회복 불가능한 관통상의 경우

간혹 외상이 너무 심하여 각공막열상을 봉합하는 것이 무슨 의미가 있을까?라는 생각이 드는 경우가 있다. 심한 관통상은 교감안염(sympathetic ophthalmia)을 유발할 수 있다. 교과서에서는 2주 이내에 외상안을 적출(enucleation)하는 것이 교감안염의 발생을 최소화하는 것으로 알려져 있으나, evisceration이 enucleation과 비교하여 교감안염의 발생율에 큰 차이가 없고 미용적으로도 우수하고 수술시간이 적게 걸려 선호되고 있다.[7] 안구적출이나 내용물제거술 이후에도 교감안염이 발생한 사례가 많으며, 교감안염의 발생이 외상의 정도도 중요하지만 유전적 요인도 연관이 있는 것으로 밝혀지고 있다.[8] 또한 교감안염의 발생은 천공성 외상 후 0.2% 정도로 매우 드물며, 면역억제제의 발달로 이전에 비해 시력예후가 양호해졌다. 따라서 회복 불가능할 것으로 판단되는 관통상의 경우에도 1차 수술로 안구형태를 유지하도록 봉합하고 환자 및 환자 가족들과 상의하여 추후 안구내용물제거술을 고려하기를 권한다. 충분한 상의 없이 1차 수술에서 안구가 없어지면 환자는 정신적 충격을 받을 수 있으므로 시간을 가지고 환자가 수술을 받아들일 수 있게 한다. 안구형태를 유지하는 수술조차 불가능한 경우에 1차 수술로 안구내용물제거술을 시행하고, 안구내용물제거술도 시행할 수 없을 정도로 공막과 외안근이 손상된 경우에는 안구적출술을 시행하도록 한다.

One Point

천공 열상에 홍채물림이 있는 경우 어떻게 해야 할까?

천공부위로 기구를 사용하여 홍채를 전방내로 밀어 넣으려 하면 안 된다!

전방천자 부위로 기구나 점탄물질을 이용하여 홍채를 재위치시키자.

심하게 찢어지거나 탈출된 지 24~48시간이 지난 홍채조직은 잘라내는 것이 좋다. 탈출된 홍채에 각막상피세포의 증식이 의심되면 홍채를 반드시 잘라내야 한다.

끼인 범위가 적은 경우라면?

Tip) 각막중심부 가까이 끼인 경우: 산동을 시키면 저절로 끼인 홍채가 재위치로 돌아간다.

각막주변부 가까이 끼인 경우: 축동을 시키면 저절로 끼인 홍채가 재위치로 돌아간다.

(4) 수술 후 관리

모든 환자들은 환자의 안압 및 눈상태에 따라서, 술 후 점안 또는 전신 방수억제제를 투여하는 경우가 있으며, 이는 천공에 대한 안압을 낮추어 수술 부위에서 새는 것을 방지한다. 안대를 항상 착용하도록 하며 광범위 점안 항생제를 하루 3~6회 점안해야 하며 무방부제 인공누액을 하루 4~8회 사용하면 추가적인 윤활을 제공하고 보호 콘텍트렌즈가 마르지 않도록 도움을 준다. 무균성천공의 경우 입원 필요성 및 정맥내 항생제 사용의 필요성에 대해 논란의 여지가 있다. 만약 감염 우려가 있다면 입원 후 표준 전신 투여량으로 48~72시간 동안 정맥내 항생제 투여를 할 수 있다. 세균 감염이 의심되면 점안 fortified 항생제, 플루오로퀴놀론계 항생제를 24시간 동안 매시간 점안을 시작한다. 헤르페스 또는 곰팡이 감염이 의심되면 항 바이러스제와 항진균제 투여도 고려해야 한다. 조직접착제와 치료용 콘택트렌즈의 위치를 잘 경과 관찰해야 한다. 수술 후 경과관찰

표 30-3　　각막이식 천공 치료

약물적치료

1. 기저질환의 교정

2. 프로테아제 억제제(protease inhibitor)
   (1) 테트라사이클린
   (2) 비타민 C

3. 항생제(국소 또는 전신적)

4. 스테로이드(선택적 케이스에만 신중히 사용)

5. 방수 억제제

수술적치료

1. 외상성
   (1) 최소한의 조직결손 및 선형 천공 병변
   　• 1차 봉합 시도
   (2) 수술 후 심한 난시 발생가능

2. 미세각막천공
   (1) 자가폐쇄 될 수 있음
   (2) 치료용 콘택트렌즈(bandage contact lens)
   (3) 압박안대(pressure patch)
   (4) 양막이식

3. 홍채끼임 또는 홍채탈출 동반 천공
   (1) 24~48시간 이내
   　• 홍채 재배치
   　• Glue or 봉합수술
   (2) 오래된 경우
   　• 홍채 괴사시 절제
   　• 새지 않는경우 경과 관찰할 수도 있음

4. 작은 천공(2~3 mm 직경)
   (1) 주변부
   　1) 조직접착제(cyanoacrylate)
   　2) 결막피판술
   　　• 특히 신경영양각막염의 경우 유용
   　3) 양막이식
   　　• 여러 겹(multilayer)
   　　• 염증의 감소효과
   　4) Patch graft
   　　• Small circular
   　　• Crescentic
   　　• Other shape
   (2) 중심부
   　1) 조직접착제
   　2) 각막이식

5. 거대 천공
   (1) 응급 각막이식술
   (2) 부분층/전층각막이식

동공성형술

31

> Key
> Point

- 홍채와 동공 성형술을 해야 하는 적응증을 파악한다.
- 거의 모든 홍채성형술에서의 기본이 되는 봉합방법, 즉 Siepser suture를 익혀둔다.

현대의 외과적인 수술에서 홍채 수술 즉, 동공성형술(pupilloplasty)이나 홍채성형술(iridoplasty)을 요하는 수술은 많지 않으나, 홍채의 결손을 메우거나, 마비되어 확장된 동공의 크기를 작게 만들거나(예를 들면 Urrets-Zavalia syndrome), 다초점 인공수정체의 중심을 동공의 중심과 맞출 때, 선천성 홍채결손(congenital iris coloboma)을 닫거나, 절개의 크기가 커서 증상이 있는 홍채절제술(iridectomy)이나 홍채절개술(iridotomy) 또는 불규칙한 동공을 교정하거나 복구할 때 필요하다.

홍채조직의 외과적인 복구술로는 먼저 작은 전방 천자를 이용하여 전방으로 기구를 삽입하여 봉합사를 전방안에서 잡아 당겨 매듭을 전방 안에서 만드는 방법이 있다.[1] 하지만 현재 행해지는 외과적 홍채 복구술에서는 대개 기본적으로 전방 천자를 이용하되 봉합사를 각막 바깥에서 조작하여 매듭을 홍채에 만드는 McCannel 봉합방법(McCannel suture technique)을 이용하게 된다.[2] 이 방법은 인공수정체 탈구를 홍채에 고정시킬 때 원래 사용하던 방법으로 Malcolm Mc-Cannel에 의해 1970년대에 개발되고 소개되었다. 이 방법에는 Steve Siepser, Robert Osher, Steve Safran에 의해 잘 알려진 Siepser knot라는 매듭방법을 숙지해야 한다.[3,4]

이 수술에는 대개 10-0 polypropylene, 혹은 9-0 polypropylene을 사용하게 되며, micro-scissors, microforceps가 있으면 편리하다.

Viscodissection이나 초자체절제술이 필요할 수 있다.

One Point

홍채의 혈관분포를 알아둔다.
홍채의 혈관분포를 살펴보면 섬모체 부착부위 바로 근접해서 홍채 근부에 major circle of iris가 위치해 있고, 홍채의 조임근 근처(동공연)에 minor circle of iris가 위치해 있다(그림 31-1).

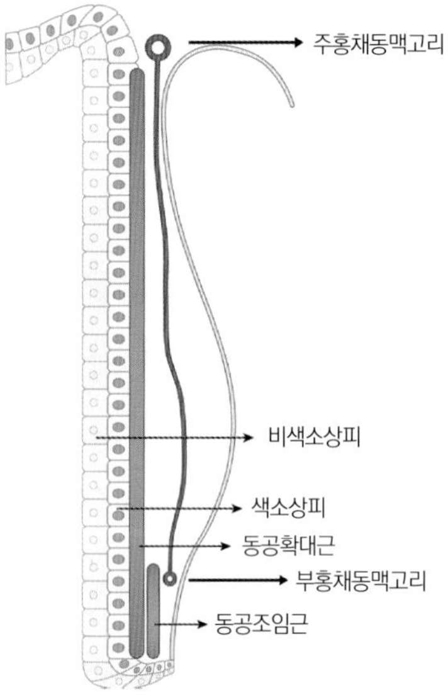

주홍채동맥고리
비색소상피
색소상피
동공확대근
부홍채동맥고리
동공조임근

그림 31-1. 홍채의 혈관분포

이제 홍채 성형술의 여러 가지 방법을 알아보자.

먼저 마비된 동공을 작게 만드는 방법에는 홍채 원형 봉축술(iris cerclage technique)이 있다.[5] 이 빙법에서도 역시 Siepser knot라는 매듭 방법이 이용된다.[3]

먼저 결손부위에 따른 방법을 구분해 보면, 홍채결손 부위가 동공근처(동공연)에 국한되어 있다면 Siepser suture를 이용한 단속 봉합(interrupted suture)을 사용할 수 있겠고, 마비되어 산대된 동공에는 동공연의 연속봉합을 이용할 수 있겠다.

홍채결손부위가 홍채 해리(iridodialysis)에 의한 iris root(홍채근부)라면 접근하는 방향이 다를 수도 있다.

또한, 결손의 크기 정도에 따라서 수술방법이 다를 수 있겠으나, 기본적으로 다음에 소개되는 방법을 숙지하고, 각 경우의 결손에 맞는 수술법으로 변형하여 활용하면 될 것으로 보인다.

1. Siepser 봉합 매듭 방법(Siepser suture knot)(그림 31-2)[3,4]

A. Polypropylene 봉합사의 바늘이 10시 방향의 전방천자를 통해서 들어간 후, 결손이 있는 홍채 조직의 각 끝을 통과한 후 다시 2시 방향의 전방천자부위의 cannula로 통과한다.

B. 10시 방향의 전방천자로 갈고리(hook)를 집어 넣어 봉합사를 잡아당긴다.

C. 잡아당긴 봉합사를 다시 10시 방향의 전방천자로 끄집어 낸다.

D. 바깥에서 매듭을 만든다.

E. 2시 방향과 10시 방향의 전방천자부위로 나와 있는 polypropylene의 양쪽 끝을 각각 잡아당겨서 홍채결손부위가 서로 맞닿아져서 닫히고, 매듭이 홍채위쪽으로 위치하게 한다.

FGHI, F'G'HI를 반복하여 총 세 번의 매듭이 홍채 위에 위치하도록 한다.

One Point

이때 양쪽 끝을 잡아당겨서 결손부위가 닫히게 할 때는 천천히 너무 세지(tight) 않게 잡아당겨야, 홍채근부의 해리(iris root dialysis)나 출혈 등을 예방할 수 있다.

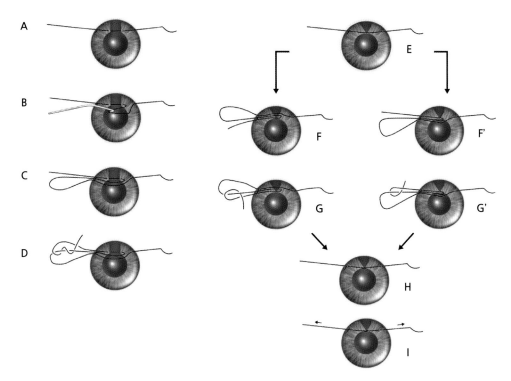

그림 31-2. Siepser 봉합 매듭 방법

1) Single pass four throw

최근에 소개된 single pass four throw 방법은, 위에서 설명한 Siepser suture knot 방법과 그림 31-2A부터 그림 31-2C까지는 동일하고 그림 31-2D의 매듭을 만들 때 한꺼번에 나선형(heli-coidal)으로 묶어 만들어서(그림 31-3), 반복 없이 한번만 매듭을 만들어도 풀리지 않게 하는 방법이다.[6]

먼저 양쪽의 홍채결손부위를 봉합사가 통과하도록 한다. 이 때 봉합사 끝을 인도하는 guided needle이 있으면 홍채조직을 통과하도록 할 때 수월하며 혹은 반대방향의 천자부위에서 봉합사가 천자부위로 쉽게 나올 수 있다.

그 후 통과한 봉합사 끝을 갈고리 등의 도구를 이용해서 다시 10시 방향의 전방천자로 끄집어낸다. 그 다음 바깥에서 매듭을 만들 때 그림 31-3의 나선형으로 묶는다.

각 끝의 실을 전방 천자된 10시 방향과 2시 방향 쪽으로 각각 잡아당겨서 나사형 매듭이 홍채 위로 만들어지도록 한다.

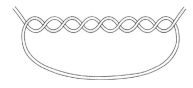

그림 31-3. 나선형 매듭

> **One Point**
>
> 기능이나 미용면에서 약 3.5 mm 정도의 동공 크기로 만들어 주는 것이 적당하다.

2. 홍채 원형 봉축술(Iris cerclage)[5]

1) 2시, 4시, 8시, 10시 방향의 각막윤부에 1 mm 정도 크기의 4개의 self sealing 전방 천자를 만든다. Microforceps 등의 전방천자부위로 통과할 수 있는 아주 작은 기구를 이용해서 봉합을 해야 할 홍채조직을 지지하고, 천자된 부위로 양쪽 끝에 바늘이 달린(double armed) polypropylene 봉합사를 2시 방향에서 10시 방향으로 동공연 부위의 홍채를 몇 차례 통과시키면서 polypropylene needle을 빼낸다.

2) 점탄물질은 전방 내로 주입하여 Vannas 가위로 전방에 있을 수도 있는 vitreous strand를 잘라낸다.

10시 방향으로 빼낸 needle을 다시 그 천자된 부위로 통과시켜서 전방으로 되들어가게 한 후, 동공연의 홍채 조직을 2~3번 반복해서 통과시킨 후 8시 방향으로 빼낸다(그림 31-4A). 통과된 10-0 propylene 봉합사가 달린 바늘은 다시 바깥으로 잡아당긴다.

8시 방향의 천자부위로 다시 10-0 polypropylene을 전방 안으로 통과시켜서 동공연의 홍채를 몇 번 통과시킨 후 4시 방향의 미리 만들어 놓은 천자부위로 뺀다.

마지막으로 4시 방향의 천자부위를 통해 바늘을 전방으로 집어넣은 후 홍채조직을 통과시킨 후, 다시 처음 통과했던 2시 방향의 전방천자부위로 나오게 한다(그림 31-4B).

360도 전부 10-0 polypropylene 실이 통과했으면 당겨서 매듭을 만든다(그림 31-4C, D).

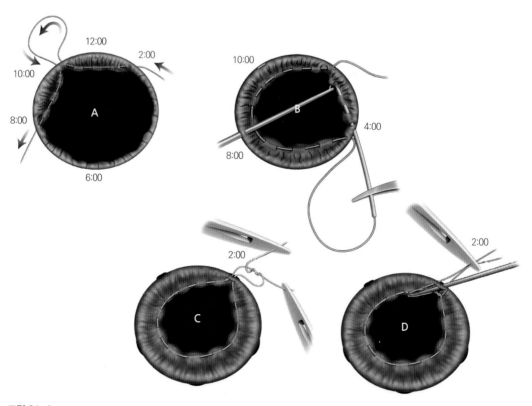

그림 31-4.

3. 홍채 해리 복구술(Iridodialysis repair)[2,7]

Iridodialysis는 눈부심이나 복시 증상 등이 생기면 교정을 해주어야 한다. 마찬가지로 양쪽에 바늘이 달린(double armed) 10-0 polypropylene으로 시도한다.

1) 공막편을 홍채 해리된 부위에 가까운 방향에 만들어준다. 전방천자는 홍채 해리된 부분의 반대편 방향에 만들어준다.
2) 첫 번째 바늘 끝이 전방천자부위를 통하여 홍채를 통과한 후 반대편 공막으로 나오도록 통과시킨다(그림 31-5A, 흰색 화살표). 두 번째 바늘 끝이 같은 전방천자를 통하여 홍채를 통과하여 공막으로 나올 수 있도록 통과시킨다(그림 31-5A, 검정색 화살표).
3) 양쪽 끝을 잘 잡아당겨서 매듭을 공막편 아래에 만들고(그림 31-5B), 공막편을 덮어준다(그림 31-5C).

　최근에는 홍채 해리된 부분이 넓을 때 위와 같은 방법을 반복해야 하는 수고를 덜기 위해, 편리하게 할 수 있는 재봉틀 방법(sewing machine technique)이 소개되기도 했다.[8,9]

　이 방법은 기본적인 방법은 Bardak에 의해 소개된 방법과 비슷하다.[10] 재봉틀 방법에서는 needle에 10-0 polypropylene을 미리 통과시킨 후 여러번 홍채에서 공막으로 바늘을 통과시키면 바늘 안에 이미 있는 polypropylene에 의해 쉽게 봉합이 될 수 있다. 재봉틀 방법의 순서는 다음과 같다.

　첫 번째, 27G의 주사바늘 안쪽으로(화살표 방향) 봉합사가 달린 바늘을 통과시킨다(그림 31-6).

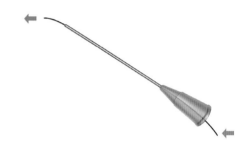

그림 31-6.

　두 번째, 봉합사를 품고 있는 주사바늘이 해리된 홍채를 통과하여 공막으로 빠져나오도록(화살표 방향) 한 후(그림 31-7A), 다시 전방으로 들어가서 옆으로 이동하여 다시 한번 해리된 홍채를 통과하여 공막으로 빠져나온 후(흰색 점선 화살표

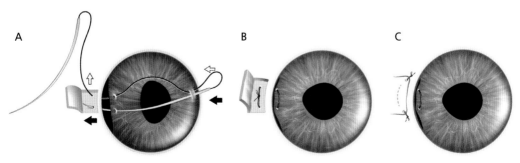

그림 31-5.

방향), 안쪽에 있는 봉합사를 공막 밖으로 충분히 빼놓는다(그림 31-7B).

세 번째, 바늘이 다시 후진하여 전방으로 들어갔다가 옆으로 이동하여 다시 홍채 해리된 부분의 홍채조직을 통과하여 다시 공막을 통과하도록 한다(흰색 점선 화살표). 이때 안쪽에 있는 봉합사는 다시 충분히 길게 공막 바깥으로 당겨 빼놓는다(그림 31-7C).

네 번째, 같은 방법으로 홍채 해리된 부분의 넓이만큼 반복한 후, 공막 바깥으로 길게 빼 놓은 봉합사의 중앙을 자른다(그림 31-7D).

마지막으로, 잘라진 봉합사 각 각 끝을 나눠서 옆의 봉합사와 묶어준다(그림 31-7E).

One Point

너무 tight하게 잡아당기거나 봉합하면 corectopia가 더 생긴다.[11]

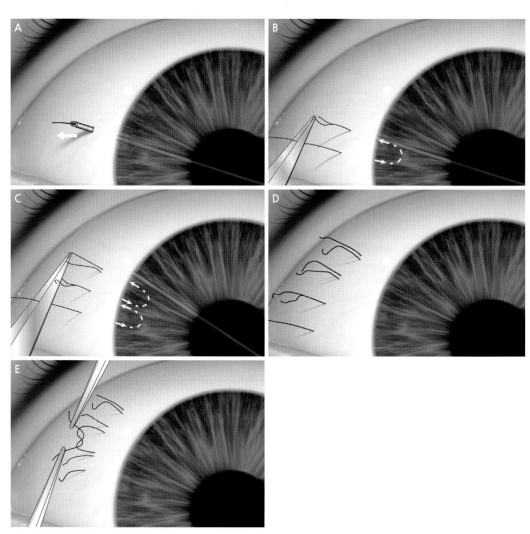

그림 31-7.

현문현답

Q. 동공성형술, 어디까지나 성형술이기 때문에 수술 후 미용적으로 만족해야 할텐데 어렵죠.

A. 맞습니다. 홍채 조직이 워낙 약하기 때문에 바늘을 통과시킬 때도 한 번에 들어가서 나와야지 다시 suture를 하게 되면 결국 홍채가 찢어지거나 구멍이 나죠.

A. Iridoplasty 시에는 design이 중요합니다. 불필요한 조작을 하지 않도록 충분히 수술 procedure를 계산 해서 simulation 하는 것이 도움이 됩니다.

Q. 손을 잘 안 떠는 술자도 iridoplasty 시에는 떨릴 수밖에 없을 것 같은데요. 가장 중요한 것은 손의 고정이 아닐까 싶습니다.

A. 저는 힘의 균형이 중요한 것 같아요. 지나치게 당기면 pupil 모양이 안 좋을 뿐 아니라 iridodialysis가 생길 수 있어요.

A. Pupil 모양은 수술 후에 Argon laser를 이용하여 조금 더 잡을 수 있기 때문에 욕심을 버려야 합니다.

A. Siepser knot는 반드시 숙지해야 하는 방법인 것 같아요. 수술실에 크게 복사를 해서 수술 시 보면서 하는 것도 도움이 됩니다.

A. 바늘이 전방이나 조직으로 들어갔다 나왔다를 반복해야 하는 과정이 많기 때문에 cannula를 대기시키고 있는 것이 도움이 됩니다. 통과시킨 봉합사의 바늘을 반대쪽 천자 부위나 조직에서 기다리고 있는 cannula의 내경 안으로 들어가게 해서 통과시키면 좀 더 쉽고 안전하게 빼낼 수 있습니다.

A. 요즘에는 약 1 mm 정도 넓이의 조그만 천자부위를 통해 본체가 완전히 통과할 수 있는 미세수술도구(겸자나 가위)가 나와 있어서 수술이 좀더 안전하고, 조직이나 바늘을 전방 안에서 잡을 수 있기는 한데 의외로 조작하기가 어렵기 때문에 충분한 연습이 필요합니다.

■■■■■ **참고문헌**

1. Ogawa GS, O'Gawa GM. Single wound, in situ tying technique for iris repair. *Ophthalmic Surg Lasers* 1998 Nov;29(11):943-948.

2. McCannel MA. A retrievable suture idea for anterior needle out facilitates this uveal problems. *Ophthalmic Surg.* 1976;7(2):98.

3. Siepser SB. The closed chaber slipping suture technique for iris repair. *Ann Ophthalmol* 1994 May-Jun;26(3):71-72.

4. Chang DF. Siepser slipknot for McCannel iris-suture fixation of subluxated intraocular lenses. *J Cataract Refract Surg* 2004 Jun;30(6):1170-1176.

5. Ogawa GS. The iris cerclage suture for permanent mydriasis: A running suture technique. *Ophthalmic Surgery and Lasers* 1998 Dec;29(12):1001-1009.

6. Narang P, Agarwal A. Single-pass four-throw technique for pupilloplasty. *Eur J Ophthalmol* 2017 Jun 26;27(4):506-508.

7. Wachler BB, Krueger RR. Double-armed McCannell Suture for Repair of Traumatic Iridodialysis. *Am J ophthalmol* 1996 Jul;122(1):109-110.

8. Silva JL, Povoa J, Lobo C, Murta J. New technique for iridodialysis correction: Single-knot sewing-machine suture *J Cataract Refract Surg* 2016 Apr;42(4):520-523.

9. Kumar KVR. Sewing Machine Technique For Iridodialysis Repair. *Delhi Journal of Ophthalmology* 2014;24:248-251.

10. Bardak Y, Ozerturk Y, Durmus M, Mensiz E, Aytuluner E. Closed chamber iridodialysis repair using a needle with a distal hole. *J Cataract Refract Surg* 2000 Feb;26(2):173-176.

11. Snyder ME, Lindbell LB. Nonappositional repair of iridodialysis. *J Cataract Refract Surg* 2011 Apr;37(4):625-628.

각막기질내고리삽입술 삽입 및 제거

32

> **Key Point**
>
> • 모든 시술이 그러하듯 적응증과 금기증을 정확히 파악하자!
> • 삽입 전 정확한 안구계측이 중요!
> • 정확한 안구계측을 통해 이상적인 위치에 자리잡도록 하는 것이 중요!
> • 수술 후에도 잠재적인 각막이식 가능성에 대해 기억!

1. 적을 알아야 정복이 가능하다

각막기질내고리삽입술(intrastromal corneal ring segments insertion, ICRS)은 각막의 앞쪽 표면의 만곡도를 변화시켜 시력을 최적화하고 동시에 근시를 교정하는 것이다.

ICRS의 작용기전은 주변 각막층다발 사이에 공간을 만들어 각막 중심부 아크의 길이를 감소시켜 중심부를 편평하게 하여 근시를 감소시키는 것이다. 이때 근시교정의 효과는 삽입물의 두께가 두꺼울수록, 삽입 고리의 직경이 작을수록 커진다. 난시교정에 있어서는 고리 조각의 끝부분이 표면을 당기는 작용을 하여 이 축에 대해 추가

적인 편평화 작용이 나타나고, 각막 내 삽입물이 생체역학적으로 각막에 지지작용을 할 가능성도 있을 것이다(그림 32-1).

그림 32-1. Arc-Length Shortening이 발생하는 기본 원리에 대한 모식도
A. 원추각막의 모식도, B. ICRS 시행 후 모식도

ICRS를 받은 환자들의 각막형태검사를 보면 전반적으로 편평해진 각막과, 각막 꼭지점의 중심부 쪽 이동이 나타나며, 각막의 비구면성 (asphericity)은 보존되면서 표면의 불규칙함이 줄어드는 것을 알 수 있다(그림 32-2). 현재 사용 가능한 ICRS로는 3가지가 있다(표 32-1, 그림 32-3, 4)

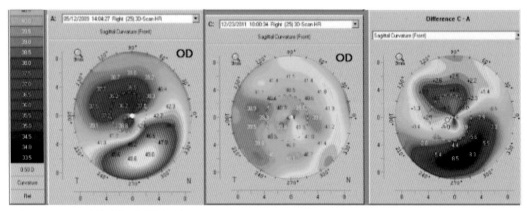

그림 32-2. ICRS 시행 전 후 각막형태검사
A. ICRS 시행 전, B. ICRS 시행 후, C. ICRS 시행 전과 후의 차이지형도(difference map)
각막의 불규칙성과 대칭성이 ICRS 시행 후 향상된 것을 관찰할 수 있다.

표 32-1   현재 사용 가능한 각막기질내고리의 종류 및 특징

Segment	Arc length (degrees)	Cross	Thickness (increments)(mm)	Inner/outer radius (mm)
Intacs	150	Hexagonal	0.21~0.45 (0.025)	6.77/8.1
Intacs-SK	150	Oval	0.21~0.45 (0.05)	6/7.4
Keraring	90–210	Triangular	0.15~0.35 (0.05)	4.4/5.6

2. 수술 적응증과 금기를 알아보자

1) 수술 적응증

초기에는 심하지 않은 근시에 적용되었다. 차츰 범위를 넓혀 원추각막(keratoconus), 전체층각막이식 후 불규칙난시, 엑시머레이저 각막절제술 후각막확장증(post–LASIK ectasia), 투명각막 가장자리변성(pellucid marginal degeneration), 외상 후 불규칙각막 등에 적용되고 있다. 또한 각막두께는 수기 박리를 할 경우 절개부위가 450 μm 초과, 펨토초 레이저보조박리를 할 경우 가장 얇은 부위가 450 μm 초과한 경우에 시행할 수 있으며, 중심각막이 투명하고 21세 이상에서

시행하는 것이 보통이다.

2) 수술 금기증

ICRS를 사용하지 말아야 할 경우로는 각막 곡률이 70D를 넘는 심한 원추각막, 각막혼탁을 동반한 원추각막, 각막 수종, 중심이 이탈된 각막이식편, 만성적으로 눈을 비비는 아토피 환자, 감염질환이 동반된 경우, 국소 혹은 전신적인 자가면역질환이나 면역결핍질환이 있는 경우, 교원혈관병(collagen–vascular disease)이 있는 경우, 재발각막짓무름, 광범위한 각막반흔, 각막이상증 환자, 각막내피 세포수가 1,000 cells/mm^2 미만인 경우 등이다.

One Point

수술 계획을 세워보자.

굴절값과 각막곡률반경 그리고 각막 두께를 고려하여 ICRS의 크기와 위치를 정해야 하며, 대개 각 제조사가 계산도표를 제공한다.

수술은 가장 가파른 축의 위치와 확장된 각막의 범위, 굴절값에 따라 계획한 후, 가장 가파른 축에 절개를 하고 삽입물을 넣게 된다. 축을 두고 동일하게 분포하면 대칭적 고리 조각을 삽입하고, 비대칭적이면 하나의 조각을 삽입한다. 계산도표가 제공되는 각 회사의 웹사이트는 다음과 같으며, 휴대폰 App 으로도 이용가능하게 되어 있다(그림 32-3).

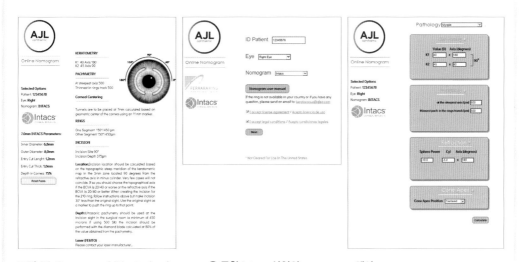

그림 32-3. www.additiontechnology.com을 통한 Intacs 삽입의 nomogram 예시

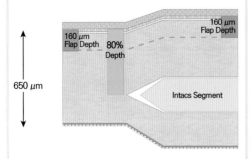

One Point

www.mediphacos.com (Keraring)

www.additiontechnology.com (Intacs)

고리가 삽입되는 깊이는 발표자마다 조금씩 다르나 66%에서 80% 사이이다(그림 32-4).

그림 32-4. Lasik 후 발생한 ectasia에서 Intacs segment를 80% 깊이가 되도록 삽입한 모식도

3. 수술 방법에 대해 알아보자

1) 수기박리

수술현미경에서 나온 빛으로 각막 중심을 정하고 동심원으로 수술 위치를 표시한 다음, 정해진 깊이와 폭만큼 삽입물을 넣을 입구를 수직으로 절개하고 확장기(glide)를 사용하여 넓힌 후 하나 혹은 두 개의 각막박리기(manual separator)를 넣어 반원 형태로 박리한다(그림 32-5).

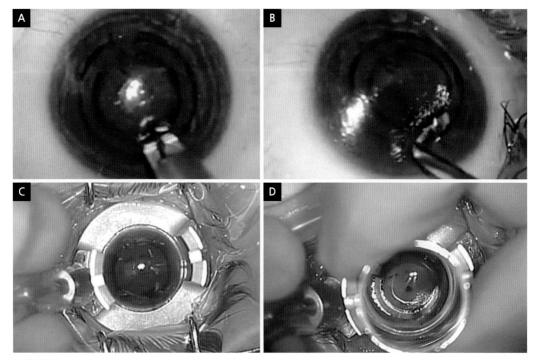

그림 32-5.
A. 절개 깊이를 미리 셋팅한 depth knife diamond blade로 각막을 수직으로 절개한다.
B. Glide를 이용하여 양 방향으로 시작 부위를 수기 박리한다.
C. Suction ring을 건다.
D. Manual separator를 suction ring과 결합시킨 후 수기 박리된 시작 부위로 삽입하여 양 방향으로 회전시켜 터널을 박리한다.

2) 펨토초레이저보조박리

라식을 위한 각막절편 제작에 많이 이용되는 펨토초레이저의 적용 범위가 넓어져 다양한 각막절개를 할 수 있게 되었다. 이를 이용하여 각막기질 내에 필요한 깊이와 폭의 절개를 하고 삽입물의 입구를 절개한 다음 ICRS를 삽입한다(그림 32-6).

장점으로는 깊이와 폭이 정확한 터널을 만들 수 있으며, 절개로 인한 각막의 부종과 혼탁을 최소화할 수 있고, 각막상피결손이나 기질부종을 일으킬 가능성이 적으며, 감염각막염의 위험을 감소시킨다는 것을 들 수 있다.

3) ICRS 삽입방법

정해진 하나 혹은 두개의 ICRS를 시계방향 혹은 반시계방향으로 삽입한다(그림 32-7). 수술 후 1~2일 동안 치료용 콘택트렌즈를 유지하고 점안 항생제와 항염증제, 인공눈물을 하루 4회, 2주간 점안한다.

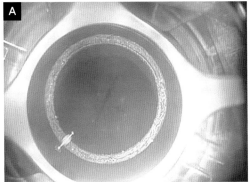
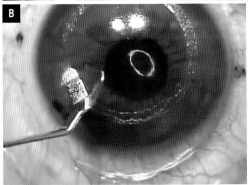
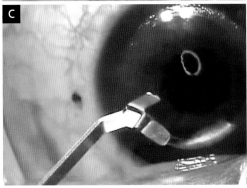

그림 32-6.
A. 펨토초레이저를 이용해 각막실질내 터널과 절개선을 만든다.
B, C. Symmetrical separator를 이용하여 양방향으로 시작부위를 넓힌다.

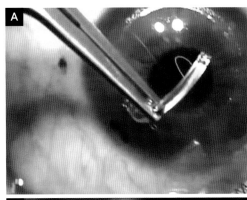
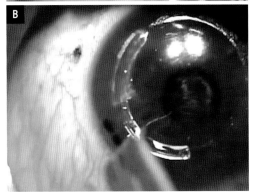

그림 32-7.
A. Ring을 박리된 터널을 따라 incision부위에 진입시킨다.
B. 힘의 방향을 터널절개부위의 접선방향으로 하여 ring 삽입을 진행시킨다.

4. 발생가능한 합병증에 대해 알아보자

기계적인 방법으로 수기박리를 할 경우 생길 수 있는 합병증은 다음과 같다.

각막절개창의 상피결손, 삽입통로를 만드는 과정에서 나타나는 앞쪽 혹은 뒤쪽으로의 천공, 절개창의 중심부 혹은 주변부로의 확장, 얇아지는 삽입물의 깊이, 감염각막염, 절개창의 벌어짐, 중심이탈, 각막기질의 얇아짐, 절개창이나 박리부위의 각막기질부종(그림 32-8)과 융해(그림 32-9), 삽입물의 이탈이나 노출, 부족교정 혹은 과교정, 각막 기질내 침착물(그림 32-10), 눈부심 등이다.

펨토초레이저를 이용하여 삽입통로를 만들 경우 이러한 합병증들이 감소할 것으로 기대할 수 있다. 수술 후 천공이나 노출 등의 심각한 합병증을 막는 데 가장 중요한 것은 정확한 각막 두께를 알아내는 것이라고 생각한다.

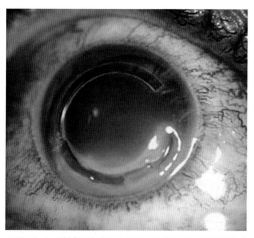

그림 32-8. 박리부위 각막의 상피 및 기질 부종이 관찰된다.

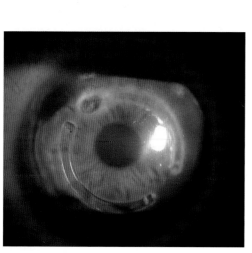

그림 32-9. 박리부위의 각막의 융해가 관찰된다.

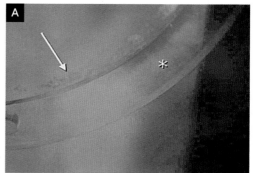

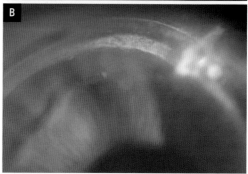

그림 32-10.
A. 지방질이 침착된 모습
B. 육아종성입자(granulomatous particles)가 침착된 모습

현문현답

Q. ICRS가 개발된 지도 한참 지났는데 그동안 popular하지 않은 원인이 tunnel 작성이 어렵기 때문에 그랬던 것 같은데요. ICRS가 뜬 이유가 femtosecond laser로 간단하게 tunnel을 만들 수 있어서가 아닐까요? 다시 말하면 femtosecond가 없는 시설에서는 이게 만만치 않을텐데 어떻게 생각하세요?

A. 네 맞는 말씀입니다. 그렇지만 manual dissection 기구가 많이 좋아졌어요. 물론 manual로 tunnel 만드는 게 femtosecond laser로 만드는 것보다 시간이 걸리고 어렵긴 합니다만, manual dissector가 많이 개선되어서 실제 수술하다보면 별 어려움이 없습니다. Depth 결정이 더 어려운 것 같아요. 수기로 시행할 때는 콜라겐 섬유층 사이를 박리해 나가기 때문에 일단 박리를 시작하면 그 층을 따라 진행이 됩니다. 하지만, 펨토초레이저를 이용하면 각막표면으로부터 일정한 깊이에 터널을 형성하기 때문에 콜라겐섬유가 형성하는 층에 상관 없이 터널이 형성된다는 차이가 있습니다. 펨토초레이저를 사용하면 원하는 depth로 tunnel 만드는 것이 쉽지만 manual로 할 때는 심리적으로 perforation을 만들고 싶지 않기 때문에 충분한 깊이를 못 만드는 경우가 있습니다. 수술 후 생각보다 shallow하게 ring이 insertion 된 경우도 많거든요.

A. 각막은 방수의 포도당 등이 확산되어 유지되는데, ring은 이물질로 작용하여 영양분의 확산을 방해하게 됩니다. Corneal inlay도 이물질인데 KAMRA inlay에 수많은 미세한 구멍이 뚫려 있는 이유도 영양분의 확산을 위한 것입니다. Ring이 충분히 깊이 위치하게 되면 ring의 표층의 각막조직의 볼륨이 충분하므로 거기로부터 영양분이 확산될 수 있어서 각막이 안정적으로 유지될 수 있습니다. 하지만 ring이 표면에 위치하게 될 경우 ring 바로 위 각막에는 그림자가 진 것처럼 영양분 확산이 안 되어 조직의 융해가 일어날 수 있어서 주의를 요합니다.

Q. ICRS는 far advance된 case보다 ealry case에 효과가 있는 것 같아요. 그리고, central cone보다는 asymmetric cone에서 효과가 좋은 것 같습니다.

A. 요즈음은 회사마다 nomogram을 제시하고 있지만 사실 keratoconus 자체가 개개인의 차이가 너무 심하기 때문에 특히 advanced case에서는 수술 후 예측도는 좀 떨어지지 않을까 싶습니다.

Q. Ring 삽입의 목적에 대하여 환자한테 충분한 설명을 하는 것도 중요합니다. 많은 환자가 이 수술을 받으면 백내장 수술이나 라식 수술처럼 시력이 좋아진다고 생각합니다.

A. Ring 삽입의 목적이 진행을 억제하고 contact lens를 보다 더 착용하기 쉽게 하는 데 있다는 것을 이해시켜야 합니다.

Q. 맞아요. 때로는 의사의 만족도는 높은데 환자의 만족도는 떨어진 경우가 많죠.

A. Ring을 삽입 후 wound를 hydration 시키라고 써 놓은 교과서도 있는데요, keratoconus 환자의 각막은 정상이 아니기 때문에 저는 suture를 권합니다. Wound hydration 후 Descemet membrane detachment가 생겨서 며칠 고민한 case도 있었거든요. 다행히 돌아오기긴 했는데 조심해야 합니다.

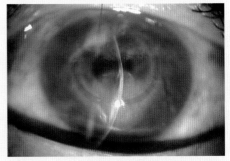

그림 32-11. Wound hydration 후 발생한 Descemet membrane detachment

치료레이저각막절제술의 적응증과 술기

33

Key Point

• PTK의 적응증과 술 전 검사에 대해 알아본다.
• 각막의 상태에 따라 PTK의 술기와 병합할 수 있는 다른 치료를 알아본다.

1. 서론

라식이나 각막표면절삭술(corneal surface ab-lation)이 정상각막에 시행하는 레이저시술이라면 치료레이저각막절제술(phototherapeutic keratectomy, PTK)은 병적인 각막에 시행한다는 점에서 근본적으로 다르다. 따라서, 병적인 부분의 원인, 범위, 깊이 등에 따라 각 증례별로 술자가 술기를 창안해 내야 할 만큼 표준화된 술기가 없다는 것이 어렵고도 매력적이기도 하다.

2. 본론

1) 어떤 경우에 PTK를 고려하는가?

(1) 시력저하나 시력의 질 저하 개선

병적인 각막(spheroidal degeneration, amyloid degeneration, Salzmann's nodular degenera-tion 같은 덩어리진 혼탁 또는 granular/Avellino dystrophy, lattice dystrophy에 의한 혼탁) 또는 외상 또는 감염 후에 생기는 혼탁이나 불규칙한 표면이 시력에 영향을 줄 수 있는 각막 중심부에 생긴 경우에 고려해 볼 수 있다.[1] 대체로 이러한 경우 개선을 위해서 선택할 수 있는 치료법이 제한적이다. 각막표면에만 국한된 혼탁이나 각막불규칙성으로 인해 시력이 저하된 경우 이를 제거하거나 각막표면을 균일하게 해주는 각막절제술을 수술칼(blade) 대신 레이저로 시행하게 되면 좀 더 균일한 표면을 얻을 수 있다. 현재로서 이런 치료적레이저시술로 각막형태도(topography guided) 또는 파면유도(wavefront guided) 각막절제술 그리고 상피통과치료레이저각막절제술(transepithelial PTK)이 있고, 환자의 눈 상태나 술자의 판단에 따라 이 두 가지를 순차적으로 병행하여 좋은 효과를 낸 증례들이 보고되고 있다.

(2) 비정상 바닥막제거

외상이나 상피바닥막이상증에 의한 반복각막미란의 경우 비정상바닥막을 제거하여 재발을 방지하는 목적으로 시행하는 경우이다. 비슷한 이론으로 지속각막상피결손에 시행하는 경우도 있다.

2) 술 전에 고려해야 할 요소와 검사들

나안 시력 및 교정시력은 물론 각막절제술을 시행하고 난 후의 각막 안정성과 굴절 변화 등을 고려하여야 하므로 아래와 같은 검사들을 시행하는 것이 좋다.

(1) 현성굴절검사

각막의 중심을 절제하는 경우 굴절력은 원시가 유발되는 방향으로 변하고 주변부를 골고루 절제한다면 근시가 유발된다. 따라서 근시 환자는 중심부 각막에 PTK를 시행하기에 더 좋은 대상자가 될 수 있다. 하지만, 노안을 거의 느끼지 못하던 황금돗수의 근시 환자에게는 술 후 근거리 시력저하가 올 수 있음을 설명하여야 한다.

(2) 각막형태검사와 웨이브프론트검사

시축을 침범하는 각막혼탁뿐만 아니라 여러 가지

원인에 의해 생긴 혼탁이 각막에 존재하는 것만으로도 각막표면은 불규칙해지고, 각막두께 분포도 비정상이 되기 때문에 이로 인해 각막난시가 유발된다. 또한 각막고위수차도 비정상적으로 증가하게 되어 교정시력저하 및 시력의 질 저하로 이어진다. 따라서 각막형태검사를 통하여 각막난시의 종류와 정도를 측정하여 술 후 각막혼탁을 제거했을 때 생길 변화를 예측해 보는 것도 필요하다. 각막고위수차를 측정하는 웨이브프론트 검사시에는 환자의 고위수차가 각막으로부터 온 것인지 각막 외 요소(예: 백내장)에 의한 것인지를 감별하는 것도 술 후 환자의 시력 예후를 가늠해 볼 수 있는 지표가 될 수 있다. 하지만, 각막혼탁이 있는 각막에서 검사한 결과는 재현성과 정확성이 낮은 경우가 많으므로 여러 번 검사한 결과를 종합적으로 판단하여 참고하는 것이 필요하다.

(3) 각막두께

각막혼탁이 생긴 부위의 각막은 대체로 얇아져 있고 각막표면으로 돌출된 덩어리진 반흔이나 병변이 있는 경우 전체적인 두께는 증가하더라도 덩어리 아래의 각막은 얇아져 있는 경우가 많다. 이러한 두께 변화는 불규칙 각막난시를 유발한다. 최근의 각막형태검사들은 keratometric map뿐 아니라 pachymetric map을 함께 제공하므로 각막 두께의 분포를 보는 용도로도 유용하다. 그러나 앞서 언급한 바와 같이 비정상 각막의 각막형태검사는 병변부의 각막두께 또한 부정확하게 측정되는 경우가 많으므로 이를 염두에 두고 초음파각막두께측정기나 선안부 빛산섭난층촬영(anterior segment OCT) 등을 이용해 반드시 이중으로 측정해 두어야 한다. 특히 anterior segment OCT는 혼탁의 깊이를 대략적으로 보여주고, 3D로 구성하여 분석이 가능한 기종이 있어 PTK의 범위와 깊이를 미리 계획하는 데 도움을 줄 수 있다(그림 33-1).

Anterior segment OCT가 없는 경우는 초음파 각막두께 측정기를 이용하여 중심부뿐 아니라 시술을 시행할 부위의 두께를 세 차례 이상 측정한 평균을 측정해 놓아야 한다.

굴절교정수술 시와 마찬가지로 적절한 잔여각막두께는 PTK 시에도 중요하다. 특히나 시력의 질 향상을 위해 irregular cornea에 대한 치료로 시행하는 경우는 더더욱 술 전 각막두께 측정에 신경을 써야 한다. 저자의 경우 최소 잔여 각막두께를 350 μm로 기준하고 있다.

(4) 각막 외 검사

시력의 저하에 각막이 차지하는 비중이 어느 정도인지 술 전에 반드시 검사해야 한다. 각막상태가 좋지 않다는 이유로 술 전에 망막이나 시신경에 대한 검사에서 얻을 정보가 없다고 생각할 수 있으나 macula OCT , RNFL OCT와 산동 후 안저검사를 반드시 시행하고 일반적인 예후에 대해 판단한 후에 결정하는 것이 필수적이다.

3) Techniques

PTK 수술 시 목표가 무엇이냐에 따라 시술과정도 달라지게 된다.

(1) 일반적인 원칙

① 각막중심부의 혼탁은 제거하되 지나친 절제는 피한다.[2]

혼탁이 돌출되어 있거나 크기가 크다면 레이저로 제거하는 것은 무리이므로 blade로 lamellar keratectomy를 시행한 후 PTK를 시행하면 각막표면을 더 매끄럽게 할 수 있다. 하지만 중심부의 지나친 레이저 조사는 결국 각막중심부의 편평화를 초래하여 술 후 원시 이행이 될 수 있으므로 레이저절삭 시행 중간에 병변부위를 체크하여 과도한 절삭을 방지하여야 한다. 또한 술 전에 굴절력 변화에 대해 환자에게 미리 설명해야 한다. 따라서 술 전 약간의 근시가 있는 중심부 혼탁환자라면 수술로 인해 각막의 투명성도 좋아지고 굴절교정까지 함께 하는 효과가 있어 좋은 수술대상안이라 할 수 있다.

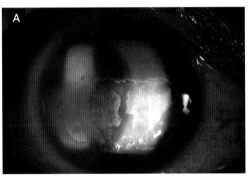

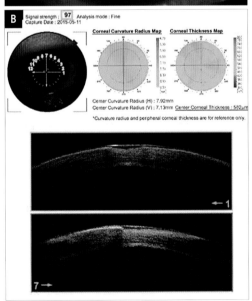

그림 33-1.
A. 시축을 침범하는 띠각막병증
B. 전안부안구단층촬영 소견
각막의 위치별 두께와 병변의 깊이를 알 수 있다.

② 각막주변부의 혼탁은 모두 제거하려고 무리할 필요는 없다.

중심부가 아닌 주변부 혼탁을 제거하기 위해 특정 부위에만 레이저를 조사하는 것이 오히려 각막 전체의 두께 불균형을 유발하게 된다.

③ 병변의 각막상피 상태에 따라 각막상피 제거 방법을 결정해야 한다.

각막상피는 각막표면의 상태를 결정하는 가장 중요한 구조물이므로 정상 각막상피를 가진 매끄러운 표면의 병적 각막, 예를 들어 granular dystrophy, lattice dystrophy, Avellino dystrophy, Reis −Bückler dystrophy의 경우 transepithelial ablation을 사용하고 각막상피 이상으로 인해 각막의 불규칙성이 더 악화되는 경우라면 각막상피를 먼저 제거하고 레이저 조사를 하는 것이 술 후 매끄러운 각막표면을 얻는 데 도움이 될 것이다.

④ 재발성 각막미란의 경우 병변 부위의 각막상피를 벗겨 내고 5~6 μm 정도의 비정상적인 바닥막만 레이저조사로 절제하면 된다.

(2) 레이저 조사 시 선택

각 회사별 엑시머레이저 사양에 따라 PTK 때 쓰는 parameter들의 범위나 종류들이 다르므로 각 술자가 수술 전에 미리 파악하고 있어야 한다.

① 조절 가능한 parameter 들: number of laser pulse, laser spot size, ablation zone diameter 일반적으로 one laser pulse 는 0.25 μm를 절삭한다든지 하는 기본적인 전제가 있으므로 laser pulse 수로 ablation depth를 조절할 수 있다. Spot size 자체를 작거나 크게 설정할 수 있고, 여러 개의 spot이 조사되는 circle의 범위에 따라 ablation zone을 크거나 작게 조절할 수 있다.

저자가 쓰는 엑시머레이저의 경우 PTK mode에서 ablation zone은 2~7 mm 사이에서 0.1 mm 단위로 설정 가능하여 PRK mode의 optical zone 4~10 mm보다 작은 사이즈부터 가능하다. 일반적으로 PRK에서는 target refraction을 입력하면 ablation depth가 자동으로 계산되지만 PTK에서는 병변에 따라서 ablation depth를 술자가 100 μm씩 입력가능하며 수술 중 ablation이 더 필요하다고 판단되는 경우에 100 μm 단위로 추가 입력할 수 있다. 또한 laser spot pulse 수를 미리 설정해 두고 이를 조절하는 방법도 있다.

② 대체로 중심부에 있는 혼탁을 제거하고 술 후 시력 향상을 염두에 둔다면 PRK 시술 시와 마찬가지로 환자가 light fixation을 잘 유지한 상태에서 동공중심에 레이저를 조사하는 것이 중요하다. 이때 ablation zone도 PRK때의 optical zone과 유사하게 6~6.5 mm 정도로 크게 설정한다.

(3) 각막표면이 거칠 경우

각막표면이 거칠 때는 small laser spot들로 튀어나온 부분들을 먼저 절삭해주고 이후 더 매끄러운 표면으로 다듬어 주기 위해 large laser spot들로 절삭해 주는 것이 효과적이다. 이때 절삭부위가 중복되면 불규칙한 절삭을 초래하기 때문에 표면을 덮어줄 masking agent로 saline이나 인공누액 등으로 각막표면을 코팅해 주고 레이저를 조사하는 방법도 있다.

(4) 주의사항

병변부에 조사되는 레이저가 중복되는 경우 예상보다 과도하게 절삭되는 부위가 생길 수 있음을 유의하여야 한다.

(5) Transepithelial PTK mode / PTK after epithelial removal

앞서 설명한 바와 같이 병변부의 각막상피 양상에 따라 선택하여 쓸 수 있다.

4) 병합할 수 있는 술기들

(1) Lamellar keratectomy

비정상 각막상피를 제거할 때뿐 아니라 Salzmann's nodular degeneration이나 amyloid degeneration 같은 각막 위에 생긴 덩어리 모양의 병변은 blade shaving 방식으로 lamellar keratectomy를 시행한다. 경우에 따라 제거한 바닥이 매끄러울 수 있으나 대부분은 불규칙한 병변이 남을 수 있는데 이것을 PTK로 매끄럽게 만드는 것이다.

(2) 양막이식술

술 후 반드시 이루어져야 할 가장 중요한 단계가 바로 PTK 부위의 상피재생이다. 이는 PRK에서도 마찬가지이나 상대적으로 PTK가 비정상각막에 주로 시행되기 때문에 상피 재생이 잘 되지 않는 경향이 있으므로 더욱 신경써야 하는 부분이다. 필자의 경우 이전에 신경영양각막병증 등으로 인해 지속각막상피결손부위의 불규칙한 바닥 또는 scarring이 상피재생을 방해하여 PTK를 시행한 경우, 혹은 당뇨관련 상피병증이 있는

경우는 대체로 상피재생이 느리기 때문에 술 후에 일시적 양막이식술을 함께 시행해 주거나 치료용 렌즈를 착용시켜서 각막재생을 촉진하게 하고 있다.

(3) Mitomycin C soaking

Surface ablation 후 시간이 지나면 대부분 해소되지만 심각할 수 있는 합병증으로 각막혼탁을 염두에 두어야 하는데 이는 PTK 후에도 마찬가지이다. 필자의 경우는 0.02% MMC를 cellulose sponge에 적셔 시술 부위에만 1~2분 soaking한 후 100~150 ml 정도의 saline irrigation을 반드시 시행하고 있다.

(4) 술 후 PRK

각막의 혼탁이나 병변을 PTK로 제거한 후 남은 굴절이상(주로 불규칙 난시)을 topography guided/wavefront guided PRK 등과 병합하여 좋은 결과를 얻었다는 보고들이 있다.[3,4]

3. 결론

PTK는 정상이 아닌 각막에 행하여 표면의 병적 각막구조물을 제거하거나 각막을 매끄럽고 더 투명하게 만드는 시술이다. 대상 각막의 상태에 따라서 술자의 판단에 따라 자유스럽게 laser spot의 크기, 모양, 수를 조절하여 각막절제의 범위나 깊이를 조절하여 시술하는 PTK의 특성상, 술 전 검사의 면밀한 분석 후에 시술해야 한다. 또한, PTK 시행 후에 가장 신경써야 할 부분은 각막상피재생이며 시술 후 원시화, 각막혼탁 각막이상의 재발 등을 염두에 두어야 한다.

One Point

대표적인 질환 및 증례에서의 PTK 실례

(1) Recurrent corneal erosion

10년 전에 라섹을 받은 49세 남환의 우안 recurrent corneal erosion이 고식적인 치료로 호전되지 않고 반복하여 PTK를 시행하였다. 그림 33-2A에서 하측의 이상각막병변이 보이고 주로 주변부 쪽의 각막상피가 불안정한 모습이었다. 그림 33-2B와 같이 2 μm laser spot을 병변부위에 골고루 174pulse 조사하였다. 술 후 이상바닥막이 있던 부위는 정상화되고 이후 재발은 없었다(그림 33-2C).

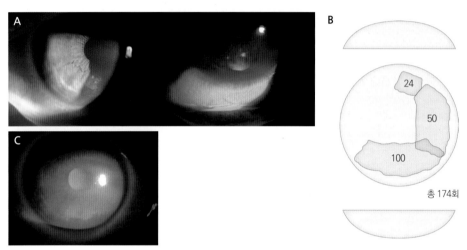

24

50

100

총 174회

그림 33-2. A. 재발각막미란, 술 전, B. PTK 시행부위와 pulse 수 기록, C. 술 후

이 환자의 경우 라섹 후 시력이 1.0 (1.0X −0.25D−0.50 Dc Ax 160)으로 PTK로 인해 굴절이상이 생길 경우 환자의 만족도가 떨어질 가능성이 있었으나 병변이 중심이 아니고 가장자리이고 재발성 각막미란의 PTK laser 조사 깊이가 깊지 않아 술 후 1.0 (1.0X−0.75Dc Ax 180)으로 난시가 조금 증가한 것 이외에는 굴절력 변화로 인한 문제는 생기지 않았다(그림 33-3).

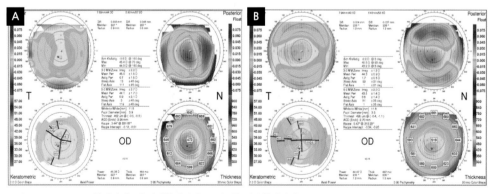

그림 33-3. A. PTK 환자의 술 전 각막형태검사, B. 술 후 각막형태검사

(2) Avellino dystrophy

3D의 근시가 있는 76세 남자 환자의 Avellino dystrophy를 PTK로 치료하였다. 술 전 중심각막두께가 510 μm인 것을 확인하였고, 수술 시 epithelium을 제거하고 6 mm zone으로 동공중심을 기준으로 stroma ablation 36 μm로 설정하고 레이저를 조사하였다. 조사 후 육안으로 보이는 각막혼탁이 최소화될 수 있도록 추가 절제하여 최종 절제깊이는 48 μm였으며 이는 각막상피 제거깊이까지 고려하면 약 100 μm라고 할 수 있다. 그림 33-4는 술 전과 술 후의 각막사진이다.

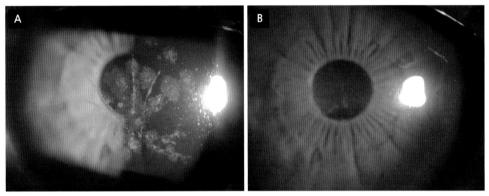

그림 33-4. A. Avellino dystrophy 환자의 술 전 각막사진, B. 술 후 사진

(3) Secondary amyloid degeneration

65세 여환이 각막하부에 지속된 trichiasis로 인해 생긴 secondary amyloid degeneration이 임상적으로 의심되는 병변으로 내원하였다. 그림 33-5는 PTK를 시행하기 전과 후의 각막사진이다. OCT를 촬영하여 병변의 경계부를 확인하고 PTK를 시행하였다.

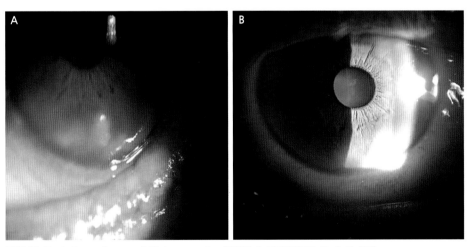

그림 33-5. A. Secondary amyloid degeneration 환자의 술 전 각막사진, B. 술 후 사진

현문현답

Q. PTK로 각막이 투명해지면 시력이 나아질 거라고 기대하잖아요. 그런데, 각막절제술을 하고 나서 오히려 시력이 저하되는 경우도 있지 않나요?

A. 각막표면은 매끄러워지고 각막혼탁이 제거되어 투명도는 올라갔는데도 시력의 개선이 거의 없거나 오히려 시력저하를 호소하는 경우에 당황스럽죠. 환자의 술 후 시력 개선을 위해 PRK와 유사한 방식으로 동공중심에 6 mm 이상의 laser ablation zone을 설정하여 시행한 경우에도 이럴 수 있습니다. 이때 반드시 체크해보아야 하는 것이 각막형태검사와 웨이브프런트 검사입니다.

Q. 각막고위수차가 증가해서 그럴 수 있겠군요. 그렇다 하더라도 술 전 보다 더 시력이 안 나올 만큼 고위수차가 증가하는 이유가 있을까요?

A. PRK는 정상각막에 시행하므로 laser ablation이 균일하게 된다는 가정하에 시술하며 결과도 큰 이변이 없죠. 하지만, PTK는 균일한 laser를 조사하더라도 혼탁이 있는 부분과 정상부분 그리고 그 경계부 모두가 절삭수준이 각각 다를 수밖에 없습니다. 이로 인해 생기는 불규칙한 표면이 오히려 술 전 보다 더한 불규칙 난시를 유발할 수도 있죠. 이를 예방하기 위해 masking agent를 중간중간 추가하는 것이 생각보다 중요한 역할을 할 수 있음을 술 전에 반드시 염두에 두어야 합니다. 또한, PTK는 최소한으로 하고 시력 개선을 위해서는 topography-guided/wavefront-guided laser refractive surgery를 시행하는 것도 방법입니다.

■■■ 참고문헌

1. Christopher J. Rapuano. Excimer Laser Phototherapeutic Keratectomy .In: Mark J Mannis, Edward J Holland. *Cornea. 4th ed.*Elsevier.

2. Timothy B. Cavanaugh. Phototherapeutic keratectomy: operative techniques and complications.In: Frederick S. Brightbill,eds. *Corneal Surgery: Theory, Technique and Tissue 4th ed.* Mosby Elsevier.

3. Hsiao CC, Hou YC. Combination of phototherapeutic keratectomy and wavefront-guided photorefractive keratectomy for the treatment of Thiel-Behnke corneal dystrophy. *Indian J Ophthalmol* 2017;65:318-320.

4. Camellin M1, Arba Mosquera S. Simultaneous aspheric wavefront-guided transepithelial photorefractive keratectomy and phototherapeutic keratectomy to correct aberrations and refractive errors after corneal surgery. *J Cataract Refract Surg* 2010 ;36:1173-1180.

표 34-3   Nichamin nomogram

The "NAPA" Nomogram
Nichamin Age & Pachymetry-Adjusted Intralimbal Arcuate Astgmatic Nomogram
Louis D. "Skip" Nichamin, M.D. ~ The Laurel Eye Clinic, Brookville, PA

WITH-THE-RULE (Steep Axis 45~134°)						
PREOP CYLNDER	Paired Incisions in Degrees of Arc					
(Diopters)	20-30 yo	31-40 yo	41-50 yo	51-60 yo	61-70 yo	71-80 yo
0.75	40	34	34	30	30	
1.00	45	40	40	34	34	30
1.25	55	50	45	40	34	34
1.50	60	55	50	45	40	40
1.75	65	60	55	50	45	45
2.00	70	65	60	55	50	45
2.25	75	70	65	60	55	50
2.50	80	75	70	65	60	55
2.75	85	80	75	70	65	60
3.00	90	90	85	80	70	65
AGAINST-THE-RULE (Steep Axis 0~44°/136~180°)						
PREOP CYLNDER	Paired Incisions in Degrees of Arc					
(Diopters)	20-30 yo	31-40 yo	41-50 yo	51-60 yo	61-70 yo	71-80 yo
0.75	45	40	40	34	34	30
1.00	50	45	45	40	40	34
1.25	55	55	50	45	40	34
1.50	60	60	55	50	45	40
1.75	65	65	60	55	50	45
2.00	70	70	65	60	55	50
2.25	75	75	70	65	60	55
2.50	80	80	75	70	65	60
2.75	85	85	80	75	70	65
3.00	90	90	85	80	75	70

Blade depth setting is at 90% of the thinnest pachymetry

표 34-4   Donnenfeld nomogram

Astigmatism	Incision
0.50D	One incision, 1 1/2 clock hours (45° each)
0.75D	Two incisions, 1 clock hour (30° each)
1.50D	Two incisions, 2 clock hours (60° each)
3.00D	Two incisions, 3 clock hours (90° each)

윤부절개이기 때문에 AK보다는 교정 정도는 작으나 절개 깊이가 500~600 μm로 고정되어 있어 각막두께 측정이나 marking이 필요 없으 며 perforation의 위험성도 적고 glare가 적다는 장점이 있다. 그림 34-3은 난시교정법을 보여준다.

One Point

LRI의 교정효과는, ①각막절개가 깊을수록, ②절개의 길이가 길수록, ③절개부가 각막중심에 가까울수록 크다. 그러나 각막절개의 깊이가 깊으면 천공위험, 감염 위험이 커지며 절개의 길이가 길면 외상에 약하며, 절개부가 중심에 가까울수록 부정난시나 glare 등의 문제가 생길 가능성이 많다는 점을 숙지해야 한다.

난시축으로부터 1°틀어지면 교정효과는 3% 저하되며 30°틀어지면 효과가 거의 없어진다. 난시교정수술은 교정도수보다 정확한 축을 정하는 것이 매우 중요하다.

A

B

C
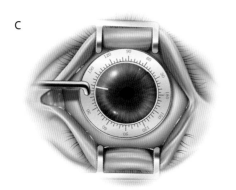

D
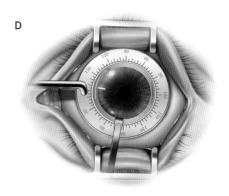

E

그림 34-3.
A. 수술 전에 각막 및 결막에 alignment marker를 이용하여 기준점을 표시한다.
B. 표시할 때는 자국이 남게 세게 누르며 각막 상피에 흔적을 남기는 것이 중요하다.
C. Degree gauge를 이용하여 고정링의 각도와 표시한 각도가 일치하도록 한다.
D. LRI marker로 절개선 표시를 한다.
E. Double foot plate가 달린 diamond knife를 이용하여 절개선에 따라 계획한 두께와 각도로 절개한다.

One Point

아무도 알려주지 않은 진실– 성공적인 수술을 위한 방법

1. 각막확장증(corneal ectasia)이 의심되는 경우에는 절대로 시행하지 않는다.
2. 일반적으로 각막 두께의 90%를 타깃으로 하여 diamond knife 등의 깊이를 조절하지만 만일 pachymeter나 topography 등이 없어 정확한 각막두께를 모르는 경우라면 450~550 μm 사이에서 절개 두께를 정한다.
3. blade는 각막 접선과 수직으로 위치하여 절제하도록 한다. 이 과정에서 대부분 수직으로 blade를 위치시키지 못해 원하는 두께만큼의 절제를 얻지 못하는 경우가 많다. 이를 방지하기 위해 혹자는 칼의 깊이를 각막두께의 100%로 맞추는 경우도 있다.
4. 만일 total perforation이 되어 방수가 흘러나온다면, 칼날의 깊이를 10% 조절하고 stromal hydration을 시행한다.
5. 백내장과 동시에 시행하는 경우라면, 반드시 수술 전에 수행한다. 수술 후에는 각막의 압력이 유지되지 않기 때문에 원하는 두께의 절제를 할 수 없다.

2) Toric IOL

위에 기술한 대로 1.5 디옵터 이상의 각막난시를 백내장 수술과 동시에 교정할 경우 사용한다. 수술 방법은 일반적인 백내장과 같으며 LRI에서 사용되는 마커들(alignment marker, degree gauge 등)을 사용할 수 있다. 수정체 제거 후, 인공수정체의 haptic-optic junction 부위의 마킹을 미리 표시해 놓은 각막 marking에 위치시켜서 교정한다.[6]

3) 각막이식 후 난시의 조절

(1) 각막이식 후 발생하는 난시의 특징

각막이식 수술 후 난시는 이식 수술 후 실용적인 시력(functional vision) 향상에 있어서 매우 중요하다. 고령자도 많기 때문에 가급적 안경으로 교정이 가능한 정도로 맞추는 것이 목표이다. 난시의 교정은 이미 수술 중에 시작된다. 최종 봉합 단계에서 이식편의 찌그러짐(distortion)이 최대한 작게 수술을 끝내는 것이 중요하다. 수술 중 난시를 줄이기 위한 노력에도 불구하고 각막이식 후 발생하는 난시는 여러 요인(예: donor cornea size, suture 방법)의 영향을 받아 난시의 양이 비교적 크다. 연속봉합인 경우 술 후에 조정(adjust)을 하여 난시를 경감할 수 있고 단속봉합인 경우 선택적인 발사를 통해 난시를 줄일 수 있으나 이 장에서는 봉합사의 조정이나 발사를 제외한 수술적인 방법에 대하여 논하고자 한다. 난시의 양에 따라 다양한 수술방법이 단독 혹은 병용될 수 있으며 그 방법은 아래와 같다.[4,7]

– Relaxing incisions
– Compression suture with/without relaxing incision
– Wedge resection
– Laser vision correction: LASIK or PRK

(2) 수술 교정 방법

수술은 일반적인 활모양 각막절개술(arcuate keratotomy, AK)과 비슷하나 난시의 양이나 graft의 상황에 따라, incision의 위치는 graft 안쪽이나 host-graft junction에 위치시킬 수 있으며 incision의 위치와 양은 coupling ratio를 고려

해야 한다. 이때, incision의 모양(configuration)이 중요하며, incision이 graft보다 straight해지는 경우, negative coupling ratio를 갖게 되어 myopic shift를 보이며, graft보다 더 curvature를 갖는 경우는 positive coupling ratio를 갖게 되어 hyperopic shift를 보인다.

Incision을 graft-donor junction 부위에 시행하는 것을 relaxing incision이라고 하며 대개, post-PK의 난시조절은 이 junction부위에 시행한다(그림 34-4).[8] 하지만, donor graft에 수행하는 경우도 있으며 이는 relaxing incision과 구분되어 arcuate keratotomy로 따로 명명한다(일반적으로 donor graft에 incision하는 것은 예측하지 못했던 결과를 내는 경우가 많다).

① 이완절개술(Relaxing Incision)

a. 각막이식 후 난시 조절에 가장 많이 사용하는 방법이다.

b. 그동안 많은 문헌을 조사해 보면, 전층 각막이식 후 AK는 수술하지 않은 각막의 nomogram을 따르는 경우 원하는 교정값을 얻지 못하고 예측하지 못했던 결과를 내는 경우가 많

다. 따라서, 수술은 topographic map의 steep meridian을 따라 incision을 하는 것이 원칙이며 이 경우 꼭 180도 떨어진 부위에 incision을 할 필요는 없으며 steep meridian을 따라 incision을 위치시키면 된다. 하지만, incision의 길이는 90도를 넘는 것이 좋지 않으며 대개 45도에서 90도 사이에 둔다.

c. 저자는 난시의 양에 따라 incision 된 부위의 90도 부위에 compression suture를 하는 경우가 있으며 이는 incision 과 함께 교정의 양을 최대화 시키는 효과가 있으며 또, 나중에 suture releasing을 통해 난시를 다시 조절하는 효과를 볼 수 있다.

d. Compression suture는 incisional keratotomy와 같이 할 수도 있으나 단독으로 시행될 수 있으며 이는 single running suture를 풀지 않은 상태에서도 수행할 수 있다는 장점이 있다.

e. Compression suture를 할 때는 효율적인 compression을 위해 일반적인 각막이식술 봉합보다 0.5~1.0 mm 크게, 깊이는 70~80% 정도로 시행하며 실의 tension을 조정하여 압

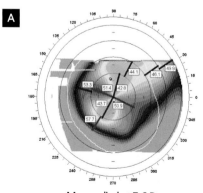

Mean cylinder: 7.6 D

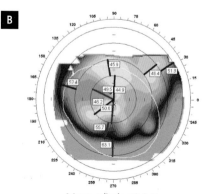

Mean cylinder: 2.3 D

그림 34-4. Relaxing incision 전(A) 후(B)의 각막형태검사 변화[8]

력을 조절한다.

f. Compression suture는 5D 이상의 난시에서 host-graft 접합부에 층이 있는 경우 유용하다. 점안 마취하에 10-0 나일론을 이용하여 flat한 방향에 봉합한다. 층이 진 경우는 donor 측은 얕게, recipient 측은 되도록 깊게 누르듯이 봉합한다. 봉합은 난시축이 역전할 정도를 목표로 세게 봉합한다. 2개나 3개를 봉합 후 1달이 지나 과교정이 되었을 때 선택적으로 발사하여 조정한다(그림 34-5).

② Arcuate Keratotomy

일반적인 난시교정용 keratotomy를 지칭하지만, donor cornea안쪽의 6.0~7.0 mm 지점에서 행해진다는 것이 relaxing incision과의 차이이다. 이는 host-graft junction에서 대개 0.5~1.0 mm 안쪽 지점에 해당한다. 하지만, 위에 언급한대로 난시의 조절이 매우 힘들고, 때로 optic zone에서 매우 가까워질 수 있다. 일반적으로, optic zone 5.0 mm 이내의 incision은 심한 불규칙 난시를 만드는 것으로 되어 있다. 따라서 incision은 반드시, 적어도 optic zone 6.0 mm 밖에서 시행되어야 한다.

최근에는 femtosecond laser를 이용하여 incision의 depth와 길이, 위치를 좀 더 정교하게 조절할 수 있게 되어 AK의 부정확도가 많이 향상될 수 있을 것으로 기대한다.

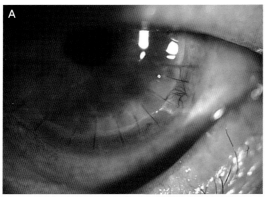

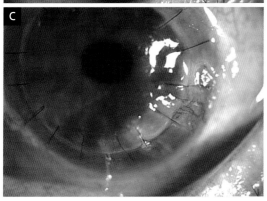

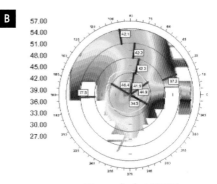

Mean cylinder: 13.8 D

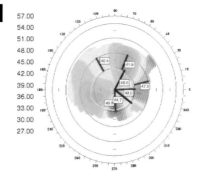

Mean cylinder: 2.3 D

그림 34-5. 봉합 전(A, B) 후(C, D) 각막 사진 및 각막 형태검사

One Point

아무도 알려주지 않은 진실 – Coupling effect

"Coupling의 정의는 incision keratotomy를 시행하는 경우, incision이 행해지는 경선에서는 flattening이 일어나지만, 이와 90도 떨어진 경선에서는 자동적으로 steepening이 일어난다는 이론이다. coupling ratio는 flattening된 난시의 양을 steepening된 난시의 양으로 나눈 것으로,

coupling ratio=amount of flattening K value/amount of steepening K value로 표현되며 이 값이 "1.0"이라는 의미는 steepening과 flattening의 양이 같아서 spherical equivalent의 차이가 없다는 것이고, 1.0보다 크다는 것은 flattening이 더 많이 일어나 hyperopic shift, 1.0보다 작다는 것은 steepening이 더 크게 일어나 myopic shift가 발생함을 의미한다(그림 34-6).

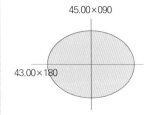

Before Corneal Incisions
MR×−2.50+2.00×090
Spherical Equivalent −1.50
K 45.00×090/43.00×180

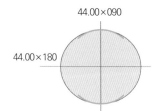

After Corneal Incisions
MR×−1.50 spherical
Spherical Equivalent −1.50
K 44.00×090/44.00×180

그림 34-6. Coupling ratio=1.0의 한 예

현문현답

Q. 과거에 각막형태검사가 개발되기 전 keratometer를 기준으로 난시교정을 한 경우를 AK로 이해해야 할 것 같습니다. 그러다보니 술 후 오차가 상당하죠. AK의 대표적인 nomogram은 Dr. Lindstrom이 보고한건데 일반적으로 optical zone 7 mm로 각막두께의 80~90%를 절개함으로써 난시를 교정하기에 수술 후 교정 정도는 그렇다 치더라도 glare가 문제되는 경우가 꽤 있었어요.

A. 백내장 수술을 앞둔 환자에서 난시의 평가는 중요합니다. 수술 전 K 값은 반드시 확인을 해야겠지만 수정체 난시가 있는 경우 cornea astigmatism이 masking 되어 자칫 각막난시를 놓치는 경우가 있습니다. 이런 경우 수술 후 난시가 유발되는 경우가 있기 때문에 환자 입장에서는 없던 난시가 생겼다고 생각할 수가 있죠. 본래 환자가 가지고 있었던 난시라는 것을 수술 전에 설명을 해주어야 합니다.

Q. 어느 정도의 난시면 교정하세요?

A. 저는 1.5D 이상에서 추천합니다.

A. 저는 1.0D 이상은 대상으로 합니다.

A. 저는 그냥 백내장을 하고 보자고 하는 편입니다.

A. 글쎄요. 답이 없는 것 같아요. 난시 검사는 일반적으로 각막곡률계, 각막형태검사, 굴절검사로 평가합니다만 여기에도 함정이 있습니다. 3 mm zone의 3,4개의 점을 측정하는 각막곡률계보다는 3 mm zone에 많은 측정점을 갖는 각막형태검사의 SimK 값이 더 정확하다고 할 수 있지만 SimK 라고 하더라도 3 mm 이내의 각막정보는 없다는 점을 주의해야 합니다. 또 비대칭성이 있는 경우도 정확한 정보를 줄 수 없습니다. 어디까지나 각막난시의 정보는 'About, 대략'이라는 점을 이해해야 합니다. 더군다나 난시가 꽤 있는데도 나안시력이 좋은 경우도 있고 난시가 조금만 있는데도 나안시력이 떨어지는 사람도 있습니다. 난시 교정은 개인차가 있기 때문에 100%를 목표로 하기보다는 70~80%를 목표로 하는 것이 더 맞는 이야기 같습니다.

Q. 요즈음은 Toric IOL의 교정 효과가 우수해서 저는 각막에 손대는 것보다는 toric IOL을 선호합니다.

A. 백내장 수술 후 시력이 안 나온다는 환자가 오셨는데요. 이분이 저한테 계속 3,4년간 꾸준히 다니셨던 분이었어요. 백내장 수술하자고 한 후 6개월간 follow up loss 되더니 타병원에서 수술을 하고 왔더라구요. 원래 각막난시가 2.5~3.0 diopter 있어서 toric IOL recommend 했던 분인데, 시력은 나안으로 1.0이 나오더라구요. 수술이 잘 됐죠. 그런데 안보인다고 하는 거예요. Slit lamp로 보니깐 AK를 하셨더라구요.

Q. LRI요?

A. 아니요. AK요. 수술하신 선생님이 AK를 많이 하시 분 같은데… 난시가 생각보다는 교정이 잘 되어있는데 문제는 irregularity가 심해진 거예요. 결과적으로 수술 전에는 cornea aberration이 정상이었는데 수술 후에 HOA이 많이 증가해서 이것이 시력저하의 원인으로 판단이 되었던 환자였어요(그림 34-7).

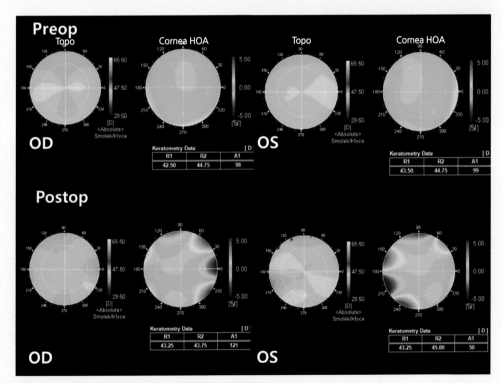

그림 34-7. AK 후 HOA가 증가하여 시력저하가 유발된 증례

■■■ 참고문헌

1. Nichamin LD. LRIs and refractive IOLs: my way. In: Chang DF, editor. Mastering refractive IOLs: the art and science. Thoroughfare, NJ: Slack Inc.; 2008. pp. 588–591.

2. Amesbury EC, Miller KM. Correction of astigmatism at the time of cataract surgery. *Curr Opin Ophthalmol* 2009 Jan;20(1):19-24.

3 Fishkind WJ. Pearls for improving your cataract surgical skills. In: Chang DF, editor. Mastering refractive IOLs: the art and science. Thoroughfare, NJ: Slack Inc.; 2008. pp. 662–664.

4. Krachmer, Mannis, Holland. Cornea: Surgery of the Cornea and Conjunctiva. 3rd Edition, New York, NY: Elsevier Inc, 2011. pp.1397-1384

5. Nichamin LD. Treating astigmatism at the time of cataract surgery. *Curr Opin Ophthalmol* 2003 Feb;14:35–38.

6. Miller KM. Can I combine toric IOLs and PCRIs? In: Chang DF, editor. Mastering refractive IOLs: the art and science. Thoroughfare, NJ: Slack Inc.; 2008. pp. 641–644

7. Faktorovich EG, Maloney RK, Price FW Jr. Effect of astigmatic keratotomy on spherical equivalent: results of the Astigmatism Reduction Clinical Trial. *Am J Ophthalmol* 1999 Mar;127(3):260–269

8. Song HB, Choi HJ, Kim MK, Wee WR. The Short-Term Effect of Limbal Relaxing Incision and Compression Suture on Post-Penetrating Keratoplasty Astigmatism. J Korean Ophthalmol Soc. 2011 Oct;52(10):1142-1149.

각막 콜라겐 교차결합술

35

→Key
Point

• 원추각막에서 collagen cross linking의 적응증 및 치료효과에 대해 알아보자.

1990년대 후반부터 각막 콜라겐 교차결합술 (collagen cross linking)이 원추각막이나 이차적 각막확장증의 진행을 억제시킬 수 있다고 제시되면서 환자들에게 각막이식을 미루거나 피할 수 있는 희망을 줄 수 있게 되었다. 각막 콜라겐 교차결합술은 각막에 흡수된 riboflavin (vitamin B2)이 ultraviolet-A (UVA)를 흡수하면서 free radical이 생산되어 각막기질과 화학적 결합을 형성함으로써 각막조직을 강화시키는 원리로 개발된 수술이다.[1,2]

1. 적응증

모든 원추각막환자에게 콜라겐 교차결합술이 필요한 것은 아니다. 콜라겐 교차결합술의 주요 목적은 각막확장의 진행을 억제하는 것이므로 진행하는 환자가 치료 대상군이다. 원추각막의 진행은 1년 동안 최대각막곡률이 1D 이상 증가하거나 6개월 동안 근시나 난시가 3D 이상 증가하고 각막지형도상 평균 중심각막곡률이 3회 연속측정에서 1.5D 이상 증가하는 경우, 6개월 동안 3회 연속측정한 평균중심각막두께가 5% 이상 감소하는 경우로 정의될 수 있다. 따라서 원추각막이 많이 진행하여 각막두께가 얇아지기 전 진행이 확인된다면 콜라겐 교차결합술을 시행해 주는 것이 좋다. 각막두께가 400 μm 이하인 경우, 심한 각막의 흉터 및 혼탁, 헤르페스 감염 및 면역질환병력, 면역질환력, 각막상피 상처치유반응이 잘 안된 병력, 심한 안구표면질환 및 임산부/수유부에게는 시행할 수 없다.[3-5] 원추각막이 10대 후반에 발생하여 20대에 진행을 활발히 하고 30대가 넘어가면 진행속도가 감소되는 질병의 자연경과를 고려할 때 젊은 환자가 진행소견을 보인다면 각막두께가 400 μm 이하로 얇아지기 전에 콜라겐 교차결합술을 시행하는 것이 환자의 최종 시력예후에 도움을 줄 수 있을 것이다.

2. 수술술기와 수술 후 관리

최초로 소개된 Dresden protocol은 각막상피를 제거하고 20% dextran에 포함된 0.1% riboflavin 용액을 약 20분간 뿌린 뒤 370 nm 파장과 3 mW/cm^2 출력의 UVA를 조사하여 총 5.4 J/cm^{2}를 각막에 조사하는 것이다.[6] 수술과정은 먼저 상

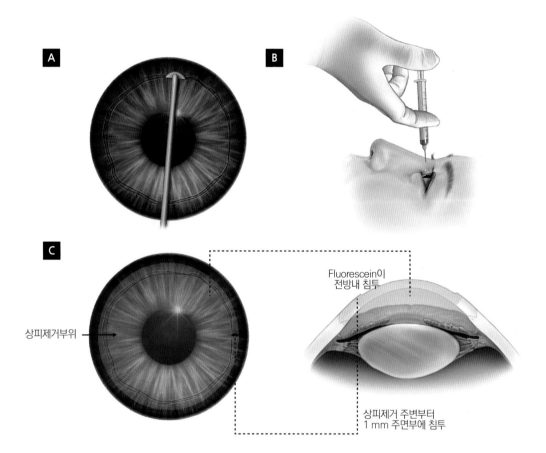

그림 35-1. 각막 콜라겐 교차결합술의 시술 과정
A. 자외선조사를 행하고자 하는 부위의 각막상피를 제거한다. 라섹할 때와 같이 20% 에탄올을 사용하면 용이하다.
B. 0.1% rivoflavin 용액을 2분 간격으로 30초 점안한다. 각막실질표면부터 수분의 증발을 최소화하기 위해 speculum을 빼고 자연스러운 눈깜박임을 하게하고 점안한다.
C. 각막실질 전체적으로 rivoflavin이 침투되어 있는지 보려면 노란색 rivoflavin이 상피제거한 주변부부터 1 mm 이상 주변으로 침투하여 전방 내에 염색됨을 확인한다.

피를 제거한 후, riboflavin 용액을 뿌리고, UVA 를 조사하는 과정으로 이루어지므로 기계만 구비 된다면 누구나 쉽게 시행할 수 있다(그림 35-1, 2). 각막두께가 얇은 경우는 저장성 riboflavin을 이 용하여 각막부종을 유도한 뒤 UVA를 조사하거 나,[7] benzalkonium chloride를 riboflavin과 함 께 점안하여 각막상피의 tight junction을 느슨하 게 만들어 riboflavin의 침투를 유도하는 상피투 과 콜라겐 교차결합술도 시행되고 있다.[8] Ribo-flavin이 결막에 닿는 경우 수술 후 충혈이나 알 러지 결막염을 호소하는 환자도 있고, 윤부에 흡 수되어 UVA조사 후 윤부줄기세포 결핍 발생 우 려 때문에 술자에 따라서는 윤부를 보호하는 링

을 올려놓거나, 스폰지나 소프트렌즈를 잘라서 보호하거나, 라섹 시 사용하는 9 mm alcohol well 안에 리보플라빈을 떨어뜨리기도 한다(그림 35-3).

현재까지 가장 많이 사용되는 것이 Dresden protocol이지만 riboflavin 용액의 조사시간이나 UVA 조사시간 및 조사패턴을 변형한 대체 pro-tocol도 소개되어 사용되고 있다.[9] 수술 후 치료 용 콘택트 렌즈를 각막상피가 덮일 때까지 사용 하고 항생제와 0.1% fluorometholone 염증 안약 을 최소 1달 이상 사용한다. 수술 후 약 1달 째부 터 각막 빛간섭단층촬영이나 샤임플러그 사진으 로 약 300~350 μm에서 치료 깊이로 추정되는

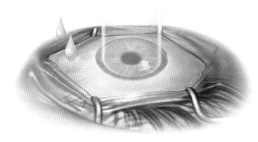

그림 35-2.
각막 콜라겐 교차결합술 시술시 자외선 조사 모식도
전용장치를 이용하여 각막에 자외선을 조사한다.
자외선 조사 중에는 각막표면이 건조하지 않도록
rivoflavin의 점안을 계속한다.

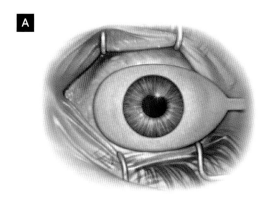

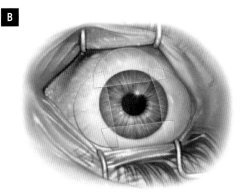

그림 35-3. 자외선 조사 시 윤부를 보호하는 방법
A. 윤부에 자외선이 조사되어 각막상피의 stem cell의 손상을 억제하기 위해 윤부를 스폰지 등으로 보호한다.
B. 소프트렌즈를 짤라서 윤부를 보호해도 효과적이다.

demarcation line을 관찰하면 치료가 성공적으로 이루어졌다고 볼 수 있다. 따라서 수술 전 각막두께가 400 µm은 확보되어야 수술 후 각막내피세포 손상을 막을 수 있기 때문에 수술 전 각막형태검사와 접촉식 초음파로 각막두께를 다 측정하여 비교해 보는 것이 좋다.

3. 수술결과와 합병증

현재까지 Dresden protocol로 수술 후 최소 1년 이상 최대 10년간 장기 추적관찰한 약 40개 이상의 연구결과에서 최대각막곡률이 감소하거나 안정화되었고 최대교정시력도 안정화되거나 증가되었다고 보고되었다.[10] 필자의 경험으로도 수술 후 3개월부터 최대 2년까지 관찰했을 때 수술 전과 비교하여 최대각막곡률값 및 평균각막곡률값이 진행하지 않는 경우가 대부분이었다. 그러나 수술 전 최대각막곡률값이 55D 이상으로 원추각막이 진행된 경우 일부에서 수술 1달 째 각막곡률값이 더 가파르게 변했다가 수술 후 3개월 째 다시 수술 전 값으로 돌아오는 것을 경험하였다. 또한 진행된 일부 환자에서는 오히려 수술 전보다 각막곡률값이 감소하고 나안시력이 호전된 증례

도 경험할 수 있었다. 최근에 미국에서는 원추각막의 진행이 시작되기 전 예방목적으로 콜라겐 교차결합술을 시행할 것을 권고하고 있는데 필자도 환자의 나이가 20대 중반 이전이라면 중등도의 원추각막에서 진행 소견이 명확하지 않더라도 수술을 시행하는 것이 환자에게 도움이 될 수 있을 것으로 생각한다. 수술 후에도 최대각막곡률이 수술 전보다 1D 이상 진행한 경우를 치료실패라고 정의할 수 있고, 치료군의 8.1~33.3%까지 보고된 바 있다.[11]

수술 후 비교적 흔하게 발생하는 합병증은 각막혼탁(corneal haze)이다. 현재까지 각막혼탁의 원인이나 자연경과는 아직 명확히 밝혀져 있지 않지만[12] 환자에게 최소 1달 동안 항생제와 스테로이드 안약을 하루 4회 점안시키고 수술 3개월에 걸쳐 줄이면서 사용하는 것이 좋다. 이 외에도 라식 후 시행하는 경우 미만층판각막염(diffuse lamellar keratitis),[13] 헤르페스 각막염 병력이 있었던 경우 수술 후 각막 융해[14] 및 각막내피세포 부전으로 인한 지속적인 각막부종이 보고된 바 있다.[15] 따라서 수술 전 경면현미경 검사와 정확한 각막두께측정이 매우 중요하며 수술 전 헤르페스 각막염 병력은 꼭 물어보아야 한다.

현문현답

Q. 콜라겐 교차결합술은 아마 이론적으로는 원추각막환자에게 충분히 효과가 있을 것 같은데요. 여전히 나오는 얘기가 자외선에 대한 독성이나 장기 예후에 대해 검증이 안됐다는 점인 것 같아요.

A. 평생 추석결과는 아니지만 5년, 10년까지의 결과를 보고한 연구들이 있어요. 연구들마다 포함 기준이 다소 상이하고 효과를 판단하는 지표가 다양하긴 하지만, 원추각막의 진행을 늦추거나 억제하는 효과가 있고, 그 효과는 초기 단계일수록 높다는 게 일치된 의견인 것 같아요. 이 기간 동안 자외선 독성과 관련된 별다른 안전성 문제도 없었습니다.

A. 이 이상의 기간에서 합병증이 나타날 수 있다하더라도 자외선에 대한 독성과 관련이 있다고 입증하기는 쉽지 않을 것 같네요.

Q. 요즈음엔 라식 수술 시 각막형태검사상 원추각막이 의심되는 경우 콜라겐 교차결합술을 추천하는 것 같은데… 혹시 경험들이 있으신가요?

A. 네. 요즘 고위험군환자에서 라식수술을 할 때 콜라겐 교차결합술을 함께 시행하는 경우가 있어요. Athens Protocol이라고도 하던데요, 라식 절편을 만들고 엑시머레이저로 절삭한 다음, 0.25% 리보플라빈 점안액을 라식 절편에는 닿지 않도록 기질면에 90초간 점적하고 완전히 씻어냅니다. 그리고, 절편을 덮고 90초간 UVA 3.0 mW/cm² (2.7 J/cm²)를 조사하게 되죠. 라식 외에도 PRK, 스마일라식과 함께 시행한 보고들까지 많은 관련 연구가 나오고 있지만, 아직은 확립된 안전성이나, 장기 예후에 대한 연구가 더 필요한 상황입니다. 좀 더 지켜봐야 할 것 같아요.

참고문헌

1. Wollensak G, Spoerl E, Seiler T. Stress-strain measurements of human and porcine corneas after riboflavin-ultraviolet-A-induced cross-linking. *J Cataract Refract Surg* 2003 Sep;29(9):1780-5.

2. Wollensak G, Aurich H, Wirbelauer C, Sel S. Significance of the riboflavin film in corneal collagen crosslinking. *J Cataract Refract Surg* 2010 Jan;35(1):114-20.

3. Alhayek A, Lu PR. Corneal collagen crosslinking in keratoconus and other eye disease. *Int J Ophthalmol* 2015 Apr 18;8(2):407-18.

4. Raiskup F, Spoerl E. Corneal crosslinking with riboflavin and ultraviolet A. Part II. Clinical indications and results. *Ocul Surf* 2013 Apr;11(2):93-108.

5. Vinciguerra P, Albè E, Trazza S, Rosetta P, Vinciguerra R, Seiler T, Epstein D. Refractive, topographic, tomographic, and aberrometric analysis of keratoconic eyes undergoing corneal cross-linking. *Ophthalmology* 2009 Mar;116(3):359-78.

6. Wollensak G, Spoerl E, Seiler T. Riboflavin/ultraviolet-a-induced collagen crosslinking for the treatment of keratoconus. *Am J Ophthalmol* 2003 May;135(5):620-7.

7. Hafezi F, Mrochen M, Iseli HP, Seiler T. Collagen crosslinking with ultraviolet-A and hypoosmolar riboflavin solution in thin corneas. *J Cataract Refract Surg* 2009 Apr;35(4):621-4.

8. Filippello M, Stagni E, O'Brart D. Transepithelial corneal collagen crosslinking: Bilateral study. *J Cataract Refract Surg* 2012 Feb;38(2):283-91.

9. Cınar Y, Cingü AK, Türkcü FM, Çınar T, Yüksel H, Özkurt ZG, Çaça I. Comparison of accelerated and conventional corneal collagen cross-linking for progressive keratoconus. *Cutan Ocul Toxicol* 2014 Sep;33(3):218-22.

10. Mastropasqua L. Collagen cross-linking: when and how? A review of the state of the art of the technique and new perspectives. *Eye Vis (Lond)* 2015 Nov 29;2:19.

11. Shalchi Z, Wang X, Nanavaty MA. Safety and efficacy of epithelium removal and transepithelial corneal collagen crosslinking for keratoconus. *Eye (Lond)* 2015 Jan;29(1):15-29.

12. Mastropasqua L, Nubile M, Lanzini M, Calienno R, Mastropasqua R, Agnifili L, Toto L. Morphological modification of the cornea after standard and transepithelial corneal cross-linking as imaged by anterior segment optical coherence tomography and laser scanning in vivo confocal microscopy. *Cornea* 2013 Jun;32(6):855-61.

13. Kymionis GD, Bouzoukis DI, Diakonis VF, Portaliou DM, Pallikaris AI, Yoo SH. Diffuse lamellar keratitis after corneal crosslinking in a patient with post-laser in situ keratomileusis corneal ectasia. *J Cataract Refract Surg* 2007 Dec;33(12):2135-7.

14. Ferrari G, Iuliano L, Viganò M, Rama P. Impending corneal perforation after collagen cross-linking for herpetic keratitis. *J Cataract Refract Surg* 2013 Apr;39(4):638-41.

15. Sharma A, Nottage JM, Mirchia K, Sharma R, Mohan K, Nirankari VS. Persistent corneal edema after collagen crosslinking for keratoconus. *Am J Ophthalmol* 2013 Apr;155(4):775-6.

안과수술에서 조직접착제의 이용

36

> Key
> Point

- 조직접착제의 종류와 원리를 이해한다.
- 조직접착제의 사용법과 다양한 안과수술에서의 활용에 대해 알아본다.

1. 서론

안과 수술에서 조직접착제(tissue adhesive, tissue glue)는 봉합사를 대신하여 그 활용이 점차 늘어나고 있다. 조직접착제는 비용의 부담이 있고 제한된 경우에만 사용할 수 있는 단점은 있지만, 적당한 강도와 높은 생체적합성, 수술시간의 단축과 환자의 높은 만족도로 인해 일부 술기에서 봉합사를 대체하고 있다. 본 장(章)에서는 조직접착제의 특장점과 안과 수술에서의 활용에 대해 소개한다.

2. 조직접착제의 종류와 특장점

조직접착제는 크게 합성물과 생물학적 제제 두 종류로 나눌 수 있다. 합성물로는 대표적으로 시아노아크릴레이트(cyanoacrylate)와 폴리에틸렌글리콜(polyethylene glycol, PEG)이 있고, 생물학적 제제로는 피브린(fibrin)이 있다.[1] 각 제형에 따라 특장점이 있다(표 36-1).

1) 시아노아크릴레이트(Cyanoacrylate) 계열
시아노아크릴레이트 계열은 초창기에 많이 사용되었던 조직접착제이다.[2] 조직액 등의 수분에 반응하여 중합 및 고체화된다. 중합 반응시간은 제품마다 차이가 있고, 이오펜딜레이트(iophen-

표 36-1   조직접착제(tissue adhesives)의 종류의 장단점

성분	종류	특징
Cyanoacrylate 계열	Synthetic	수분과 반응하여 중합반응 가장 강력한 접착력 불투과성, 이물반응, 조직독성
Polyethylene glycol (PEG) 계열	Synthetic	조직단백질 혹은 광원에 의한 가교, 중합반응 충분한 접착력 높은 생체적합성
Fibrin 계열	Biological	섬유소원(fibrinogen)과 트롬빈(thrombin)의 응고반응 상대적으로 약한 접착력 높은 생체적합성 혈액 유래 성분

dylate)로 반응시간을 지연시킬 수 있다. 조직접착제 중 인장 강도(tensile strength)가 가장 강하지만 굳으면서 팽대되는 성향이 있다. 녹지 않고 거칠어 거대유두결막염(giant papillary conjunctivitis)이나 이물반응을 유발할 수 있다.[3] 액체와 대사 산물이 굳어진 접착물을 통과할 수 없기 때문에 조직 내부에 남겨둬서는 안 된다.[4]

2) 폴리에틸렌글리콜(Polyethylene glycol, PEG) 계열

PEG 계열은 시아노아크릴레이트 계열에 비해 독성이 거의 없는 합성물로 조직 단백질과 반응하여 가교(crosslinking)를 형성하거나, 광원에 의한 중합반응으로 강한 접착력을 가진다. 제조사마다 점도나 PEG를 굳게 하는 원리가 다양하여 굳는 속도나 강도, 그리고 사용법이 상이하다.

3) 피브린(Fibrin) 접착제

피브린 접착제는 피브리노겐(fibrinogen)과 트롬빈(thrombin)에 의한 응고과정을 모방한 생물학적 조직접착제로 최근의 안과수술에서 가장 널리 사용되고 있다(그림 36-1).[5-7] 첫 번째 주사제에는 인체유래 피브리노겐(fibrinogen) 성분과 함께 제13인자(factor XIII), 아프로티닌(aprotinin)이 포함되어 있고, 두 번째 주사제에는 트롬빈(thrombin)과 칼슘이 포함된다. 두 주사제 용액

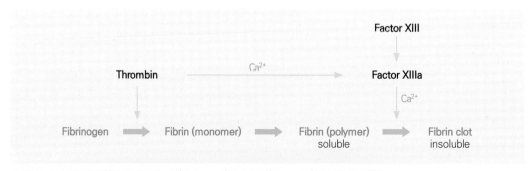

그림 36-1. 피브린 접착제의 피브리노겐(fibrinogen)과 트롬빈(thrombin)에 의한 응고반응

이 혼합되면 피브리노겐(fibrinogen)은 트롬빈
(thrombin)에 의해 피브린 단량체(fibrin
monomer)로 전환되고, 활성화된 제13인자
(factor XIII)에 의해 불용성의 긴 사슬모양의 피
브린 응고물(fibrin clot)이 만들어 진다. 아프로
니틴(apronitin)은 피브린의 용해를 억제하여 응
괴가 보다 오래 유지되게 하는 역할을 한다. 피
브린 응고물(fibrin clot)은 생체적합성이 높고,
내부로 섬유모세포가 이동, 증식해 들어갈 수 있
으며, 수주에 걸쳐 서서히 생분해 흡수된다. 응
고 반응 속도가 트롬빈(thrombin)의 농도에 따
라 결정되므로 사용목적이나 술자의 성향에 맞
게 반응 속도를 조절할 수 있다. 조직 독성이 거
의 없고 염증 유발이 적지만, 혈액 유래 제품이
기 때문에, 희박하지만, 전염병의 위험이 있
다.[8,9] 시아노아크릴레이트 계열이나 PEG계열에
비하여, 피브린 접착제는 팽대되는 성질이 적고,
봉합부위를 매끄럽게 밀봉하여 술 후 불편감이
나 합병증이 적은 반면, 상대적으로 접착력은 다
소 약하다.[10]

3. 조직접착제의 사용법

1) 시아노아크릴레이트 및 PEG 계열

제조사마다 성분이나 조직접착의 기전이 다양하
므로 사용하는 제품의 기본정보와 응고속도에 대
해 사전에 숙지하여야 한다. 대부분 점성이 낮아
다른 부위로 흐를 수 있고 굳으면서 팽대하는 특
성이 있으므로 사용 시에 주의가 필요하다. 원하
는 부위에 직접 접착제를 떨어뜨리지 말고, can-
nula shaft나 스틱으로 소량을 찍어 바르거나 셀
룰로오스 스폰지(Weck-Cel®)에 적셔 바르는 것
이 좋다.

2) 피브린 접착제

피브린 접착제는 피브리노겐과 트롬빈 두 성분으
로 구성되며, 이들의 혼합으로 인한 생체내 응고
반응을 재현한다. 술자의 선호도나 적용되는 상황
에 따라 동시에 또는 순차적으로 사용할 수 있다.

(1) 동시 사용

피브린 접착제의 두 구성 성분이 각기 다른 주사
용기로부터 나와 공통의 cannula를 통해 동일한
부피 비율로 섞여 배출되는 double-barrelled
injection system을 이용한다(그림 36-2A). 도포
즉시 굳어지기 시작한다. 일회성으로 광범위한
부위를 빠르게 고정시키고자 하는 경우에 유용한
반면, 한번이라도 사용하게 되면 tip이 응고된 피
브린에 막히게 되므로 이후의 사용이 어려워진
다. 안구표면수술과 같이 작고 국소적인 부위에
적은 양으로 여러 번 사용해야 하는 경우에 적합
한 방법은 아니다.

(2) 순차적 사용

순차적인 적용을 위해서는 두 구성성분이 담긴
주사용기 각각에 별개의 cannula를 따로 사용한
다. 먼저, 트롬빈 용액을 접착하고자 하는 단면
혹은 표면에 도포한 다음, 그 위에 피브리노겐
용액을 얇게 도포하거나, 트롬빈 용액은 한쪽 면
에, 그리고 피브리노겐 용액은 다른 쪽 면에 적
용한 다음 두 면을 포갤 수도 있다. 응고반응은
10초 이내로 시작되고 2~3분 내로 중합반응이
완료된다. 응고시간은 트롬빈 용액의 농도가 높
을수록 빨리 응고되므로 상황에 따라 응고시간
을 늦추기 위한 목적으로 트롬빈 주사액을 희석
하여 사용하기도 한다. 1:10 혹은 1:100으로 희
석하여 응고시간을 1분에서 2분가량 지연시킬

One Point

- 대부분의 피브린 접착제 패키지에는 double-barrelled injection cannula(그림 36-2A)와 두 성분을 따로 사용하기 위한 두 개의 single cannula(그림 36-2B)가 동봉되어 있다.
- 안과수술과 같은 미세수술에서 피브린 접착제는 적은 양을 국소적으로 여러 번 사용하는 경우가 많으므로 두 개의 single cannula를 사용하여 순차적으로 도포하는 것이 효과적이다.
- 하지만 동봉된 plastic single cannula는 내경이 넓고, flexible하여 안과수술에 적합하지 않으므로, 가늘고 샤프한 27 G healon cannula(그림 36-2C)로 대체하면 사용하기 용이하다.

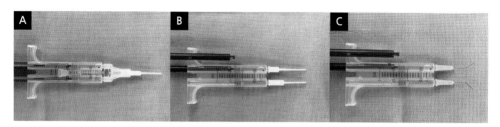

그림 36-2. 피브린 조직접착제 제품(Tisseel)의 injection system
A: Double-barrelled injection tip
B: Package에 별도로 동봉된 separate injection tip (26G)
C: Healon cannula tip (27G)

수 있다. 항상 피브린접착제를 도포하기 전에 도포부위는 물기가 없이 건조되어야 한다. 단단한 접착을 위해 약 2~3분간 동안은 조직을 부드럽게 눌러 유지시켜준다.

4. 조직접착제의 활용

1) 군날개 수술

군날개 수술은 피브린 접착제가 가장 활발히 활용되는 안과 수술이다.[11-17] 결막피판, 자가결막이식편, 양막의 고정과 부착에 효과적이다. 이식편을 가장자리 고정봉합 후 공막면과의 시이공간에 직접 주입하거나 공막면과 이식편의 뒷면에 따로 한 가지 성분을 각각 점적한 후 뒤집어 맞닿게 하여 부착하는 flip technique 등이 있다. 봉합사를 이용하는 방법에 비해 수술시간이 단축되고 수술 후 불편함이나 염증발생이 적다.[18-19] 하지만, 피브린 접착제를 사용하여 결막이식편을 부착한 경우 심하게 눈을 비볐을 때 이탈이 일어날 수 있으므로 이에 대한 환자 교육이 필요하다.[20]

2) 굴절수술

라식 절편의 이탈이나 각막상피내생의 치료 시에 피브린 접착제를 보조적으로 사용할 수 있다. 절편하 인터페이스(interface)의 상피조직을 완전히 제거하고 절편을 봉합한 후 추가적으로 피브린 접착제를 사용하여 틈을 완전히 밀봉하면 각막상피내생의 재발을 억제하는 데 효과적이라고 보고되었다.[21-23] 하지만, 어차피 봉합 없이 단독으로 사용하기 어렵고 피브린이 흡수되는 1~2주 동안 불투명한 성분에 의해 염증의 정도를 감별

해내기 어렵고 시력에도 영향을 줄 수 있어 보편
적으로 사용되지 않는다.[21,24,25]

3) 각막천공

3 mm 이하 각막천공의 직접적인 밀봉과 3 mm
이상 각막천공에서 양막 등의 graft와 함께 밀봉
하는 데 시아노아크릴레이트 계열 및 피브린 접
착제 모두 효과적으로 사용할 수 있다.[26-28] 시아
노아크릴레이트 계열은 염증세포의 침윤을 차단
하고 가수분해효소의 활성을 저해하여 조직괴사
를 줄여주고 반응 속도가 빠르지만 각막내피세
포나 수정체에 독성을 유발할 수 있다.[29] 피브린
접착제는 상대적으로 결손부위의 재생이 빠르
고, 이물반응과 염증반응을 적게 유발하는 장점
이 있다.

4) 각막이식

전부층판각막이식(anterior lamellar kerato-
plasty)이나 전층각막이식(full thickness kera-
toplasty)에서 봉합사를 대신하여 피브린 접착제
를 사용하여 효과적이고 안전한 결과를 보고한
실험적 연구들은 있으나, 임상적으로 사용되지는
않는다.[30-32]

5) 윤부각막이식

조직접착제는 윤부세포결핍에서 공여자의 윤부
조직을 고정시키는 데 효과적이다. 얇은 공여자
의 윤부조직을 들뜸 현상 없이 매끈하게 봉합하
는 것은 매우 어려운 술기일 뿐만 아니라 봉합사
와 관련한 합병증의 가능성(감염, 신생혈관, 거대
유두결막염 등) 또한 있으므로 조직접착제의 사
용은 적절한 대안이 될 수 있다.[33]

6) 백내장 수술
(1) 공막 및 각막 절개창의 봉합

조직접착제는 백내장 수술 시 공막이나 각막의
절개창 봉합 목적으로 오래전부터 사용된 바 있
다. 그동안의 연구들은 절개창에 조직접착제를
도포하였을 때 술 후 초기 안압의 변동에 따른 창
상누출(wound leak)이나 세균의 이입(bacterial
ingress)의 예방에 효과적임을 보여주었다.[34,35]
최근에는 PEG계열 조직접착제 중 하나인
ReSure (Ocular Therapeutix)는 백내장 수술 시
3.5 mm 이하의 투명각막절개창의 밀폐(seal) 목
적으로 FDA 승인을 받은 바 있다.

(2) 인공수정체의 공막고정술

Agarwal 등은 봉합사를 대신하여 피브린접착제
로 인공수정체의 지지부(haptic)를 공막에 고정
하는 수술법(fibrin glue-assisted sutureless
posterior chamber intraocular lens implanta-
tion)을 소개하였다.[36] 이 수술법은 공막절개창
(scleral tunnel)으로 인공수정체의 지지부를 통
과시키고, 그 위를 덮는 공막절편을 피브린 접착
제로 고정시킨다.

7) 사시수술

Spierer 등이 1997년 사시수술 후 결막봉합에 피
브린 접착제의 사용을 보고한 이후 사시수술 후
결막의 봉합에 널리 사용되어 왔다.[37-44] 하지만,
피브린 접착제는 근육의 부착에서 봉합사를 대신
할 만큼의 강도를 가지지는 못한다.

8) 녹내장

녹내장수술 시 결막 봉합이나 공막편의 봉합시에
봉합사를 대신하여 활용할 수 있다.[45] 섬유주절

제술 후 bleb leaking 시에 피브린접착제를 사용하여 아주 효과적인 결과를 보고한 바 있다.[46]

5. 결론

지난 30여 년간 조직접착제는 일부 안과 수술에서 봉합사를 훌륭하게 대체해왔다. 조직접착제는 수술시간을 단축시켜주고, 조직을 봉합하거나 밀봉하기에 적절한 접착력을 제공하면서 결손부위를 메울 수 있는 plug 효과를 가지며, 염증이나 알러지 유발이 적어 앞으로도 다양한 분야와 술기에서 그 사용이 늘어날 것으로 생각된다. 하지만, 타인의 혈액성분으로부터 제조되어 감염의 가능성이 없지 않고, 합성물의 조직 독성과 접착력에 대한 더 많은 고민과 개선도 필요하다.

현문현답

Q. 조직접착제가 편하고, 수술도 빨리 끝나고, 좋은 건 누구나 아실 것 같은데요. 아무래도 금액 부담이 좀 되죠? 다들 많이 사용하시나요? 주로 어떨 때 사용하세요?

A. 저는 군날개 수술에서 항상 사용합니다. 봉합사를 사용하지 않고 조직접착제만을 사용하는 것은 아니고, 결막피판이나 이식편을 윤부에 고정할 때나 장력이 많이 필요한 경우는 봉합사를 사용하고, 피브린 접착제는 추가적인 봉합을 줄이기 위해서 사용합니다.

Q. 환자가 전액 부담해야 할 텐데 가격에 대한 저항은 없었나요? 저희 병원에서는 ○○만 원 가량 추가 비용이 발생하더라고요.

A. 네. 그런 고민이 다들 있으실 텐데요. 재발성이나 심한 군날개 수술 환자에게는 접착제의 사용이 유용하다고 판단되면 환자분과 상담 후 결정합니다. 이미 해동된 피브린 접착제는 다시 냉장/냉동하면 안됩니다. 24~72시간 이내에 사용하여야 하고요. 아주 오래 전에는 간혹 환자에게 비용적인 부담을 덜어주기 위하여 분주하여 나누어 사용하기도 하였다는 이야기들이 있지만, 이제는 원칙을 지키면서 환자 한 분당 하나씩 사용하는 것이 바람직하다고 생각합니다.

A. 네 그렇습니다. 매우 드물지만, 피브린 접착제는 과민반응을 유발하거나 감염을 매개할 수 있거든요. 반드시 원칙을 지키면서 의료 행위를 하는 것이 진정으로 환자를 위하는 길이라고 생각합니다. 감사합니다.

참고 문헌

1. Forseth M, O'Grady K, Toriumi DM. The current status of cyanoacrylate and fibrin tissue adhesives. *J Long Term Eff Med Implants* 1992;2(4):221-233.

2. Trott AT. Cyanoacrylate tissue adhesives. An advance in wound care. *JAMA* 1997 May 21;277(19):1559-1560.

3. Carlson AN, Wilhelmus KR. Giant papillary conjunctivitis associated with cyanoacrylate glue. *Am J Ophthalmol* 1987 Oct 15;104(4):437-437.

4. Tseng YC, Hyon SH, Ikada Y, Shimizu Y, Tamura K, Hitomi S. In vivo evaluation of 2-cyanoacrylates as surgical adhesives. *J Appl Biomater* 1990 Summer;1(2):111-119.

5. Thompson DF, Letassy NA, Thompson GD. Fibrin glue: A review of its preparation, efficacy, and adverse effects as a topical hemostat. *Drug Intell Clin Pharm* 1988 Dec;22(12): 946-952.

6. Chabbat J, Tellier M, Porte P, Steinbuch M. Properties of a new fibrin glue stable in liquid state. *Thromb Res* 1994 Dec 15;76(6):525-533.

7. Le Guéhennec L, Layrolle P, Daculsi G. A review of bioceramics and fibrin sealant. *Eur Cell Mater* 2004 Sep 13;8:1-10;

8. Everts PA, Knape JT, Weibrich G, Schonberger JP, Hoffman J, Overdevest EP, et al. Platelet-rich plasma and platelet gel: a review. *J Extra Corpor Technol* 2006 Jun;37(2):174-187.

9. Alston SM, Solen KA, Sukavaneshvar S, Mohammad SF. In vivo efficacy of a new autologus fibrin sealant. *J Surg Res* 2008 May 1;146(1):143-148.

10. Sharma A, Kaur R, Kumar S, Gupta P, Pandav S, Patnaik B, Gupta A. Fibrin glue versus N-butyl-2-cyanoacrylate in corneal perforations. *Ophthalmology* 2003 Feb;110(2):291-298.

11. Uy HS, Reyes JM, Flores JD, Lim-Bon-Siong R. Comparison of fibrin glue and sutures for attaching conjunctival autografts after pterygium excision. *Ophthalmology* 2005 Apr;112(4):667-671.

12. Bahar I, Weinberger D, Dan G, Avisar R. Pterygium surgery: fibrin glue versus Vicryl sutures for conjunctival closure. *Cornea* 2006 Dec;25(10):1168-1172.

13. Marticorena J, Rodríguez-Ares MT, Touriño R, Mera P, Valladares MJ, Martinez-de-la-Casa JM, et al. Pterygium surgery: Conjunctival autograft using a fibrin adhesive. *Cornea* 2006 Jan;25(1):34-36.

14. Bahar I, Weinberger D, Gaton DD, Avisar R. Fibrin glue versus vicryl sutures for primary conjunctival closure in pterygium surgery: long-term results. *Curr Eye Res* 2007 May;32(5):399-405.

15. Jiang J, Yang Y, Zhang M, Fu X, Bao X, Yao K. Comparison of fibrin sealant and sutures for conjunctival autograft fixation in pterygium surgery:one-year follow-up. *Ophthalmologica* 2008;222(2):105-111.

16. Jain AK, Bansal R, Sukhija J. Human amniotic membrane transplantation with fibrin glue in management of primary pterygia; a new tuck-in technique. *Cornea* 2008 Jan;27(1): 94-9.

17. Kheirkhah A, Gasas V, Sheha H, Raju VK, Tseng SC. Role of conjunctival inflammation in surgical outcome after amniotic membrane transplantation with or without fibrin glue for pterygium. *Cornea* 2008 Jan;27(1):56-63.

18. Jain AK, Bansal R, Sukhija J. Human amniotic membrane transplantation with fibrin glue in management of primary pterygia; a new tuck-in technique. *Cornea* 2008 Jan;27(1): 94-99.

19. Kheirkhah A, Gasas V, Sheha H, Raju VK, Tseng SC. Role of conjunctival inflammation in surgical outcome after amniotic membrane transplantation with or without fibrin glue for pterygium. *Cornea* 2008 Jan;27(1):56-63.

20. Srinivasan S, Slomovie AR. Eye rubbing conjunctival graft dehiscence following pterygium surgery with fibrin glue. *Eye(Lond)* 2007 Jun;21(6):865-867.

21. Anderson NJ, Hardten DR. Fibrin glue for the prevention of epithelial ingrowth after laser in situ keratomileusis. *J Cataract Refract Surg* 2003 Jul;29(7):1425-1429.

22. Narvaez J, Chakrabarty A, Chang K. Treatment of epithelial ingrowth after LASIK enhancement with a combined technique of mechanical debridement, flap suturing, and fibrin glue application. *Cornea* 2006 Oct;25(9):1115-1117.

23. Rapuano CJ. Management of epithelial ingrowth after laser in situ keratomileusis on a tertiary care cornea service. *Cornea* 2010 Mar;29(3):307-313.

24. Yeh DL, Bushley DM, Kim T. Treatment of traumatic LASIK flap dislocation and epithelial ingrowth with fibrin glue. *Am J Ophthalmol* 2006 May;141(5):960-962.

25. Narvaez J, Chakrabarty A, Chang K. Treatment of epithelial ingrowth after LASIK enhancement with a combined technique of mechanical debridement, flap suturing, and fibrin glue application. *Cornea* 2006 Oct;25(9):1115-1117.

26. Lagoutte FM, Gauther L, Comte PRM. A fibrin sealant for perforated and preperforated corneal ulcers. *Br J Ophthalmol* 1989 Sep;73(9):757-761.

27. Vrabec MP, Jordan JJ. A surgical technique for the treatment of central corneal perforations. *J Refract Corneal Surg* 1994 May-Jun;10(3):365-367.

28. Hick S, Demers PE, Brunette I, La C, Mabon M, Duchesne B. Amniotic membrane transplantation and fibrin glue in the management of corneal ulcers and perforations: A review of 33 cases *Cornea* 2005 May;24(4):369-377.

29. Vote BJ, Elder MJ. Cyanoacrylate glue for corneal perforations: a description of a surgical technique and a review of the literature. *Clin Exp Ophthalmol* 2000 Dec;28(6):437-442.

30. Rosenthal AR, Harbury C, Ebgen PR. Use of a platelet-fibrinogenthrombin mixture as a corneal adhesive experiments with sutureless lamellar keratoplasty in the rabbit. *Invest Ophthalmol Vis Sci* 1975 Nov;14(11):872-875

31. Kim MS, Kim JH. Effects of tissue adhesive (Tisseel) on corneal wound healing in lamellar keratoplasty in rabbits. *Korean J Ophthalmol* 1989 Jun;3(1):14-21.

32. Ibrahim-Elzembely HA, Kaufman SC, Kaufman HE. Human fibrin tissue glue for corneal lamellar adhesion in rabbits: A preliminary study. *Cornea* 2003 Nov;22(8):735-739.

33. Pfister RR, Sommers CL. Fibrin sealant in corneal stem cell transplantation. *Cornea* 2005 Jul;24(5):593-598.

34. Banitt M, Malta JB, Soong HK, et al. Wound integrity of clear corneal incisions closed with fibrin and N-butyl-2-cyanoacrylate adhesives. Curr Eye Res 2009 Aug;34(8):706-10.37. 35. Hovanesian JA, Karageozian VH. Watertight cataract incision closure using fibrin tissue adhesive. *J Cataract Refract Surg* 2007 Aug;33(8):1461-1463.

36. Agarwal A, Kumar DA, Jacob S, Baid C, Agarwal A, Srinivasan S. Fibrin glue-assisted sutureless posterior chamber intraocular lens implantation in eyes with deficient posterior capsules. *J Cataract Refract Surg* 2008 Sep;34(9):1433-1437. doi: 10.1016

37. Spierer A, Barequet I, Rosner M, Solomon AS, Martinowitz U. Reattachment of extraocular muscles using fibrin glue in a rabbit model. *Invest Ophthalmol Vis Sci* 1997 Feb; 37(2):543-5

37~41. Erbil H, Sinav S, Sullu Y, Kandemir B. An experimental study on the use of fibrin sealants in strabismus surgery. *Turk J Pediatr* 1991 Apr-Jun;33(2):111-116.

40. Biedner B, Rosenthal G. Conjunctival closure in strabismus surgery: Vicryl versus fibrin glue. *Ophthalmic Surg Lasers* 1996 Nov;27(11):967.

41. Dadeya S, Ms K. Strabismus surgery: fibrin glue versus vicryl for conjunctival closure. *Acta Ophthalmol Scand* 2001 Oct;79(5):515-517.

42. Mohan K, Malhi RK, Sharma A, Kumar S. Fibrin glue for conjunctival closure in strabismus surgery. *J Paediatric Ophthalmol Strabismus* 2003 May-Jun;40(3):158-160.

43. Erbaqci I, Bekir N. Sutureless closure of the conjunctiva with a commercial fibrin sealant in strabismus. *Strabismus* 2007 Apr-Jun;15(2):89-94.

44. Tonelli E Jr, de Almeida HC, Bambirra EA. Tissue adhesives for a sutureless faden operation: an experimental study in a rabbit model. *Invest Ophthalmol Vis Sci* 2004 Dec; 45(12):4340-4345.

45. O'Sullivan F, Dalton R, Rostron LK. Fibrin glue: an alternative method of wound closure in glaucoma surgery. *J Glaucoma* 1996 Dec;5(6):367-370.

46. Asrani SG, Wilensky JT. Management of bleb leaks after glaucoma filtering surgery. Use of autologous fibrin tissue glue as an alternative. *Ophthalmology* 1996 Feb;103(2):294-298.

안구적출 이후 기증각막의 처치

37

Key Point

•각막 이식을 위한 기증안구의 적출법을 알아본다.

•기증안구에서 각막의 손상을 최소화하는 기증 각막의 채취 방법을 알아본다.

장기기증이 결정되고 심장을 비롯해서 폐나 간과 같은 경우는 living donor인 상태로 적출이 되나 눈과 같은 경우는 cadaver donor로 적출이 가능하며 일반적으로 사후 8시간 내에 적출하는 것이 원칙이다. 적출 후 각막 이식까지 wet chamber에 보관하는 경우와 corneosclera graft를 preservative solution에 넣어서 보관하는 방법이 있다. Wet chamber인 경우 48시간 내에 수술이 이루어지나 preservative solution에 보관된 corneoscleral graft는 최대 2주까지 보관이 가능하다. Preservative solution은 Optisol-GS®(Bausch & Lomb Surgical, Inc., Aliso Viejo, CA, USA)를 많이 사용하며 최근에는 Life 4℃® (Numedis, Inc, Minneapolis,

MN)가 Optisol-GS®에 비해 각막내피세포의 밀도가 높게 유지된다는 보고들이 있어 앞으로 Optisol-GS®를 대체하여 사용하게 될 수 있을 것이다.

기증안구를 적출한 이후 기증각막을 처치하는 과정은 다음과 같다. 필요한 기구는 그림 37-1에 서술되어 있으며, 이들 기구를 이용하여 기증각막을 처치하는 방법은 그림 37-2에 서술되어 있다. 기증각막 처치에 있어서 무엇보다 중요한 것은 모든 처치 과정에 있어 기증각막에 가해지는 손상이 최소화되도록 주의를 기울여야 한다는 점이다.

그림 37-1. **필요한 기구**
A. Westcott scissors, B. Toothed forceps, C. #11 blade, D. Corneoscleral scissors

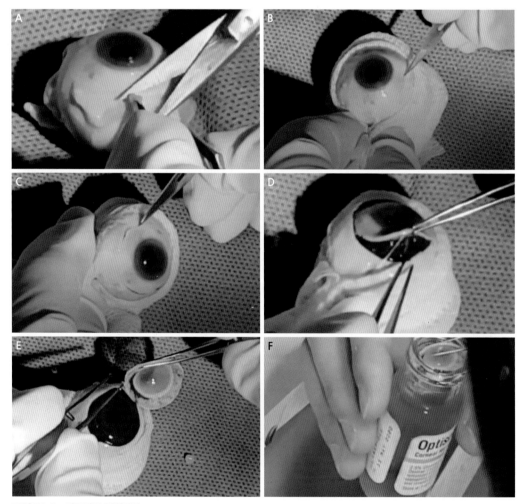

그림 37-2. **기증각막 처치방법**
A. 안구 적출 후 contamination 억제 목적으로 거즈로 쌓아서 고정 후 안구에 부착된 결막 조직을 윤부까지 제거한다.
B. 11번 blade를 이용하여 윤부에서 3 mm 위치에 partial incision을 한다.
C. Blade를 이용하거나 scissor를 이용해서 partial incision한 부위에 full thickness로 incision을 가한다.
D. 이후, anterior sclerocornea와 posterior sclera를 분리한다. 이때 모양체 조직에 손상을 주지 않도록 한다.
E. 내피세포가 손상되지 않도록 조심해서 각막을 분리한다. 주의할 점은 각막의 모양이 흐트러지지 않게 조심해서 dome 형태가 유지되도록 분리해야 한다.
F. 각막내피면이 위로 되게끔 보존액이 들어간 병에 옮겨 담고 4도에서 냉장보관 한다.

One Point

안구에서 각막을 분리할 때 주의할 점은 각막의 모양이 흐트러지지 않게 조심해서 한쪽 forceps로는 각공막편을 잡아 dome 형태가 유지되도록 분리하고 다른 반대편 손의 forceps는 모양체 조직을 아래쪽으로 당겨 홍채가 딸려나오지 않도록 해야 한다는 것이다. 각공막편을 잡아당길 때에는 각막에 주름이 생겨 내피세포가 손상되는 일이 없도록 유의해야 한다.

현문현답

Q. 보존용기에 각막내피세포가 아래쪽으로 향하게 담거나, 각막을 냉동보관하는 것과 같이 잘못된 방법으로 각막을 보존하는 경우가 드물게 발생하곤 하니 기증각막 처치법을 잘 익혀두는 것이 필요합니다.

A. 각막윤부이식이 필요한 환자인데 윤부에 너무 바짝 붙여서 기증각막을 절제해오면 정말 난감합니다. 또한 너무 뒤쪽에서 절개를 하면 유리체강 내로 들어가거나 안구모양이 유지되지 않아 각공막편을 제거하는 데 어려움을 겪게됩니다.

A. 아주 오래된 얘기인데요. 아마 12월 말 연휴기간에 타병원에서 환자분이 장기기증을 하셨어요. 정확하게 기억이 안나는데 다른 장기는 안 되고 안구만 적출하기로 했거든요. 요즈음엔 안구 적출하고 각막이식을 위한 준비를 전공의 시절 한두 번은 하고 있을텐데 당시만 하더라도 '기증' 자체가 많지 않았어요. 그쪽 병원 전공의 선생님이 '제가 각막 준비를 한번도 안 해봤는데 어떡하죠'라고 말해서 '각막 윤부에서 3~4 mm 후방에 scleral incsion 넣어서 앞쪽을 준비하시면 돼요. 교과서에 나와 있을 겁니다'라고 말을 해주었어요. 그리고 각막이 고속버스를 타고 ice bag에 넣어 도착했는데… 뭔가 이상한거예요… 정말 눈 앞쪽 1/3을 잘라서 보냈더라구요(그림 37-3).

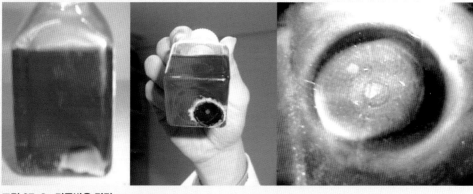

그림 37-3. 기증받은 각막

Endothelium damage가 충분히 예상이 되어서 PKP는 포기하고 deep anterior lamellar keratoplasty를 했습니다. 그때 수술한 환자분을 아직 follow up하는데 20년이 된 지금도 cornea가 깨끗하고 환자분은 지금도 기증해주신 환자분께 감사하고 있다고 합니다.

A. 지금 생각해보면 비효율적이었는데 당시에는 적출 당번이랑 수술 당번이 KONOS에서 정해져 있었어요. 기증자가 나오면 당번인 적출 기관에서 가서 적출하고 그 병원에서 사용하는 것이 아니라 수술 당번의 병원에서 각막을 사용할 수 있는 시스템이었습니다.

A. 현재는 기증자가 발생하였을 경우, 가능하다면 기증자가 있는 병원에서 적출하여 각막 이식까지 진행하고, 수여자가 여의치 않을 경우 KONOS에 연락하여 이식 대기자가 있는 병원으로 각막을 보내서 수술이 되게끔 하고 있습니다.

A. 안구 기증은 병적 각막을 가진 환자분들의 시력을 회복시킬 수 있는 정말 감사하고 신성한 일인 것 같습니다. 이런 이유로 안구 적출 시에는 그 어느 때보다 예의와 존경하는 마음으로 수술을 시행해야 하죠. 특히 이런 감사한 뜻으로 기증된 각막이 더할 나위없이 좋은 상태로 수여자한테 각막이식이 이루어지도록 각막의 preparation에 최선을 다해야 할 것입니다.

참고문헌

1. Soni NG, Hoover CK, Da Silva H, Jeng BH. Preservation of corneal epithelium in different corneal storage media. *Cornea* 2015 Nov;34(11):1400-1403. doi: 10.1097/ICO.0000000000000601.

색인